D1253872

El Duque de Saint Raven

books4pocket

Jo Beverley

El duque de Saint Raven

Traducción de Diego Castillo Morales

EDICIONES URANO

Argentina - Chile - Colombia - España
Estados Unidos - México - Perú - Uruguay - Venezuela

Título original: *St. Raven*
Traducción de Diego Castillo Morales

Aribau, 142, pral. – 08036 Barcelona
www.edicionesurano.com
www.books4pocket.com

1ª edición en books4pocket octubre 2013

Impreso por Novoprint, S.A.
Energía 53
Sant Andreu de la Barca (Barcelona)

Fotocomposición: **books4pocket**

ISBN: 978-84-15139-96-6
Depósito legal: B-21546-2013

Código Bic: FRH
Código Bisac: FIC027050

Impreso en España - *Printed in Spain*

Agradecimientos

Como siempre doy las gracias a mi maravillosa editora, Audrey LaFehr, y a mi eficaz agente Meg Ruley. Ambas me han facilitado mucho el trabajo.

Tengo la suerte de tener muchos amigos y grupos en Internet que siempre están dispuestos a contarme sus ideas, a aportar información o a actuar como caja de resonancia. También agradezco tener un grupo local de escritores de novelas románticas divertido y colaborador, así como un grupo de crítica. Gracias a todos.

A menudo uso Internet para investigaciones puntuales. Para este libro, Rosemary Sachdev, a la que conocí a través de Dunnettry, me encontró los nombres de los dos amantes hindúes, y también el término correcto que se usa para definir a un compañero de tales ejercicios. Mi colega la escritora Margaret Evans me explicó el valor de las piedras preciosas. Pero si he cometido algún error, lo asumo por completo como propio.

Y gracias a todos mis lectores. Podría escribir para mí misma, ¡pero no sería en absoluto tan divertido!

Capítulo 1

Verano de 1816. Norte de Londres

El salteador de caminos observaba la carretera como si fuera una estatua iluminada por la luna llena. Controlaba su caballo sin hacer el menor esfuerzo, y cuando éste se revolvía y daba tirones con la cabeza, ni un tintineo rompía la quietud de la noche en el bosque.

Su ropa era oscura como las sombras, llevaba el rostro oculto por una máscara negra, y tenía la barba recortada y el bigote al estilo de Carlos I. Hubiese sido invisible a no ser por el manchón de la gran pluma blanca que adornaba su amplio sombrero de *cavalier*. Esa pluma era la firma de Le Corbeau, el audaz granuja francés que se hacía llamar el Cuervo, y que revindicaba su derecho a esquilmar a los que viajaban de noche por las carreteras del norte de Londres.

Aunque no se veía a nadie más, el Cuervo no volaba solo. Tenía a sus hombres situados al norte y al sur para avisarle en caso de peligro, o de si se acercaba alguna presa. Él esperaba sus señales en total quietud, a excepción de su pluma agitada por la brisa.

Finalmente llegó desde el sur un ulular atípico de un búho. Se acercaba una víctima adecuada a sus necesidades. No era el carruaje de correos bien blindado, pero tampoco era una carreta o alguien sobre un caballo con la espalda ya combada, que dejaban muy pocas ganancias. Quienes venían desde el sur iban indefensos y merecía la pena el esfuerzo, pues enseguida estarían junto a él.

Se quedó escuchando hasta que oyó el rápido galope de los caballos. Con un agudo silbido, surgió de entre los árboles y se situó frente al carruaje. El asustado cochero tiró de las riendas. Al detenerse el carruaje, Tristan Tregallows, duque de San Raven, con el arma montada, dio órdenes a las dos personas que estaban en el vehículo, y pidió a sus dos compañeros que se mantuvieran de guardia cerca. El corazón le latía con fuerza, de una manera inquietante y agradable a la vez. Tris pensó que era algo tan bueno como el sexo. Lástima que ésta fuese su primera y última noche en este juego.

—*Monsieur, madame* —dijo como saludo con una ligera inclinación de cabeza, y continuó la conversación con el acento francés del verdadero Corbeau:

—Pog favog, salgan del caguaje.

Mientras hablaba, examinó a sus víctimas lo mejor que pudo, pues el interior de la cabina estaba muy oscuro.

Perfecto.

El terror o la amenaza de una apoplejía por parte de sus presas podrían haberlo hecho abandonar, pero en la mira de su pistola tenía a una pareja joven y elegante. La dama se acercó a su esquina del carruaje y más que asustada parecía furiosa. Su boca rígida y sus ojos claros expresaban que estaba indignada por el asalto.

—¡Malditos tus ojos, carne de horca! —gruñó el hombre.

La voz le confirmó que era de buena cuna, lo cual era estupendo, ya que así no echaría en falta que le robara la mitad de su dinero.

—Eso está en manos del *Bon Dieu* y sus ministros, *monsieur*. Usted, por otra parte, se encuentra en las mías. ¡Salgan! Ya conocen mi reputación. Ni los voy a matar ni les voy a quitar todo, a menos que —Tris añadió como una ligera amenaza— continúen desobedeciéndome.

—Venga, salgamos y acabemos con esto —ordenó el hombre, empujando a la mujer con tanta rudeza que se dio un golpe en el interior del carruaje. Ella giró la cabeza hacia su acompañante como para maldecirlo, pero acto seguido abrió la puerta con la cabeza gacha, dócil como un cordero.

Tris hizo retroceder a César unos pocos pasos para asegurarse de que no pudiesen atacarlo, mientras su mente llena de curiosidad hacía cábalas. El hombre era un canalla. Parecía que la mujer pensaba lo mismo, pero sin embargo le obedecía. Podría ser un matrimonio infeliz, pero esa clase de esposas casi nunca se rebelan por pequeñas cosas.

Procuró controlar su curiosidad. No tenía tiempo para misterios. Aunque fuese tan tarde, en una noche con buena luna podía aparecer otro vehículo en cualquier momento. La mujer bajó los escalones, y con una mano se recogió la falda de color claro y con la otra se agarró a la puerta abierta para equilibrarse. Mientras observaba al hombre, Saint Raven siguió con sus cavilaciones. Ella tendía más a las formas redondeadas que a las esbeltas y elegantes, pero aún en esta difícil situación se comportaba con clase. Llevaba un fino vestido de noche y un ligero mantón, prendas inusuales para viajar. ¡Maldita sea! Tal vez se dirigían a un funeral.

Tenía bonitos tobillos. Cuando ya estuvo en la carretera y la miró, se fijó en su cara en forma de corazón enmarcada por unos rizos oscuros que le sobresalían por debajo de la elegante tela de un turbante a rayas. También llevaba un collar y pendientes de perlas, aunque eran más bien modestos. Hubiese deseado que mostrase signos de poseer fabulosas riquezas. Supuso que tenía que llevárselos, o al menos en parte. ¡Maldición! Si los dejaba partir podía destruir el propósito de esta empresa.

Prestó atención hacia el fornido hombre que la seguía. Sus botas altas, bombachos, chaqueta, y el sombrero de castor podrían parecer informales para algunos, pero Tris reconoció que eran prendas muy de moda entre la gente de clase alta. El chaleco a rayas, el flamante pañuelo y el corte de la chaqueta, le confirmó algo que sería también una advertencia: el hombre de pesada contextura parecía muy musculoso. La luz de la luna le dio de pleno en su cara llena de desprecio. Era gruesa, de mandíbula amplia y con una nariz que parecía que había sido rota más de una vez.

Era Crofton.

El vizconde de Crofton, un hombre de unos treinta y tantos, moderada riqueza y gustos caros, especialmente mujeres, o más bien una gran cantidad de ellas. Era un duro jinete y pugilista al que generalmente se le podía encontrar en cualquier evento deportivo, con hombres o mujeres, y con preferencia de los deportes más violentos. Crofton había asistido una vez a una fiesta para caballeros en casa de Tris y quedó claro que nunca más sería bienvenido de nuevo. Hubiese sido un placer personal hacerle sufrir, pero era peligroso y necesitaba tenerlo vigilado.

Tris se recordó a sí mismo que no debía distraerse, pero le preocupaban algunos detalles. Algo que podría ser relevante. Aún así decidió dejar pasar el tema. Tenía una tarea sencilla entre manos: representar un atraco, de modo que quedase demostrada la inocencia del hombre que estaba en la cárcel acusado de ser Le Corbeau.

—Pog favog, sus monedegos —les dijo sin poder resistirse a mirar a la dama otra vez. Crofton no estaba casado, pero el vestido de la mujer, sus maneras, las joyas y su forma de hablar eran los de una señorita, no una prostituta, ¿tendría acaso una hermana?

Crofton sacó de su bolsillo un puñado de billetes y los tiró al suelo, donde revolotearon por la brisa.

—Arrástrate como el cerdo que eres si los quieres.

—Cuervo —corrigió Tris, tentado a obligar al hombre a recogerlos con los dientes—. *Madame*...

—No tengo dinero.

Tenía una voz fresca y educada, y seguro que era una señorita. La luz de la luna iluminaba su rostro puro como el mármol.

—Entonces me tendrá que dar sus pendientes, *cherie*.

Su instinto le decía a voces que algo iba mal y la respuesta a ese misterio sin resolver no debía andar muy lejos. La idea de una dama de buena cuna aferrada a Crofton lo hacía sospechar.

Levantó la vista hacia la mujer, pero ella no lo estaba mirando. Se había ido a contemplar el paisaje iluminado por la luna, negando incluso su existencia, al tiempo que se sacaba sus pendientes de perlas y los tiraba junto al dinero. Entonces lo miró a los ojos con los labios apretados. La misteriosa dama no tenía miedo, estaba furiosa. Tenía que estar con Crofton por propia elección para estar tan enojada por haber sido interrumpidos. Por otra parte, no podía olvidar la manera en la que éste la había empujado y su instintiva e indignada reacción. Entonces se dio cuenta de un pequeño detalle que se le había escapado.

Hacía una semana o dos, Crofton había ganado una casa jugando a las cartas. Stokeley Manor, en Cambridgeshire. Y para celebrarlo iba a dar una fiesta. Una orgía para ser más precisos. Tris había recibido su presuntuosa invitación, y a menos que estuviese equivocado, el evento tendría lugar la noche siguiente. Por lo tanto, Crofton iba de camino hacia esa mansión y no tenía sentido que llevase con él a una hermana o a una dama respetable. A menos que no fuese lo que parecía, la madona iluminada por la luna tenía que ser una prostituta de alta categoría. No todas eran unas fulanas, y algunas utilizaban su porte de dama como parte de su atractivo comercial. Sin embargo, la experiencia y el instinto le decían que no era tal cosa, y había una manera de ponerla a prueba.

Le Corbeau era un tonto, un romántico salteador de caminos que a veces se ofrecía a devolver el botín a cambio de un beso. Se podía aprender mucho de la forma en la que una mujer besa. Tris le sonrió:

—Desgraciadamente mis beneficios han caído en el barro. *Ma belle*, debo pedigos que los recoja pog mí.

Pensó que se negaría. Con la luz de la luna no podía ver el color de su rostro, pero sabía que tenía las mejillas enrojecidas de rabia, y la ira hizo que apretase los labios confirmando sus temores. Era esa clase de enfado distante y de superioridad moral que una puta nunca hubiese mostrado.

—¡Hazlo! —le espetó Crofton— y deshagámonos de este canalla.

Al escucharlo se estremeció, pero nuevamente se sometió, fue hacia donde estaban los pendientes y el dinero, y se agachó para recogerlos. Tampoco caminaba como una puta.

A Tris esto no le gustaba nada. Había oido decir que Crofton era aficionado a crueles entretenimientos, como el de mancillar a vírgenes, y mientras más inalcanzables, mejor. ¿Habría encontrado la manera de obligar a una joven virgen de buena familia a que fuese la pieza principal de su celebración?

La mujer se enderezó y se acercó al caballo llevando el dinero y las joyas. Él miró sus ojos fijos y despectivos. ¿Quién diablos se creía que era? ¿Juana de Arco? Iba de camino a una orgía con Crofton y debería mostrarse más prudente si buscaba ayuda, en vez de tratar como una babosa a un posible salvador. César avanzó un paso, la mujer se estremeció y retrocedió. Su hierática postura se rompió por un momento. ¿Tenía miedo de los caballos? Sin embargo, cuando sus labios estaban relajados mostraban un arco completo de lo más tentador. Realmente besarla no sería ningún sacrificio.

Recordó que debía controlar a Crofton. ¡Qué estúpido, se había distraído! Parecía que el hombre simplemente se divertía observando. Una mala señal. Tris hizo que César diera otro paso adelante y ella retrocedió de nuevo.

—Si se sigue alejando, *cherie*, vamos a estag así toda la noche.

Una vez más ella contrajo los labios:

—Mejor, así vendrá alguien y lo detendrá.

—No hay tiempo, el dinego…

Levantó el mentón, y sosteniendo el dinero y los pendientes en alto, se acercó lo justo. El contraste entre sus bravatas y su evidente miedo a César le tocó el corazón. Tris agarró el botín y ella rápidamente se volvió a alejar. Separó los billetes en dos fajos y tiró uno de ellos al suelo.

—Yo no le mendigo a nadie.

Crofton se rió.

—Esa cantidad no me va a arruinar, granuja. Hemos acabado ¿no?

Tris volvió a mirar a la mujer.

—Le devolvegué el resto y sus pendientes a cambio de un beso, *cherie*.

Ella dio otro paso atrás, pero Crofton la empujó hacia adelante.

—Vamos, Cherry, bésalo. Te dejo que te quedes con el dinero si lo besas.

Tris vio su enfado y cómo respiraba hondo. Tenía la sensación de que había fuego detrás de sus ojos, pero una vez más no protestó. ¿Qué tipo de poder tenía Crofton sobre ella?

—¿Bien? —le preguntó.

—Si no tengo más remedio —le contestó con tanta frialdad que sintió un escalofrío.

Tris contuvo una sonrisa, pues le gustaba su actitud. Le extendió la mano enguantada:

—No puedo correr el riesgo de desmontar, *cherie*, así que debe ser usted quien suba.

—¿Al caballo? —preguntó con pánico.

—Sí, al caballo.

Cressida Mandeville miró fijamente a ese loco disfrazado en su enorme caballo, a sabiendas de que finalmente había llegado al punto que ya no aguantaba más. Tenía que hacer frente a un repugnante trato con lord Crofton, que consistía en ser su amante durante una semana, y ya había soportado que la manoseara en el carruaje sin vomitar, pero ni por todo el oro del mundo se montaría en un caballo.

—Quédese con el dinero —le respondió.

—Bésalo —le gruñó Crofton.

Desconcertada, no reaccionó a tiempo cuando el bandido enfundó su pistola, adelantó su caballo y se inclinó para agarrarla y subirla en la silla delante de él. Ella se contuvo las ganas de gritar, pues no podía mostrarle su miedo. Pero cuando aterrizó sobre el caballo y lo sintió debajo de ella se aferró a la chaqueta de su enemigo, apretó los ojos y rezó.

—Así, así, *petite*. Le aseguro que no se está tan mal aquí.

Su voz burlona le tocó el orgullo, pero de hecho, ahora que estaba encima del caballo, no le parecía tan mal; siempre y cuando pudiese aferrarse al fornido cuerpo de ese ladrón. Se obligó a abrir los ojos y lo único que pudo ver fue su ropa oscura. Tenía la cabeza enterrada en la cálida lana, que para su sorpresa olía a ropa limpia y especias. Sándalo. Desde luego era un cuervo extraño.

Una vez abandonado su orgullo, Cressida se soltó y logró enderezar la espalda para ver qué estaba haciendo Crofton. Nada, ya que había otro salteador de caminos con dos pistolas cubriendo el área: el cuervo no era descuidado. De todas formas Crofton no pensaba interferir; más bien parecía divertido con la situación.

Cressida recordó haber asistido hacía unos meses en Londres a la representación de una obra de teatro sobre este bandido salteador de caminos. Al final era el héroe. Por supuesto, la realidad era muy diferente. De todas formas, si tuviese que elegir entre los dos hombres...

El bandolero había retrocedido para hacerle sitio en la montura, donde la había sentado de lado. Aún así, estaba pegada contra su cuerpo. Él se reía entre dientes y ella lo notaba.

¡Júpiter! Estaba aferrada a él de una manera muy íntima, con el trasero justo entre sus muslos y con una pierna por encima de uno de ellos. Sintió, de manera insólita, los movimientos de sus piernas que hacían que el caballo retrocediese y se bambolease debajo suyo. Pero se volvió a agarrar a él:

—¿Qué está haciendo? —le dijo casi chillando.

—Poniendo algo más de distancia entge nosotros y su acompañante tan galante, *cherie* —le dijo con sarcasmo—. Si tengo que dagle la debida atención, no quiego que él esté tan cegca.

Ella tenía la vista fija en su chaqueta y no en el mundo que se movía a su alrededor.

—Usted es un ladrón y no tiene autoridad para hablar con desprecio de él.

—Lo defiende con mucho agdog...

Al mirar se fijó que ya estaban casi entre los árboles, a más de cinco metros del coche.

—¡Deténgase!

—¡Qué impetuosa! Adogo a las mujegues mandonas.

Pronunciaba la letra «r» con un deje francés que le hacía sentir escalofríos. No podía hacerlo ¡no podía besar a ese hombre! Tenía que hacer algo para escapar, pero ¿qué?

Le Corbeau había enfundado su pistola para poder controlarla. Si hubiese sido una verdadera heroína, ¿no hubiese aprovechado la oportunidad? ¿Y hacer qué? ¿Pegarle? Seguro que no era la solución; él la aplastaría como a una mosca.

¿Y de qué se iba a salvar a sí misma? De un beso, sólo de un beso. Algo tan simple comparado con el destino que había aceptado para sí misma. En Londres todo el mundo hablaba de Le Corbeau, e incluso algunas señoras iban de arriba abajo por estos caminos con la esperanza de encontrarse con el beso de este sinvergüenza.

Un beso no era nada... Pero entonces el animal se movió y contuvo un chillido de susto ¿Tenía que besarlo en lo alto de un caballo?

Si su imaginación hubiera volado alguna vez tan lejos, eso habría sido lo más imposible e intolerable que se hubiese podido esperar de ella. Sin embargo, no veía elección, y por dárselo tampoco sería una cobarde. Tragó saliva y entonces giró su cara hacia el enmascarado de la barba.

—¿Podemos acabar con esto, señor, para que pueda seguir viaje?

Lo vio sonreír y se dio cuenta de que podría ser guapo. Sin duda; sus labios eran firmes, con una forma misteriosa y sensual, parecían los de una pintura de un dios del placer. Esos labios se le acercaron desde arriba, y casi se queda bizca por no quitarle el ojo de encima a ese peligro que venía hacía ella. Con los ojos cerrados sintió sus labios apoyándose en los suyos y el cosquilleo de su bigote. Intentó retirarse, pero él le deslizó una mano por detrás de la cabeza para sujetarla. Sus labios se abrieron y su lengua húmeda acarició los suyos. Atrapada por sus fuertes brazos y la mano que la sujetaba, estaba indefensa, cosa que odiaba, sobre todo porque no era la clase de beso que hubiese imaginado. No tenía nada que ver con la ternura o el afecto. Era una competición entre dos villanos y a ambos les deseaba que acabaran en el infierno.

Mientras sus labios se movían contra los suyos, ella siguió perfectamente sentada; no le daría a ninguno de los dos la satisfacción de verla forcejear, aunque a decir verdad también era porque cualquier movimiento brusco podía alterar a la monstruosa bestia que tenía debajo de ella. El hombre se rió suavemente y después le lamió los labios. Ella se movió hacia atrás, y volvió a quedarse quieta, pero con los puños cerrados. ¡Pero qué ganas tenía de luchar, aporrearlo, arañar a la bestia monstruosa que la había asaltado! Entonces él se retiró y la miró cuidadosamente, de manera inquisitiva. En ese momento Cressida supo que había cometido un error. Lo miró a su vez. ¿Qué había hecho ella? ¿Podría enmendarlo?

Él miró a Crofton. Entonces puso los olvidados pendientes y los billetes en su escote. Antes de que ella pudiese expresar su sobresalto por lo que había hecho, dio un agudo silbido, hizo girar a su caballo y cabalgó hacia el bosque, llevándosela con él.

Nuevamente conmocionada, se quedó sin voz por un momento, pero entonces gritó:

—¡Pare! ¿Qué está haciendo? ¡Ayuda!

Él hizo que apretara su rostro contra su sólido pecho, de manera que difícilmente podía respirar, y mucho menos gritar, mientras la bestia que cabalgaba bajo su cuerpo, se los llevaba lejos. Ahora sí que se puso a luchar con manos y pies, buscando un sitio donde arañarlo y hacerle daño. Prefería caerse del caballo a ser raptada de esa manera.

Y su plan, ¡Dios mío, su plan!

Escuchó al hombre blasfemar y el caballo se detuvo de pronto muy bruscamente. Ella liberó su mano y tiró de la barba del bandolero tan fuerte como pudo; la mitad se le quedó en la mano.

—¡Maldición! —le gritó agarrándola de las manos—. ¡Quédese quieta, mujer!

Ella le dio golpes y patadas lo mejor que pudo.

—¡Déjeme ir!

El caballo comenzó a encabritarse y él la hizo descender a la fuerza, agarrando sus muñecas con tanta fuerza que le hizo daño. Ella intentó dar una gran patada al animal, pero sus tobillos fueron capturados por dos recias manos.

—Tienes las manos ocupadas, ¿no? —dijo alguien alargando las palabras, con voz elegante.

—Deja de reírte y piensa en algo para atarla —le contestó Le Corbeau con el mismo aristocrático acento inglés.

Esto, y saber que había un nuevo enemigo, había dejado a Cressida aturdida y quieta, aunque al asimilar las palabras «algo para atarla» reaccionó y volvió a la lucha. Abrió la boca para gritar, pero una mano enguantada se la tapó.

—Hay que saber reconocer al enemigo, muchacha loca. Sepa que no deseo hacerle daño, y que de hecho la estoy salvando de una suerte peor que la muerte. Ya me lo agradecerá cuando recupere la cordura.

Cressida le lanzó una mirada de odio; hubiese querido gritarle lo arrogante que era por haber interferido en sus planes, pero lo único que pudo hacer fue emitir un gruñido. A pesar de todos sus forcejeos y patadas, le quitaron sus zapatos de noche, sus ligas, ¡sus ligas!, y sus medias de seda. Después le ataron los tobillos y, seguidamente, las muñecas.

—Tenemos que vendarle los ojos —dijo su infernal captor.

Ella trató de defenderse, pero las ataduras y la desesperación la debilitaron. Le comenzaron a arder los ojos, tapados con una tela atada a su cabeza, por culpa de las lágrimas.

—¡Oh, Señor, oh Señor!… —Rogaba a Dios para poder volver a estar de nuevo segura en su casa como lo había estado hasta hacía tan poco, sin más preocupación que la de tener que elegir la mermelada del desayuno.

—¿Esto cuenta como un asalto? —preguntó el otro hombre en un tono jocoso.

—Maldita sea, tendrá que ser así. No volveré a hacerlo otra vez.

—Deberías pensar en lo que dices, porque la señorita aún no tiene los oídos tapados.

—Maldito sea el infierno…

—No te olvides de cuidar tu lenguaje —dijo el segundo entre risas.

—Ya está bien.

Entonces el caballo dio una sacudida y se pusieron de nuevo en marcha. Ahora que volvía a tener la boca libre podría haber gritado, pero no se atrevió. Casi no se podía ni agarrar y dependía completamente de los fuertes brazos de su captor.

—¿Adónde vamos? —preguntó el otro hombre.

—A la casa, por eso tiene los ojos vendados.

Una casa. Una casa que no debe ser vista. El miedo la paralizó. Le Corbeau no era francés sino inglés. Un inglés de buena familia que haría lo que fuera para salvarse del verdugo. Matarla sería una insignificancia.

Señor, sálvame… Señor, sálvame… Rogaba con cada sacudida del caballo y cada apretón de su captor. Ahora la aterroriza él, no el caballo. Se sentía impotente, indefensa, completamente a merced de esa poderosa masa de músculos. Iba a vomitar. ¿Se ahogaría? ¿Le importaría a alguien?

El caballo se detuvo. Cressida se estremeció y dio las gracias al cielo intentando tragarse el sabor a bilis. El hombre la movió para acomodarla de lado en la suave y resbaladiza montura. Luego se fue dejándola sola en medio del aire frío, ciega, atada y sin poder mantener el equilibrio. El caballo se movió y ella comenzó a resbalarse. Pero en el mismo instante en que gritó, unas fuertes manos la cogieron de la cintura. Volvió a gritar, aunque esta vez fue para agradecer esos fuertes brazos alrededor suyo y ese cuerpo fornido al que agarrarse. De nuevo se hallaba encima de la bestia monstruosa, pero ésta era sólida, segura y sólo tenía dos piernas.

A su derecha habló el otro hombre, y por el tono parecía sinceramente preocupado por ella.

—Querida dama, por favor, no tenga miedo.

Pero era el bandolero el que la sostenía y la llevaba: ¿Adónde? ¿A qué? Comenzaron a bullir dentro de ella nuevos temores, pero era como si el terror la hubiese dejado ya exhausta y sólo pudiera rezar. No, también podía pensar. «El conocimiento es el poder», había dicho sir Francis Bacon, y ella necesitaba agarrase a cualquier poder. Podía oír, así que se las podía arreglar a través de los sonidos. Habían dejado los caballos atrás y los hombres debían ir caminando sobre tierra blanda porque no oía sus pasos. Podía oler. No olía a caballo, pero percibía un ligero tufo a pocilga que procedía de no muy lejos. ¿Una granja? Por supuesto, también olía a sándalo, pero ya estaba tan acostumbrada que casi no lo notaba.

Entonces las pisadas de los hombres comenzaron a crujir, ¿sería grava? Ninguna granja tenía un camino de grava. Se estaban acercando a una casa importante. Ella seguía con los ojos vendados para que no pudiera reconocerla si volviese alguna vez con los magistrados. Eso le sugería que finalmente pensaban dejarla marchar… ¿Después de haberla tratado tan mal? Ella pensó que ese tipo de cosas sólo ocurrían en las novelas de Minerva.

Se detuvieron y oyó un clic, ¿sería un pestillo?

Sí, la puerta no chirrió, pero al abrirse hizo un ligero sonido. Entonces la hicieron entrar. El aire no se movía y parecía viciado. Olía a betún y a un tenue recuerdo de una comida. Escuchó el regular tic-tac de un gran reloj y el sonido de las botas sobre un suelo de madera.

Volvió a sentir miedo. No quería estar en una casa, y menos aún en aquélla.

—Por favor…

—Silencio, si hace ruido la amordazo. Voy a llevarla a mi habitación…

El otro hombre debía estar todavía allí. ¿Eso significaba que estaba más segura o en mayor peligro?

Le Corbeau giró sobre sus talones y la llevó al piso de arriba, a su habitación. A su dormitorio. Cressida rezaba. Con Crofton habría sido repugnante, pero hubiese sido elección suya, para conseguir un objetivo. ¿Iba acaso a perder su virtud por el capricho de un ladrón?

Se abrió otra puerta. Sintió que bajo las botas de él había una alfombra. Un fuerte olor a sándalo. Era éste su dormitorio. Fue depositada en algo suave. En su cama.

Capítulo 2

El corazón de Cressida había estado acelerado mucho tiempo, pero ahora estaba paralizado en una profunda y sorda inquietud a la espera de lo peor. En ese momento sólo oía los latidos de su corazón como si estuviese sola, pero su más instinto más profundo le decía que él estaba allí. Se hizo un silencio más aterrador que un grito. Como si pudiese detectarlo, giró la cabeza en su dirección. Entonces el bandolero le dijo:

—Nadie va a hacerle daño. Por favor, créame.

Extrañamente lo hizo y su corazón alterado comenzó a latir más lento.

—Tengo cosas que hacer, y aunque no me guste, debo dejarla atada por un rato. Nadie le hará daño. —Y acercándose a ella continuó—: Pero debo atarla mejor.

—¡No!

Él no le hizo caso, la levantó y la ató con algo a la altura de los codos. Luego mientras se alejaba, oyó sus botas sobre la alfombra, y cómo se abría y cerraba la puerta.

Ahora estaba sola. No sabía si agradecerlo o desahogar su rabia. Ese sinvergüenza la había arrebatado de donde estaba y de sus planes, y ahora la había abandonado allí, a la fuerza, y con los ojos vendados. Levantó sus manos para arrancarse la venda, y entonces se dio cuenta de por qué la había atado a la altura de los codos: así no podía elevarlas lo suficientemente alto. Movió la cabeza sobre la almohada, pero tampoco pudo quitarse la venda. Abandonó porque tenía la tela atada a la parte de atrás del turbante que iba sujeto a la cabeza con unas orquillas que se le clavaban y le daban tirones con cada movimiento.

—¡Que te cuelguen! —dijo entre murmullos al ausente villano, una frase muy útil que había copiado a Shakespeare.

Con suerte lo atraparían y terminaría en Tyburn bailando en la horca. Pero por alguna razón, esa imagen no le satisfacía particularmente. Pensó que hasta ahora no había hecho nada por lo que mereciera la muerte, y si la mantenía con los ojos vendados sería por alguna razón: ¿si no veía nada, no tendría que matarla?

Era una cálida noche de verano, pero un escalofrío le recorrió el cuerpo, mientras las lágrimas se le deslizaban por debajo de la venda.

Tris bajó corriendo las escaleras. Caradoc Lyne lo esperaba en el salón tomándose un coñac. Cary era un fornido Adonis rubio que compartía con Tris su actitud despreocupada y traviesa, pero ahora no estaba de acuerdo con él.

—No podía dejarla ir con Crofton —le dijo Tris.

—Estoy de acuerdo, pero ¿por qué atarla?

Tris cogió la botella y se sirvió un coñac de contrabando. Había sido su recompensa por otra correría mucho más sencilla que ésa.

—¿Debo dejarla libre para que vague por la casa o se largue corriendo?

—Podrías explicarle... —empezó a decir Cary, pero haciendo un gesto contrariado añadió—: Aunque supongo que no.

—Exactamente. Ella se queda. Nosotros todavía tenemos que asaltar un carruaje más.

—Habías dicho que ya no lo harías más.

—Teniendo en cuenta la situación no tendría que ser así, pero es muy improbable que el madito Crofton vaya a poner una denuncia al magistrado más cercano. —Tris apuró la copa—. ¡Vámonos!

—Mierda. Si tenemos que hacerlo de nuevo, ¿puedo ser yo el que asalte el coche?

—No, yo tengo ese derecho gracias a mi rango.

—Aguafiestas.

Ambos salieron de la sala debatiendo sobre quién se merecía ese honor y se dirigieron a los establos a buscar caballos frescos.

—A mi me quedaría bien el disfraz de El Cuervo —sostuvo Cary.

—Pero ¿cuánto tiempo necesitaríamos para oscurecerte el cabello y pegarte esta maldita barba? —Le contestó Tris mientras tocaba la suya y comprobaba que todavía le colgaba un trozo—. Arpía ingrata...

Volver a pegarla le tomaría demasiado tiempo para su escasa paciencia. Mientras su sufrido mozo de cuadra les iba preparando los caballos de recambio, cogió un poco de un pegajoso emoliente y se pegó de nuevo los bordes. Después partieron nuevamente los tres a jugar a los bandidos.

* * *

Cressida finalmente se dio cuenta de la razón por la que su prisión le parecía tan sobrecogedora. No había reloj. Estaba acostumbrada a que siempre hubiera uno en su dormitorio. De vez en cuando oía un lejano repicar, dos cuartos, después la una en punto, pero en esa estancia sólo había silencio y su respiración nerviosa. ¿Qué iba a suceder cuando el hombre regresara?

Estaba preparada para exponerse a cosas terribles en ese viaje, pero no a eso. Había estado dispuesta a entregarse a Crofton, aunque tenía un plan para evitarlo, y ahora se había ido todo al cuerno por culpa del maldito Le Corbeau. Suponía que debería estar aterrorizada, pero parecía que su estado era más bien el de una moderada locura.

Desde que había llegado a Londres, les había escrito frecuentemente cartas a sus amigos de Matlock con entretenidos comentarios sobre sus observaciones acerca de la capital y sus gentes. ¡Qué lástima que no fuese posible escribir sobre esto! Le surgían ingeniosas frases en su mente relacionados con Le Corbeau y *le haute volée,* la sociedad de altos vuelos, los dandis, duques y las patronas del club Almack, ninguno de los cuales había advertido la llegada a Londres de la sencilla señorita Cressida Mandeville. ¡Ahora sí que lo harían, si ese escándalo se llegase a saber!

No estaba particularmente incómoda, pero se sentía furiosa por la manera en que esos hombres la habían tratado. Tenía las muñecas atadas con las ligas y sospechaba que le habían amarrado los tobillos con sus caras medias de seda.

Bribón de Nariz Colorada, era el apodo que había tomado de Shakespeare para su captor, con la esperanza de que, efectivamente, tuviese la nariz hinchada y roja de un borracho. Le parecía extraño que una persona pudiese sentirse frustrada, aburrida, asustada y furiosa al mismo tiempo. Volvió a pensar en su plan. Debía escapar de su captor, continuar hacia Stokeley Manor y completar su misión. Sin embargo, era muy tarde y apenas había dormido, asustada ante su inminente viaje, así que mientras daba vueltas a sus tormentosos planes, se quedó dormida.

Se despertó sobresaltada. ¿Estaba todo oscuro? No, era la venda y no una pesadilla. Era la realidad y él había regresado. La habían despertado unos ruidos más o menos lejanos de objetos que se movían. ¡Si tan sólo pudiera ver! Una tenue luz se filtraba por debajo de su venda y le indicaba que había una vela encendida. Había vuelto y ahora tenía tiempo de hacer cualquier cosa. Un escalofrío recorrió su cuerpo y los dientes le comenzaron a castañetear. Los apretó, pero no funcionó. Él la escucharía y... ¿qué iba a hacer?

Agua. Chapoteo. Se le hizo sorprendentemente clara una imagen de lo más cotidiana. Estaba vertiendo agua de una jarra en una palangana, y por los sonidos supo que se estaba lavando. Eso hizo que el terror se apaciguara dejándola confusa y sin fuerzas. Un vil violador podría querer lavarse antes de atacarla, aunque le parecía improbable. El sonido del agua le dio sed. Tenía la garganta tan seca y tirante que parecía que se iba a ahogar.

—¿Podría darme un vaso de agua? —consiguió decir.

Después de un cortante silencio le contestó:

—Pensé que estaba dormida. Espere un momento.

Se pasó la lengua por la boca para humedecerla mientras seguía atenta a todos los sonidos: el agua vertiéndose; de nuevo pasos acercándose. Sólo sintió un ligero estremecimiento cuando él le tocó el rostro.

—El agua —le dijo, para disipar su miedo.

¡Qué villano tan extraño!

No ofreció resistencia a que pasase su brazo por debajo de ella y la incorporase. Cuando sintió el vidrio frío apoyarse en sus labios los abrió. Él inclinó el vaso, y ella bendijo el agua que llenaba su boca. A medida que iba tragando, él le iba escanciando el agua en una extraña unión: sus manos y la boca interactuando con toda familiaridad. Pero de pronto se rompió la sincronía. Él fue demasiado rápido, o ella la ingirió demasiado lento y casi se ahoga.

—Lo siento —le dijo apartando el vaso.

Sintió cómo le limpiaba el agua de la barbilla, y volvió a sentir su olor característico. Ahora más fuerte porque se había lavado las manos con jabón de sándalo.

Jabón, caballo, cuero, hombre. Nunca había percibido ese tipo de cosas antes y ahora tampoco quería percibirlas. Se había creado una situación de intimidad que la hacía sentirse débil. Necesitaba recobrar la vista para poder ver su nariz roja de villano.

—No, por favor…

—Tranquila —le dijo tumbándola de nuevo y apoyando su cabeza con gran delicadeza.

Le vino una nueva y absurda angustia: no sabía cómo se veía con su turbante ladeado y su vestido de fiesta desarreglado. Volvió a escuchar que caminaba por la habitación. Primero percibió un extraño sonido como un desgarro, y después una maldición en un susurro. ¡Se había quitado su falsa barba y el bigote! ¿Cómo se vería ahora? Pero lo más importante: ¿lo reconocería? Había vivido durante los últimos meses entre la clase alta, aunque sólo fuese de una manera tangencial. Si lo reconociese, debería poner cara de disimulo.

Una nueva preocupación se revolvió dentro de ella. ¿Y si él la reconocía? Eso sería un desastre. No era más que la hija de sir Arthur Mandeville, que a pesar de todo era un mercader de cierta importancia. Dudaba de que buena parte de los habitantes de la ciudad fuese consciente de su existencia. De todas formas no creía que un hombre lo suficientemente desesperado como para convertirse en bandolero acudiera con frecuencia a los salones de baile londinenses.

Se siguió lavando. Dos golpes que probablemente fueran sus botas al caer. Su desesperación por captar cada detalle había hecho que se le agudizara tanto el oído que escuchó sus pasos al volver a la cama, aunque sólo llevara puestas las medias. Ahora, ¿qué sucedería? Luchar con él iba a ser inútil, aunque debía hacerlo de todos modos. Así cuando una mano le cogió el pie, soltó una patada. Algo frío tocó su tobillo y sintió un fuerte tirón. De repente sus piernas quedaron libres y ella las usó para intentar apartarse de él.

—No tenga miedo.

—¿Por qué no? Usted es un criminal.

—Pero de la clase más noble.

Sintió que ya no se seguía acercando, así que se quedó quieta.

—Usted no quería irse con lord Crofton, ¿verdad?

—¡Oh, sí que quería!

Deseaba que le quitase la venda, pero no fue así. No debía ver su rostro. Se hizo un silencio y luego sintió su peso al sentarse en la cama, no muy lejos de sus pies. Ella se estremeció, no podía evitarlo.

—¿Por qué?

—¿Qué?

—¿Por qué se iría voluntariamente con Crofton?

—Señor, eso no es de su incumbencia. Ahora sea tan amable de dejarme regresar.

—¿Cree que estará esperándola en la carretera?

Su ligera burla le provocó ganas de gritar por la frustración. Sí que lo había pensado, y era ridículo.

—Por supuesto que no, pero usted podría llevarme a Stokeley Manor.

—Con lo cual me detendrían.

—Déjeme cerca, ya me las arreglaré yo sola para llegar hasta allí.

—Sin duda.

Después de un momento le preguntó:

—¿Quién es usted?

¿Y a cuento de qué le hacía esa pregunta? Ya debía tener claro que era una mujer ligera de cascos. ¿Qué respuesta sería la correcta para que la devolviera a su destino? Todo dependía de llegar a Stokeley Manor.

Al parecer, él pensaba que era su salvador, por lo que sólo le permitiría marcharse si le hacía creer que era una ramera empedernida.

—¿Quién soy yo, señor? —le dijo con una voz que pretendió que sonase lo más descarada y quebrada que pudo—. Soy su cautiva y sí, soy la puta de Crofton.

La cama se movió de nuevo, ¡oh, Señor!, se estaba tumbando. No la tocaba, pero se había recostado junto a ella. Una mano bajó suavemente por su vestido. Sintió un estremecimiento, pero supo disimularlo. Suponía que eso a una puta no le importaría.

¿Sentiría él los latidos frenéticos de su corazón?

La mano volvió a subir, pasando suavemente por sus pechos hasta llegar, para su terror, a la piel desnuda y después a su garganta, haciendo que se le cortara la respiración. Ella se irguió, desesperada por huir.

—No quiero hacerle daño, preciosa, pero si está dispuesta a irse con Crofton, ¿por qué no me sirve a mí para pasar la noche?

De pronto sintió cómo él se echaba sobre ella apresándola. Era caliente, duro y enorme.

—¡No! —gritó, tratando inútilmente de rechazarlo con las manos atadas y las piernas enredadas en sus faldas.

Él la cogió de las muñecas y ella sintió sus labios en sus dedos: ¿se los estaba besando?

—¿Por qué no? —le dijo con voz suave como si ella no se estuviese defendiendo de él—. Te pagaré lo habitual. O el doble.

Pero ¿cómo reacciona una ramera?

—Soy demasiado cara.

—Yo soy muy rico.

—Y selectiva; no me voy con cualquiera sólo porque lleve dinero encima.

—No soy un hombre cualquiera, dulce ninfa de la noche —le contestó entre risas—. Sabe, ésta es la primera vez que me rechaza una prostituta.

Ella se dio cuenta de su error; seguramente una profesional nunca rechazaba a un hombre con un puñado de guineas en las manos.

Una puta. Al empezar esta aventura estaba dispuesta a serlo, pero sólo porque creía que iba a poder evitarlo. Ahora estaba siendo atacada, y estaba indefensa apresada por el cuerpo de ese villano y sus deseos. En el caso de que ella le dejase hacer lo que los hombres hacen, ¿la ayudaría a terminar su viaje? Se le revolvió el estómago al pensarlo, pero se lo permitiría si le sirviese de algo. Pero, no, no funcionaría. Se daría cuenta de que era virgen y entonces sólo Dios sabe lo que podía pasar.

Algo acarició sus labios. Su pulgar, pensó, y retiró la cabeza para escaparse de él. La abrumaba tener su cuerpo y sus manos sobre ella, cómo le cogía la cabeza y presionaba sus labios con los suyos. Oyó sus propios sollozos, y rezó para que él se lo tomase como una forma de protesta y no una manifestación de terror.

—Nunca he forzado a una mujer —le susurró junto a sus labios—, y no voy a empezar por usted. ¿Cómo puedo convencerla? Sería un placer para los dos. Además, ya debe saber cómo se le calienta la sangre a un hombre después de la acción y el peligro.

—¡No! Quiero decir, no puedo. Lord Crofton me contrató y yo me considero suya por el momento.

—¿Lealtad entre pecadores? —Se echó a reír—. Vamos, preciosa, él haría lo mismo si la situación fuese a la inversa.

Retiró su cuerpo y ella tuvo la esperanza de haberse librado de él, pero de pronto sintió la presión de su rodilla entre sus piernas separándoselas hasta…

—¡Por favor, pare!

Se detuvo pero no la dejó libre. Ella seguía atrapada y sin aliento.

—¿Quién es usted? —le volvió a preguntar y por fin ella lo entendió.

Por el motivo que fuese él no creía que fuese una cortesana, y estaba dispuesto a no parar hasta hacerle decir la verdad. Aceptó lo inevitable con amargura. A nivel físico y espiritual estaba en su territorio. Él era el vencedor. ¿Qué nombre falso iba a darle? El primero que le vino a la cabeza fue el de la esposa del cura de Matlock:

—Soy Jane Wemworthy.

—¿Puta?

Inspiró profundamente llena de ira.

—No.

Entonces él se apartó, se retiró de su cuerpo y de la cama. La agarró de las muñecas y ella se resistió hasta que volvió a sentir el frío metal. Un momento después sus manos estaban libres. Entonces se quitó la horrible venda de golpe, llevándose de paso el turbante, que se le quedó sujeto sólo por las orquillas. Se sentó en la cama para volver a colocárselo, mirando a su alrededor y fijándose en cada detalle que pudiese ayudarla. Era una modesta habitación iluminada por un candelabro de tres brazos, con las paredes empapeladas en color marfil, las cortinas cobrizas, y con un armario de caoba y un lavamanos.

El hombre que estaba de pie al final de la cama con dosel, era el increíblemente apuesto duque de Saint Raven. Los ojos se le abrieron como platos por la impresión, pero intentó desesperadamente que no se notara que lo había reconocido. Pero ¿cómo podría no hacerlo? Todo el mundo sabía quién era Saint Raven. Una estrella esquiva de la alta sociedad. Alguien difícil de atrapar y un premio muy apreciado. El año anterior había heredado el ducado de su tío, justo después de Waterloo y enseguida había desaparecido del país. Cressida no sabía si había huido o había aprovechado esta nueva oportunidad para viajar, pero eso era lo que la gente murmuraba. Finalmente, se había convertido en el más cotizado de los hombres casaderos: un duque joven, guapo y soltero.

A su vuelta, hacía unos meses, había empezado a asistir a distintos eventos sociales y el vapor que se desprendía del frenético fervor que provocaba entre las damas hubiese sido suficiente como para hacer funcionar una locomotora. Cressida no sabía el número de veces que estando en los servicios de mujeres de algún salón de baile, o en una velada, había escuchado decir a señoritas sin aliento que lo habían ¡visto!, o habían ¡hablado con él!, e incluso ¡bailado con el duque!

La mayoría de las damas no tenían esperanzas de convertirse en su duquesa, pero tenía sus candidatas. Diana Rolleston-Stowe, por ejemplo, nieta de un duque, se quemaba viva de ambición por serlo. La hermosa Phoebe Swinamer lo consideraba de su propiedad, y se comportaba como si así fuera. Y ahora ella miraba al hombre que tenía ante sí y se preguntaba cómo ella, la señorita Swinamer, había sido tan atrevida.

Era alto, pero eso no es lo que lo hacía tan formidable. Tampoco era su título nobiliario. Con una sencilla camisa abierta por el cuello y unos pantalones de montar de cuero negro, la presencia de Saint Raven iluminaba la habitación. Llenaba más espacio del que ocupaba por su tamaño, y era tan guapo de cerca como de lejos. A pesar de lo grande y fuerte que se veía, poseía una elegante complexión ósea, un cabello muy oscuro y unos profundos ojos azules. Tal como había notado antes, sus labios sugerían cosas que una dama ni siquiera debía imaginarse.

—Me conoce —afirmó.

Ya era demasiado tarde y ella se sintió en peligro.

—Sí.

¿Colgarían a un duque por andar jugando a ser bandolero? Seguramente algo harían si ella lo identificase. Dejó caer su mirada sobre el largo y afilado cuchillo que tenía sobre la mesilla de noche. Casi podía sentir cómo le cortaba la garganta...

—¿Quiere más agua, señorita Wemworthy?

El terror, su oferta y el nombre falso, la confundieron y se quedó mirándolo fijamente hasta que consiguió articular una respuesta.

—Sí, por favor, su excelencia.

Seguramente ni los criminales y asesinos más desquiciados se comportaban así. O se echaban a reír como hacía él ahora.

—Creo que ya hemos superado esas formalidades. Llámeme Saint Raven. Yo la llamaré Jane.

—¿Incluso si me opongo?

Él le pasó el vaso de agua.

—Señorita Wemworthy es tan largo y suena tan rígido; es para esa clase de mujeres que desaprueban cualquier tipo de diversión o que escriben panfletos edificantes.

Cressida se concentró en beber, tratando de controlar su reacción. Había dado en el clavo en cuanto a la señora Wemworthy. Seguramente no a todo el mundo le encajaba tan bien su propio nombre.

Saint Raven tenía algo de depredador, todo lo contrario que Cressida Mandeville. Hacía siglos que sir John Mandeville había escrito sobre sus viajes a tierras salvajes llenas de dragones y criaturas que eran medio hombre, medio bestias. A ella le encantaban sus historias, pero nunca había querido viajar más allá de lo seguro y cotidiano. Un momento, pues ahora estaba ¡en la cama del duque de Saint Raven! No pudo evitar pensar en los cientos de jovencitas que se desmayarían sólo de imaginarlo.

Y seguro que estaba a salvo de ser violada. ¿Comprometer a una joven con la que luego tendría que casarse? Ella estaba sorprendida de que aún no la hubiese dejado de nuevo en el Camino Real.

—¿Más agua? —le preguntó, como si su sed fuese la máxima prioridad.

—No, gracias.

Ella tenía otras necesidades, y se negó a ser tan señorita al respecto.

—Pronto necesitaré un orinal, su excelencia, y privacidad para usarlo.

—Por supuesto —le contestó, igualmente sin asomo de vergüenza.

Cressida se dio cuenta de que lo que esperaba es que él se quedase fuera.

—Déme su palabra de que no intentará huir antes de que volvamos a hablar, y yo le proporcionaré una habitación para usted sola con todas las comodidades.

Con una caída de pestañas le contestó:

—¿Acepta mi palabra?

—¿No se compromete?

Ella quería contestarle con un por supuesto, pero no estaba tan segura. Nunca nadie le había preguntado eso antes y siendo prácticos…

—Claro que no —señaló levantando las cejas.

—Si usted fuese un villano, su excelencia, y yo pudiese escapar dándole mi palabra, me temo que lo haría.

Él le sonrió:

—Es usted inteligente y honesta.

Su corazón dio un vuelco. Era sin duda el tipo de hombre que llevaba a las mujeres a hacer auténticas locuras, y no solamente por su rango. Pero a ella no, se dijo resueltamente. A ella no.

—Por lo tanto —le dijo—, es usted quién debe decidir si soy un villano o no.

De pronto se sintió incómoda y se bajó de la cama:

—Usted es un bandolero —le señaló, con la fuerza que le daba estar de pie.

—No es cierto.

—¿Cómo puede decir que no? Acaba de asaltar un carruaje y me ha secuestrado.

—Está bien, tiene algo de cierto.

De manera inapropiada, se sentó en la cama mientras ella permanecía de pie, se recostó contra uno de los postes tallados de la cama y se abrazó la rodilla con el brazo derecho. No creía haber estado nunca con un hombre que en su forma de vestir, de comportarse o en sus modos fuese tan sumamente informal. ¡Y se trataba de un duque! El duque de Saint Raven. Habría pensado que se trataba de un sueño si no fuese porque nunca hubiera podido evocar algo tan extravagante.

—Pero sólo lo he sido una noche.

En ese momento ella recordó que se decía que era un salvaje.

—¿Usted cree que ser un ladrón es algo divertido?

—Y ha sido por jugar. Este desenlace, después de todo, es toda una novedad.

—Creo que está loco.

Sus labios se crisparon.

—Mejor que no lo crea. Es bastante preocupante estar en las manos de un loco. —Hizo una pausa para que lo asimilara—. Volviendo a lo de su palabra, no puedo permitir que se vaya con lord Crofton, al menos debo asegurarme que va a seguir aquí mañana. Si no es así, tendré que tomar medidas, atarla nuevamente, o tal vez —añadió—, atarla a mí.

Recorrió su cuerpo con la mirada hasta sus senos, y ella bajó la vista. Su agitada respiración hacía que sus pechos, demasiado grandes para la moda, se elevaran y descendieran rítmicamente. Los llevaba muy expuestos ya que Crofton había insistido en que se pusiera un traje de noche muy escotado. Ella se los cubrió con la mano y sintió el crujido de unos billetes. Recordó que el duque se los había puesto allí junto con sus pendientes. Tragó saliva y lo miró a los ojos.

—Estoy descalza y sólo Dios sabe dónde me encuentro, su excelencia. No me marcharé hasta mañana.

—Ya es mañana. Usted no se irá hasta que hayamos desayunado y hablado de ciertos asuntos.

Odiaba que le diesen órdenes, pero igualmente aceptó.

—Muy bien.

—¿Me da su palabra de honor?

Volvió a titubear, pero por el placer de que se la hubiera pedido, le dijo:

—Le doy mi palabra.

—Entonces, sígame.

Se puso de pie, cogió el candelabro e hizo que la acompañara a la habitación de al lado. No fue hasta ese momento en que Cressida, que iba tras él, se dio cuenta que tal vez se había sentado para no intimidarla con su altura. ¿Podía creerse que hubiera sido tan comprensivo y considerado?

Capítulo 3

El nuevo dormitorio era idéntico al otro, salvo por las cortinas del dosel de la cama que eran de color azul oscuro. Tenía la sensación de que era una modesta casa de campo, cosa extraña para un duque. ¿Sería una casa prestada que él utilizaba para llevar a cabo sus vilezas?

Encendió una sola vela.

—Todos los sirvientes están durmiendo. Le traeré lo que me ha sobrado de agua para que se lave. La cama no ha sido ventilada, pero es verano.

Su preocupación por esos detalles domésticos hizo que a Cressida casi le dieran ganas de reírse. Por su parte, le daba lo mismo. El sueño se iba apoderando de ella como un invasor, y hacía que se le cayeran los párpados.

—Está bien.

—Estaré en la puerta de al lado por si necesita algo.

No se refería a algo doméstico. El gesto travieso de su boca y sus cejas le daba un toque picante.

Cuando se quedó a solas recordó que era un libertino. El duque de Saint Raven no sólo tenía reputación de ser un amante apasionado, sino también un promiscuo. Su amiga Lavinia, que siempre compartía con ella los chismorreos más jugosos, tenía un hermano que le había contado que el duque celebraba fiestas salvajes con caballeros y prostitutas. Al parecer frecuentaba orgías con prostitutas en las que era un invitado destacado.

Regresó con la jarra de agua y una toalla, y ella siguió cada uno de sus movimientos, mientras él, sencillamente, dejaba las cosas y se dirigía de nuevo a la puerta. ¡Claro! Ella no era de esa clase de mujeres que vuelven locos a los hombres de lujuria. De todos modos, pensó que la última cosa que haría el duque sería aprovecharse de una mujer decente. Él se detuvo en la puerta.

—Mis sirvientes son discretos pero no unos santos. ¿Qué pasaría si se fuesen de la lengua y contasen que se quedó aquí esta noche?

—¿Nos tendríamos que casar?

Lo había dicho como una broma inocente, pero él abrió los ojos con desconfianza, y sintió que entre ellos se levantaba una barrera.

—Lo siento, le aseguro que no tengo ninguna intención de tenderle una trampa para casarme con usted, su excelencia. De hecho, el nombre que le he dado es falso, así que no hay peligro.

Él bajó la guardia.

—Es usted una mujer inteligente, pero aun así no se deje ver. Yo le traeré el desayuno, claro que antes le avisaré para que se pueda vestir, por supuesto. Eso me recuerda que….

Se volvió a marchar. Mientras lo esperaba, se abrazó a sí misma sintiéndose destemplada por la falta de sueño. Cuando regresó dejó sobre la cama una prenda de vestir color oro y carmesí.

—Que duerma bien, querida ninfa. Hablaremos por la mañana.

La puerta se cerró, dejándola en el silencio de su habitación iluminada sólo por una vela vacilante. En la cerradura había una llave, pero no quiso echarla. Una puerta cerrada no lo persuadiría, y estaba segura de que tampoco pensaba irrumpir en la habitación.

Cogió la prenda; era una bata de hombre de seda gruesa con dibujos de cachemira. Se la acercó a la cara y volvió a sentir el olor a sándalo. Pensó que el recuerdo de esa noche siempre estaría relacionado a ese olor. Ahora que estaba sola, se le hacía imposible meterse en esa cama tan impersonal. A pesar de que el cansancio hacía que le picaran los ojos y le dolieran las articulaciones, ¿cómo podría abandonarse al sueño en la casa de ese duque libertino? Sin embargo, como era práctica, algo de lo que se sentía orgullosa, decidió que debía dormir para tener la mente despierta por la mañana y encontrar la manera de cumplir con su misión.

Abrió la cama y las sábanas limpias la atrajeron como si fueran un imán. Tal vez dormir no sería tan imposible después de todo. Retiró las horquillas que le sujetaban el turbante y se lo quitó junto con los falsos rizos. La moda era llevar una cascada de tirabuzones en torno a la cara, pero ella se negaba a cortarse su larga cabellera por delante. De todos modos su pelo era espeso y liso, por lo que si quería darle esa apariencia necesitaba constantemente unas tenazas calientes.

Cuando terminó de retirar todas las horquillas, su cabello se deslizó por la espalda. No tenía energías para trenzárselo, y aunque sólo quería derrumbarse en la cama, se encontró con que no podía desabrocharse el vestido. Daba igual que se desplanchara y arrugara. Incluso aunque hubiera podido hacerlo, nunca hubiese conseguido quitarse el corsé. Con un suspiro se metió en la cama tal cual, pues de todos modos estaba lo suficientemente cansada como para poder dormir. Lo intentó. Se echó de un lado y de otro, intentando encontrar una postura cómoda, pero las barbas del corsé se le clavaban, los tirantes la incomodaban y las faldas se le enmarañaban alrededor de las piernas dejándoselas atrapadas. Saltó de la cama y volvió a retorcerse para intentar llegar hasta los ganchos. Imposible, no había nada que hacer. Resoplando, salió de la habitación enfadada y se dirigió a la de él.

El duque estaba junto al armario y se giró. Estaba desnudo de cintura para arriba, y tenía los pantalones desabrochados. Ella nunca había visto antes el cuerpo desnudo de un hombre, y se quedó mirando fijamente sus músculos fibrosos y su visible fortaleza. Bajó la mirada y se encontró con que tenía la delantera del pantalón abierta.

Se acercó mientras se volvía a abrochar los botones.

—Usted debería pagar con una prenda por esto, señorita Wemworthy.

Debido a la culpabilidad o simplemente a que estaba deslumbrada, Cressida no se defendió cuando la atrajo hacia sus brazos. Quizá mostró un leve atisbo de resistencia, pues puso las manos entre ellos, pero eso hizo que terminaran presionadas contra la piel caliente de su abdomen. Después sintió cómo se movían sus músculos mientras bajaba la cabeza buscando sus labios, que esta vez no opusieron ninguna resistencia.

Siendo honesta consigo misma, debía aceptar que desde que anteriormente le diera aquel controvertido beso, había anhelado que eso ocurriera de nuevo: volver a sentir sus fascinantes y tentadores labios jugando con los suyos, y saborear su fuego con tiempo para poder asimilarlo. De modo que lo que hizo fue absorberlo, o dejarse absorber, rodeada por sus fuertes brazos, carne contra carne, boca contra boca, calor contra calor. Se derretía. El suave olor a sándalo la sumergió en un delicioso olvido. Sólo olerse, saborearse, tocarse. Ahora la única venda de sus ojos eran sus párpados cerrados.

Él despegó sus labios de los suyos y sus manos dejaron de presionar su cuerpo. Abrió los ojos y él estaba mirándola casi sin comprender.

—¿Es posible que aún haya esperanzas de que después de todo sea una ninfa de la noche que haya venido a complacerme?

Su maravilloso tórax ascendía y descendía bajo sus manos; sentía su corazón latiendo con fuerza. Para su propio asombro se escuchó decir:

—Ojalá pudiese.

Él se rió y reposó su cabeza contra la suya por un momento. Después retrocedió con las manos apoyadas sobre sus hombros.

—Si no ha regresado para llevarme al cielo, preciosa ¿qué la hizo venir?

El espacio que se hizo entre ellos parecía que se hubiese helado, pero ella consiguió disculparse con una ligera sonrisa.

—Lo siento, estoy demasiado cansada para pensar. El caso es que no consigo quitarme el vestido y el corsé. Como me había dicho que los sirvientes estaban durmiendo…

—Y además todos son hombres —le contestó mientras la hacía girarse y le desabrochaba el vestido.

—Por cierto, esto es Nun's Chase —le dijo, separando la espalda del vestido y desatando las cuerdas del corsé.

—¿Nun's Chase? —repitió ella, mientras sujetaba su vestido por delante, sin poderse creer lo que estaba haciendo.

—Construida sobre los cimientos de un convento del siglo XVI. Estoy seguro de que Chase se refiere inocentemente a un coto de caza, pero es un nombre demasiado provocativo como para resistirse.

Tenía el pensamiento lascivamente puesto en las sugerentes manos que iban desanudando los lazos de abajo arriba, liberándola de esa opresión tan conocida alrededor del cuerpo. Sentía como si se le estuviesen aflojando algo más que el corsé...

—Aquí celebro fiestas para caballeros —le contó como quién habla del tiempo—. No tengo servicio femenino por si algún invitado tiene la tentación de comportarse inadecuadamente. ¡Ya está!

Ella sintió cómo él daba un paso atrás y se giraba, consciente de que su ropa se le deslizaría por el cuerpo.

—Es usted un libertino —le dijo al mismo tiempo que se daba cuenta demasiado tarde de que ella no debería mirarlo así.

—¿Qué es un libertino? No bebo en exceso y no soy un jugador empedernido. No violo a las chicas del servicio, y en realidad tampoco a las damas. Pero me gustan las mujeres, tanto su compañía como sus cuerpos. —Con los ojos puestos en ella reafirmó sus palabras con la mirada de una manera inquietante—. Tengo un sano apetito por las mujeres y me gusta darles placer, ver cómo se derriten... La verdad es que debería marcharse.

Durante todo su extraordinario discurso no había visto que él moviese ni un músculo, pero era como si ella misma pudiese verse a través de sus ojos, alborotada, con su larga melena cayéndole por la espalda, y su vestido deslizándose por su cuerpo, apenas sujeto por sus generosos senos. Era como si pudiese sentir su deseo, como si fuera el calor de un incendio. Retrocedió, pero se le enredó un pie en la falda medio bajada y se tambaleó. Él la cogió con un brazo y con la otra mano tocó uno de sus pechos que aún tenía tapado por el corsé a medio desabrochar. Lo miró como si se librara una batalla dentro de él. Apartó la mano e hizo que ella se girara, intentando colocarle el vestido en su sitio y la llevó hasta la puerta abierta.

—Buenas noches, dulce ninfa. —Se despidió y cerró la puerta detrás de ella.

Se dirigió tambaleándose hasta su habitación, pensando en Hamlet: «Ninfa, que todos mis pecados sean recordados en tus oraciones».

Pecados. Ella también debería rezar por ambos. En lugar de eso, dejó caer su vestido y se deshizo del corsé. Tuvo que reconocer que de alguna manera lamentaba que no fuese un hombre más pecador y que no hubiera intentado seducirla. Vio los billetes y los pendientes, pero ni si siquiera se molestó en recogerlos. ¿Intentar seducirla? No le habría hecho falta más que arrastrarla hasta su cama y continuar con lo que estaba haciendo.

Se metió en la cama con la combinación y se tapó con las mantas, aún temblando. Tenía que estar agradecida por la fuerza de voluntad de él, aunque una parte de ella lamentaba la ocasión perdida, oportunidad que probablemente no se volviera a repetir.

Cressida se despertó en un lugar extraño. Recordaba los acontecimientos de la noche anterior y donde estaba. Todo era muy raro. El duque de Saint Raven jugando a ser el bandolero Le Corbeau la había arrebatado de las manos de lord Crofton y la había llevado a una casa de perversión llamada Nun's Chase. Nunca hubiese podido ni soñar un sitio así. Además, pretendía protegerla de la desgracia y para eso le había prometido permanecer allí por lo menos hasta el desayuno. Mantendría su palabra, pero debía completar su viaje hasta Stokeley Manor. Todo dependía de ello.

¿Le funcionaría todavía su plan para engañar a Crofton? Quizá sí, pero si fallaba tendría que pasar por lo peor: convertirse en la amante de lord Crofton durante una semana. Pero de pronto recordó algo que le tensó el cuerpo de pies a cabeza. Su plan dependía de una botellita con un líquido que estaba en su bolso de mano ¡y que se había quedado en el carruaje!

Se echó la colcha por encima de la cabeza como si eso pudiese salvarla. ¿Cómo podría encontrar ese vomitivo? Si convenciera al duque de que la dejara ir a Stokeley, podría conseguir más. Retiró la ropa de cama y se sentó, apartándose de la cara unos cabellos. Su vida se había convertido en un desastre tras otro. Pero no fallaría, tenía que ganar.

Una rendija de luz a través de las pesadas cortinas indicaba que ya era de día y que había llegado el momento de hacerle frente. Salió de la cama, echó un vistazo entre las cortinas y se encontró con que fuera había un agradable jardín que limitaba con un bosque. Por el ángulo de la luz imaginó que debían ser las nueve o las diez de la mañana. Oyó un silbido, y entonces un hombre bajo y fornido que vestía camisa, bombachos, polainas y botas, apareció por un camino con una azada al hombro.

Volvió a mirar la habitación, de alguna manera perturbada por lo corriente de la escena. Su anfitrión le había aconsejado que no se dejara ver por los sirvientes, y ella estaba de acuerdo. No le parecía tan terrible ir a Stokeley Manor y ser vista allí, sobre todo porque lord Crofton le había prometido que podría llevar una máscara. Sin embargo, ser vista aquí, en una casa común por sirvientes normales, le parecía mucho más chocante.

Se quedaría en su habitación. Recordó que Saint Raven había prometido llevarle el desayuno él mismo. Se miró en el espejo y dio un alarido. Su arrugado vestido apenas le cubría las pantorrillas y con el cabello todo revuelto parecía una puta desaliñada. Buscó entre su pelo las horquillas que todavía tenía puestas, se las quitó e intentó peinarse con las manos. Sin esperanzas de poder poner en orden su cabellera, buscó en los cajones algún peine o cepillo, pero no había nada.

En algún lugar de la casa un reloj comenzó a sonar. Se quedó totalmente quieta y contó las campanadas: dos. Pero no eran las dos en punto, sin duda eran algo y media. ¿Y qué importaba? Debía vestirse. La llave. Se precipitó hacia ella y cerró la puerta. Ahora, al menos, no podría entrar antes de que estuviera decente.

Interrumpir...

El recuerdo del incidente de la noche anterior volvió a su mente y se tuvo que apoyar en la puerta. La visión de su cuerpo, su mirada, la forma en la que la había besado... ¡El modo en el que ella había reaccionado! Respiró profundamente y soltó el aire. Había sido como si hubiese estado vagando por otro mundo. Hacía muy poco tiempo que su único problema cada mañana era qué vestido ponerse para recibir a las visitas, o si quería asistir a un baile elegante que seguro que iba a ser aburrido. En ese mundo era escandaloso que un hombre se acercase más de la cuenta en el baile, o que intentase llevarla a un lado para darle un beso furtivo.

Dejó la puerta y se concentró en su ropa. Su vestido de seda había quedado tirado en el suelo, y cuando lo recogió estaba tan arrugado como se temía. Lo sacudió y lo estiró en la cama, pero sólo una plancha podría solucionar aquello. Y era el único vestido que tenía allí. Eso, su combinación, su turbante y su corsé eran sus únicas posesiones. ¿Cuándo había perdido el mantón? Era de seda de Norwich y muy caro, pero ésa ahora mismo no era su principal preocupación, sino más bien encontrar algo decente con lo que cubrirse. Sus ligas y medias las habían cortado, y no tenía ni idea de lo que había pasado con sus zapatos.

Se sentó junto a su pobre y triste vestido, sintiéndose ella misma pobre y triste, y más asustada de lo que nunca lo había estado. Jamás se había imaginado lo importante que era la ropa para poder tener valor, pero ahora sólo deseaba cubrirse decentemente, aunque fuese con una enagua de algodón. ¿Y la ropa de los criados? «Pero en esta casa sólo trabajan hombres». Estaba bastante claro: en esos momentos era una prisionera. Incluso aunque decidiese romper su palabra, no podía partir para reencontrarse con Crofton con los pies descalzos y en combinación.

Estiró la espalda y se puso de pie. Tendría que hacer lo que pudiese, y lo primero era ponerse lo más decente posible antes de que el duque se entrometiera. Para empezar, descorrió las cortinas y dejó que la luz brillante del verano se llevara la penumbra. Entonces comenzó a vestirse. Cogió el corsé del suelo. Debajo encontró los pendientes y el dinero de Crofton, que le sería útil, así que se lo guardó debajo del corsé. Entonces se dio cuenta de que ella no se podría volver a hacer los lazos sola, igual como no había podido desabrochárselos. Se tumbó en la cama negándose a llorar. Tampoco se podía cerrar el vestido por detrás, aunque si se lo ponía, al menos habría hecho algo.

¡La bata! La bata que le había traído. ¿Dónde estaba? La buscó y vio que se había resbalado al suelo, en el otro extremo de la cama, donde él la había dejado cuidadosamente. Se la puso, sintiendo la fría y pesada seda contra su piel, con ese atormentador olor a sándalo. Intentó ceñírsela, pero las mangas eran demasiado largas.

Con una ligera risa, se puso manos a la obra. En primer lugar enrolló las mangas hasta que asomaron sus manos. Luego se abrochó los botones de delante. Pero un buen trozo de tela le arrastraba por el suelo, y cuando se miró en el espejo vio a una niña jugando a vestirse con la ropa de los mayores. Sin embargo, estaba cubierta, decente. ¡Decente!

Había vivido durante veintiún años en Matlock y era un miembro serio y respetable de la sociedad local, digna de pies a cabeza. ¿Volvería alguna vez a ser decente? Apartó ese pensamiento. De todos modos nada de lo que la abatía se podía cambiar y, además, si su plan funcionaba, sus padres y ella pronto estarían de vuelta a la impasible decencia de Matlock. Ahora debía centrase en sus propósitos y en no permitir que las emociones se entrometiesen en su camino, debilitándola. Se sentó en una silla junto a la chimenea apagada para planear la estrategia que debía llevar a cabo con el duque de Saint Raven. Nunca se iba a creer que ella era una prostituta y se negaría a llevarla a Stokeley Manor, por lo que su única opción era escapar, para lo que necesitaría ropa cómoda, un buen calzado y un mapa; o decirle la verdad y obtener su ayuda.

Hizo una mueca. Tal vez lo mejor sería contarle algo de la verdad, para poder salir de esa situación sin tener que decirle su verdadero nombre. ¿La ayudaría con su plan? Por lo general sería raro pensar que un duque podría ser útil en un robo, pero éste no era un duque normal. Podría urdir un cuento en el que…

Llamaron a la puerta. Dio un salto, agarrando la bata alrededor de su cuerpo. Él giró el picaporte antes de golpear de nuevo:

—Señorita…

¡Pero si, era una voz femenina! Agarró la tela que le sobraba y se precipitó hacia la puerta para girar la llave y abrirla de par en par. Y allí estaba, para su bendición, una respetable mujer de mediana edad, que llevaba una gran jarra humeante.

—Buenos días, señorita —le dijo la mujer con una sonrisa—. Aquí tiene agua caliente. Su excelencia me ha enviado para que me haga cargo de usted.

Aunque Cressida sentía que el mundo había vuelto a dar un extraño giro, éste era maravilloso:

—Pase, por favor.

La mujer entró, y vertió el agua en el lavamanos muy animada. Traía más toallas, que colgó en el toallero, y sacó de su bolsillo una pastilla de jabón nueva.

—Delicioso y floral, señorita. Imagino que no querrá utilizar el que usa su excelencia.

Cressida no estaba tan segura, pero sin duda sería mejor así. Estaba profundamente conmovida por tan considerado trato. Había pensado en su situación y enviado a una criada. Se dirigió al lavamanos desabrochándose la bata.

—El duque me dijo que no tenía mujeres a su servicio.

—Así es, señorita, y si necesita de alguna para ciertas ocasiones, sólo acepta mujeres mayores, cosa que está bien. —Y añadió con un guiño—: Aunque eso signifique suponer que estamos muertas del cuello para abajo después de cumplir los cuarenta.

Cressida se rió sin saber qué decir. La mujer la ayudó con los botones:

—Soy Annie Barkway, señorita. Vivo en el pueblo y tengo un hijo que trabaja aquí de lacayo y también en el campo. Es una gran cosa tener aquí a su excelencia. Es un buen amo, aunque sus modos sean algo salvajes.

La mujer le quitó la bata y comenzó a enjabonar un paño. Un fresco y delicioso perfume a flores y limón impregnó el aire. Cressida salió de su aturdimiento y le cogió el jabón y el paño.

—Gracias.

Cuando se comenzó a lavar, se preguntó qué historia le habría contado el duque para justificar que estuviese allí en ese estado. La señora Barkway se puso a hacer la cama. Cressida la observó mientras se lavaba y vio cómo la mujer hacía una mueca al ver el estado de su vestido.

—Una seda preciosa, señorita. No sé si me atrevería a planchársela.

—No importa, me lo tengo que poner de todas formas. El duque dijo que él me traería el desayuno...

Entonces se dio cuenta de que ahora ya no sería necesario; que podría hacerlo la señora Barkway. Mejor aún.

—No tenga prisa, señorita. Ha salido a caballo —le comentó mientras terminaba de estirar la colcha—. Ordenó que tuviera listo el desayuno a las diez y dijo que lo tomaría con usted, así que mejor intentemos adecentarla.

Cressida se giró para enjuagarse con el paño y ocultar sus mejillas ruborizadas que delataban su emoción.

—¿Le explicó cómo había venido a parar aquí?

—¡Qué historia tan impactante! —exclamó la señora Barkway mientras desdoblaba una toalla y la sostenía para que Cressida la usara—. No pensé que quedaran todavía hombres que quisieran raptar a jóvenes herederas. Por suerte que apareció su excelencia cuando usted huyó.

Tal vez a la mujer le pareció que el silencio de Cressida se debía al miedo y añadió:

—Ahora todo irá bien, señorita. No se preocupe.

Cressida le sonrió agradecida. Pensó que esa ingeniosa historia no era menos extravagante que la verdad. Le pareció que el duque era un hombre que pensaba en todo. A lo mejor sería un buen socio como delincuente.

—No se preocupe por los chismes, señorita. Su excelencia paga bien por tener la boca cerrada y sabe que no voy a decir nada que la avergüence.

Cressida se secó con el suave paño.

—Gracias, señora Barkway, es usted muy amable.

La mujer se ruborizó.

—Sigamos con usted. Ahora siéntese y veré qué puedo hacer con su pelo, aunque no soy más que una sirvienta.

La maravillosa mujer extrajo de su bolsillo un peine y Cressida se sentó en el tocador. Por supuesto que tenía nudos en el pelo, pero ella la peinó con tanta delicadeza como pudo.

—No tengo rizos —se disculpó Cressida y le enseñó su turbante con los falsos rizos que colgaban de la parte delantera.

—Muy lista, señorita, pero se ven muy raros, ¿verdad? Como un gato asustado escondido en una bolsa —le dijo entre risas, mientras deslizaba su mano por el cabello de Cressida—. Su pelo es precioso, señorita. Como seda marrón oscura, espeso y largo hasta la cintura. ¿Cómo desea llevarlo?

Cressida se dio cuenta de lo mucho que le disgustaban las gorras y los turbantes con esos rizos falsos. Le parecían necesarios porque su padre deseaba que fuera a la moda, pero ahora no necesitaba algo tan tonto. En Matlock siempre llevaba una sencilla trenza enroscada como una espiral en la nuca. Dejó a un lado el turbante y le pidió a la señora Barkway que hiciera algo similar. Mientras la mujer trabajaba, ella dejó que su confusa mente divagara.

Matlock. El año pasado había decidido conocer la sociedad elegante de Londres. Su pueblo le parecía entonces muy aburrido, pero ahora era un santuario que luchaba por recuperar. Sin embargo, tenía que admitir que sentía añoranza con respecto a la capital. ¿No había dicho el doctor Johnson que el que está cansado de Londres está cansado de la vida?

Era el corazón del mundo. Los hombres poderosos vivían allí, tomando decisiones que afectaban al destino de millones de personas de todo el planeta. Era el centro de las artes y de las ciencias, cuna de grandes descubrimientos. Había conocido a personas fascinantes en todas partes: exploradores, poetas, oradores, científicos, pecadores... ¡Y los teatros! Tenían un teatro en Matlock, pero no como el Drury Lane o el Royal Opera House.

De pronto recordó la vez que había visto al duque de Saint Raven en el Drury Lane. Había sido hacía unos meses. Estaba allí con sus padres y los Harbison en el estreno de la obra «Una dama atrevida». Los típicos murmullos de entusiasmo en la sala de pronto se intensificaron. Un revuelo de miradas se dirigió hacia uno de los mejores palcos en donde estaba una dama esplendorosa acompañada de un oscuro y guapo caballero.

«¡El duque de Saint Raven!», exclamó lady Harbison en un susurro, una de las habilidades más apreciadas de la alta sociedad. «¡Por fin ha llegado!»

Parecía una observación sin sentido, así que Cressida agradeció que su madre pidiera más información, ya que todo el teatro estaba mirando y cuchicheando de alguien que debía de ser importante. Y en unos momentos lo supo. El duque había heredado el título de su tío el año anterior y después había desaparecido. Y ahora, sin fanfarrias, pisaba el escenario que lo había estado esperando: un duque casadero, un príncipe de la ciudad.

Sin embargo, de acuerdo con lady Harbison, su compañía esa noche mataba muchas esperanzas. Lady Anne Peckworth era hija del duque de Arran, una familia muy adecuada, y, por lo que parecía, la pareja ya estaba comprometida. Él había besado la mano de lady Anne como si quisiese acabar con las especulaciones. Cressida recordó con nostalgia su propio deseo. No de que el duque de Saint Raven le besara la mano así, pero sí de que algún hombre lo hiciera con tanta elegancia natural y que la mirara a los ojos con tan profunda devoción. Ella tenía pretendientes, era la heredera de un mercader, pero ninguno le había hecho una reverencia así. Seguramente para entonces el duque ya habría besado a lady Anne como la había besado a ella la noche anterior, y más cosas... Una mujer con suerte.

—Ahora veamos lo de su ropa, señorita. Aunque no esté en estupendas condiciones, estoy segura de que se sentirá mejor vestida.

Cressida volvió de su ensueño. Si alguna tonta idea nacía en su mente sobre Saint Raven debía recordar que era de la clase de hombres que intentan seducir a una dama mientras cortejan a otra. Eso es todo lo que significaban sus reverentes besos en la mano.

Se centró en sí misma y vio que su peinado estaba muy bien. Le dio las gracias a la mujer y se subió el vestido. La señora Barkway tiró con tanta fuerza de los cordones de su corsé que ella tuvo que respirar profundamente. Aun así, era reconfortante volver a la compostura y el orden. Su vestido de noche parecía fuera de lugar por la mañana, pero, por otra parte, le devolvía la respetabilidad, aunque estuviera arrugado. Cogió el collar de perlas y los pendientes y se los puso.

—¿Dónde están sus zapatos y sus medias señorita?

Cressida, que se estaba mirando en el espejo, se dio la vuelta, aún sabiendo que se le habían subido los colores.

—Creo que se me perdieron en la aventura.

—¡Vaya, por Dios! Los míos no le caben. Si no le importa, señorita, voy a ir a ver qué puedo encontrar para usted.

—No me importa en absoluto, ha sido muy amable conmigo.

—Cualquiera lo sería en una situación como ésta.

La señora Barkway vertió el agua sucia en una palangana enorme, la recogió y se fue.

Capítulo 4

Cressida volvió a comprobar su aspecto, pero añoraba llevar un vestido adecuado, especialmente unas medias sencillas y unos zapatos resistentes. Ahora estaba vestida, pero sus pies descalzos la hacían sentirse todavía más rara, realmente sin sentido. Le debería haber pedido a la señora Barkway que le encontrase un pañuelito para taparse el escote. Pero en fin, no tenía intenciones de dejarse ver en público.

Se acercó a la ventana para contemplar el mundo normal, deseando pertenecer a él. Tal vez debería escapar en cuanto tuviese la oportunidad. La gente pobre a veces va descalza. Tal vez no fuese tan malo. Le había dado su palabra a Saint Raven, pero le había advertido que podría no mantenerla si veía la oportunidad de escapar.

La puerta se abrió y ella se dio la vuelta; sólo era la señora Barkway. ¡Alabado fuera el cielo! ¡Traía sus zapatos! Cressida corrió hacia ella.

—¡Oh! ¿Dónde los ha encontrado?

—Los tenía el señor Lyne, señorita. Pero me temo que no hay ni rastro de sus medias. Puedo traerle unas del pueblo, pero serán de un material corriente.

Cressida deslizó los pies en sus zapatillas de seda verde.

—Cualquier cosa me iría fenomenal. También llevaba puesto un chal, pero creo que debo haberlo perdido lejos de aquí. ¿Sería posible que me buscara un pañuelo?

—Pobrecita mía, iré a ver qué puedo hacer. Su excelencia no ha vuelto aún. ¿Desea algo de comer o de beber mientras espera? No veo por qué usted debe pasar hambre por su culpa.

Cressida se rió y quiso abrazar a aquella mujer.

—Me encantaría tomar algo, un café, un chocolate, un té. Lo que sea más fácil, y tal vez un poco de pan.

—Se lo traeré y después iré al pueblo. Ninguna mujer desea estar sin sus medias y unas ligas buenas y firmes.

Cressida estuvo de acuerdo y sintió que nada podía ser tan terrible en un lugar que incluía a la señora Barkway. Enseguida estuvo bebiendo un rico chocolate y disfrutando de un panecillo dulce recién hecho untado de mantequilla. El duque vivía bien en su sencillo entorno, lo cual no le sorprendía. Pero a pesar de sus maneras campechanas y su sencilla casa, su título era lo más cercano a la realeza.

¿Por qué jugaba a hacer de bandolero? Se había roto la cabeza pensando en eso, aunque ya sabía que los aristócratas a menudo se permitían esos extraños comportamientos. Había lores que jugaban a hacer de cocheros. Entonces, ¿por qué un duque no podía hacerse pasar por un asaltante de caminos? La pequeña diferencia era que se trataba de algo ilegal y peligroso. ¿Estaría loco, tal vez? ¡Habría luna llena anoche!

Llamaron a la puerta. Entró el duque, y Cressida se puso de pie de un salto. Con su traje de montar: chaqueta oscura, pantalones de ante y botas altas, parecía un hombre normal.

Pero no, no era normal; sus pantalones estaban manchados de tierra y tenía el labio hinchado.

—¡Por la gran Juno! ¿Se ha estado peleando?

—¿Qué le hace pensar eso? —le dijo con una sonrisa, para a continuación sacar un pañuelo manchado de sangre y tocarse con él ligeramente el labio

—Se ve mucho mejor, querida ninfa.

Lunático. Duque. Cressida estaba en desventaja.

—He desayunado. Nadie parecía saber dónde estaba o si volvería.

Él le echó una mirada a su plato.

—Eso no es un desayuno. Volveré en un momento y luego podremos hablar.

Ella se quedó mirando fijamente la puerta. Era un excéntrico, como mínimo, y no le quedaba más remedio que tratar con él. Se volvió a sentar y mordisqueó el último trozo del panecillo. Si pudiera convencerlo para que la ayudase, sería como un regalo del cielo. Podría volver a casa pronto, intacta y victoriosa... si consiguiera utilizar a un duque a su voluntad.

Saint Raven volvió con una gran bandeja y puso un plato de huevos con jamón en medio de la mesa, otro de pan con mantequilla y mermelada y un cuenco con ciruelas. Para terminar, tazas, una cafetera y una jarrita con crema. Era evidente que los grandes hombres que salían a cabalgar temprano para meterse en peleas necesitaban comidas copiosas. Puso la bandeja a un lado y se sentó frente a ella.

—Parece asombrada, ¿porque necesito alimentarme?

—No, es que es un duque y usted mismo ha ido a buscar la bandeja.

—No sea ridícula —le contestó mientras se comía tres huevos con jamón—. Por favor, coma algo si quiere.

Cressida contuvo un escalofrío y se sirvió un poco más de chocolate.

—Mientras como, cuénteme su historia; hoy parece ser mi día de caballero errante.

—¿Se ha encontrado con otra damisela en apuros? —le preguntó.

Él hizo un gesto con la boca.

—Más o menos.

Loco, verdaderamente loco.

—Le va a faltar sitio en la casa.

—¡Oh! La he escondido en otra de mis múltiples residencias. Ahora cuénteme su historia, «Señorita Sea Quien Sea».

Comía con gran apetito. Cressida titubeó unos instantes, pero como necesitaba su ayuda, decidió contarle una versión arreglada de la verdad.

—Lord Crofton le ha robado algo a mi familia, su excelencia, y lo tiene en Stokeley Manor. Necesito ir allí para recuperarlo.

Mientras la contemplaba, se tragó su comida.

—Si es un robo, vaya a las autoridades.

—Es un noble, no creo que me hagan caso.

—Vale la pena intentarlo, es mejor que prostituirse con Crofton, ¿no?

Eso había sido un golpe bajo, pero tenía razón.

—Muy bien, lo ganó jugando a las cartas.

—¿Con trampas?

No se le había ocurrido antes. Sacudió la cabeza y a regañadientes le contestó que no lo creía.

—Entonces es suyo. Eso es algo que no admite dudas.

—¡No, no lo es!

El duque se sirvió café y le añadió crema de leche.

—¿Por qué no me dice la verdad? A la larga me enteraré.

Cressida se puso en pie.

—Usted no tiene derecho a exigirme nada, señor. Soy libre para irme de aquí cuando quiera.

—Me temo que no —le contestó, cortando una loncha de jamón.

—No puede tenerme prisionera.

Él no respondió, sólo levantó las cejas y se metió en la boca un trozo de jamón.

Cressida miró la jarra de plata maciza del chocolate, pero se dio cuenta de que no era la mejor manera de conseguir sus objetivos, y se obligó a mantener la calma. Hay una sola cosa que importa, se recordó a sí misma, una sola cosa. Apretó las manos con fuerza y ya más relajada, se volvió a sentar.

—Mi nombre es Cressida Mandeville, su excelencia. Mi padre es sir Arthur Mandeville —le dijo mientras observaba si hacía algún gesto de reconocimiento, pero no fue así; tampoco le sorprendió. Incluso durante la temporada de Londres, los Mandeville se movían en ambientes distintos que los del duque de Saint Raven.

—Ha vuelto hace poco a casa después de veintitrés años en la India.

—Un mercader. —Utilizó el término corriente que también implicaba riqueza.

—Sí.

—¿Usted vivía en la India con él?

—Nací allí, pero mi madre tuvo problemas con el clima, así que las dos volvimos a casa antes de que cumpliese el año.

—¿Y su padre venía de vez en cuando?

—No.

—Un interesante reencuentro —recalcó levantando de nuevo las cejas.

Eso, pensó Cressida, era un eufemismo, aunque su madre parecía haberlo aceptado bien. El duque continuó comiendo pero toda su atención se centraba en ella, que a su vez se sentía confortada porque finalmente podía contar a alguien la verdad.

—Con dinero y un nuevo título, mi padre deseaba entrar en sociedad. Compró una pequeña finca, Stokeley Manor, y alquiló una casa en Londres para así poder llevar una vida de placeres y disipación.

—Mi querida señorita Mandeville, estoy seguro de que usted no sabe nada sobre la disipación —le dijo mirándola con ojos burlones.

—¿Incluso después de lo de anoche, su excelencia?

—Un poquito, a lo mejor —le contestó con una sonrisa.

La hinchazón en la comisura de sus labios no los hacía menos interesantes. De hecho, le daba a su sonrisa un aire extraño y pícaro.

—Continúe con su historia, señorita Mandeville, aunque me la puedo imaginar: su padre se dedicó a los juegos de azar y perdió Stokeley Manor a manos dee Crofton.

Cressida lo miró fijamente.

—¿Qué sabe usted de eso?

—Esas historias vuelan, sólo que no me había quedado con los nombres. ¿Cuánto perdió su padre?

Por un momento fijó la vista en sus dedos entrelazados, pero los soltó y volvió a mirarlo a los ojos.

—Creo que echaba de menos su emocionante vida en la India. Quizá los juegos de azar le devolvieron esa emoción, pero parece que no ha sido bueno para él.

—¿Lo perdió todo?

Un nudo en la garganta casi la dejó sin voz.

—Dicho de alguna manera, todo lo que no era de mi madre y mis posesiones personales.

El duque había dejado su plato limpio y ahora estaba recostado en su silla sorbiendo su taza de café.

—Seguro que su padre es consciente del estado de sus asuntos.

—Mi padre se ha quedado completamente paralizado de la impresión. No habla y parece que no escucha. Mi madre consigue que coma algo, pero cada vez está más débil.

Él inclinó la cabeza.

—Lo lamento, pero he de señalar que, aunque sea triste, Crofton es el dueño de Stokeley y de todo lo que hay dentro.

Ella no quería contarle el meollo del asunto pero no vio otra opción:

—La verdad es, su excelencia…

—Saint Raven, por favor.

—La verdad es que —continuó haciendo caso omiso— mi padre tenía un alijo de joyas. Me explicó que se acostumbró a comprarlas en la India, cuando era necesario tener bienes transportables por si debía huír, y me mostró dónde las tenía escondidas. Sé que legalmente esas joyas van en el lote de Stokeley, pero no puedo sentir que realmente le pertenezcan a lord Crofton. Él no sabe nada de su existencia, y estoy segura de que mi padre no pretendía que fueran parte de la apuesta. Si hubiese podido, las hubiese recuperado antes de que Crofton tomase posesión de la casa.

El duque dejó la taza sobre la mesa y la volvió a llenar.

—Fascinante. Soy consciente de la tentación que significa intentar recuperarlas, pero ¿realmente merece la pena que se sacrifique por ellas?

—Harán que nuestra vida sea soportable. Mi padre nunca se restablecerá y aunque así fuera, no podrá amasar otra fortuna, ni siquiera un poco de dinero. Mi madre sólo desea volver a Matlock. La casa que tenemos allí siempre ha estado a nombre suyo. Ni siquiera tenemos dinero para llevar allí una vida modesta; ahora mismo sólo tenemos lo que valgan nuestras posesiones. —Se tocó el collar de perlas, una sencilla cadena de pequeñas bolas—. Siempre hemos luchado contra la inclinación de mi padre a obsequiarnos con adornos caros y extravagantes.

—Como ve, la disipación y la extravagancia son mucho más inteligentes. Pero tengo que preguntarle algo: ¿no podría su padre haber vendido las joyas para pagarse su afición al juego?

Se comportaba como un torno: apretaba y apretaba hasta sacar la verdad. Pero era muy estimulante.

—No lo creo. He revisado las cuentas de mi padre. Todo está reflejado allí, incluidas sus pérdidas.

Cressida tuvo que tomarse un momento para recomponerse. ¿Cómo alguien podía tirar una fortuna en un juego de cartas que ni entendía?

—No hay registro de la venta de las joyas, ni un aumento repentino de efectivo.

—¿Qué dice su madre?

Cressida dio un suspiro.

—El regreso de mi padre fue un gran choque para ella. Se volvió a encariñar con él, pero no llegó a tener ningún interés en sus negocios. Ahora no puede pensar en nada que no sea su recuperación.

—Así que usted se enfrenta completamente sola a esta situación, aunque no por más tiempo. Ahora tiene a un caballero errante.

Cressida lo miró con cautela.

—Debo recuperar esas joyas, su excelencia.

—Por supuesto.

—Cueste lo que cueste.

—Ya lo veremos.

—¡Usted no tiene derecho a mandarme!

El duque levantó una mano a manera de elegante protesta.

—Enfréntese a esa batalla cuando lleguemos a ella. Por ahora somos camaradas en armas contra el abominable demonio. Sin embargo, si esas joyas eran para un caso de emergencia, ¿por qué su padre las tenía en el campo en vez de tenerlas a mano en Londres?

Ésa era otra excelente pregunta. A pesar de sus excentricidades, el duque tenía una mente aguda.

—Mi hipótesis es que mi padre tenía muchos objetos indios que desgraciadamente dejó en Stokeley. Entre ellos hay una serie de estatuillas de marfil hechas con gran ingenio, pues sirven para esconder cosas; las joyas están en una de ellas. Creo que se confundió y se llevó una estatuilla equivocada a Londres.

—Un descuido; deben ser todas muy similares.

—Sí —le dijo mientras rezaba para que no le pidiese detalles.

Él dio un sorbo de café.

—Usted no tiene ninguna garantía de que no se hubiese jugado las joyas directamente, o que las hubiese empeñado o cambiado de sitio.

Ella volvió a relajar las manos.

—No, pero no estoy siendo optimista en exceso. Creo que la estatuilla que me enseñó no era la misma que la de Londres. Estoy segura de que alguno de sus conocidos hubiese notado que estaba apostando joyas. No había nada secreto en cuanto a lo de las partidas, excelencia, e incluso si hubiese ido a una casa de empeño, estoy segura de que lo hubiese apuntado en su contabilidad. Es su forma de actuar. Siempre lo apunta todo.

—Pero es de esos hombres capaces de confundirse de estatuilla...

—Es un poco miope y sólo cogió una. Si lo hizo así, sería porque pensaba que era ésa la que escondía el tesoro, ¿no?

—Buen argumento —le contestó asintiendo con la cabeza.

—Lo que es más, mi padre no perdió la lucidez cuando perdió con Crofton. Regresó a casa a tiempo para desayunar y parecía estar normal, sólo que cansado. Mi madre lo regañó por regresar a esas horas.

Tragó saliva al recordar ese momento y la culpabilidad que había sentido su madre por ello, aunque lo cierto es que se hubiese merecido algo mucho peor.

—Mi madre fue a pedirle disculpas y se lo encontró en su estudio sentado en el mismo estado de postración en el que se encuentra ahora. Yo llegué unos minutos después, alertada por un grito de ella pidiendo ayuda. La estatuilla estaba tirada en el suelo, abierta y vacía.

—Y ya que esas joyas eran la salvación de su familia, descubrir que se había equivocado de figura, fue lo último que le faltaba. —Antes de continuar la miró fijamente—. ¿No se le ha ocurrido simplemente entrar en su antigua casa sin más? Seguro que algún sirviente podría ayudarla.

Cressida lo negó con la cabeza.

—La casa estaba vacía antes de que mi padre la comprase y sólo había una pareja de ancianos para cuidarla. Estaban felices de jubilarse. Mi padre les dio una anualidad completa, así que por lo menos ellos están salvados.

—Tiene un corazón generoso, señorita Mandeville.

—No es generosidad, su excelencia, sólo justicia. La caída de un hombre no tiene por qué destruir a otros.

Ella lo vio hacer una especie de mueca y pensó que lo que había dicho había hecho mella en él.

—Sólo vivimos allí unas pocas semanas en diciembre, pero mi padre puso cerraduras nuevas y rejas en las ventanas de la primera planta. Cuando llegó tenía mucho miedo de que entraran ladrones, cosa que parece ser bastante común en la India.

—Y en Inglaterra. Entonces, ¿hay algún sirviente que nos pueda ayudar?

—Ninguno en el que pueda confiar, y Crofton los debe de haber sustituido la semana pasada.

—De acuerdo. —Asintió con la cabeza—. ¿En qué sala de Stokeley Manor encontraremos las estatuillas?

Que utilizase el plural hizo que a Cressida se le acelerase el corazón y se llenase de esperanzas y nerviosismo.

—Si no las han movido están en el estudio que tenía mi padre en la parte de atrás de la planta baja.

—Que por desgracia tiene todas esas rejas y cerraduras.

—Así es.

Frunció las cejas y se quedó estudiándola.

—¿A qué acuerdo llegó usted con Crofton? Una estatuilla a cambio de su virtud lo hubiese hecho sospechar.

—Y creer que me cotizo muy bajo…

Cressida le contestó sin poder mirarlo a los ojos, por lo que se dedicó a estudiar los juegos de luces que se hacían en la superficie del jarrón de plata que contenía el chocolate.

—Me iba a dar todos los objetos indios de mi padre. Hay algunas piezas de valor, aparte de las joyas escondidas.

—¿Sabe lo que le hubiese pedido que hiciese por ese precio?

Se forzó a mirarlo de frente, aún consciente de que estaba ruborizada.

—Sé lo principal, su excelencia; y lo hubiera hecho si hubiese sido necesario.

—Si hubiese sido capaz.

—Creo que mi inocencia era parte de mi atractivo —le contestó con la mirada fija.

—Es usted una mujer extraordinaria, señorita Mandeville, pero terriblemente ingenua.

—Tonterías. Estaba preparada para que fuera algo espantoso, pero ¿qué otra opción me quedaba? ¿Refugiarme en mi virtud y mis delicados sentimientos, y terminar en una residencia para pobres, y mi madre también?

—Es lo que hace la mayoría de la gente. Y el sacrificio es demasiado drástico.

Después de un momento ella le confesó:

—Esperaba no tener que hacerlo.

—¡Ah! Pensaba llegar ahí después de haber acordado con Crofton que se iba a entregar a él, coger las joyas y escapar antes de que él le hiciera lo peor. Muy lista, pero me temo que demasiado optimista —le dijo tratándola como si fuese una niña.

—Tenía un plan.

—No lo dudo.

Sus modos burlones y condescendientes la provocaron.

—En mi bolsito llevaba un líquido que provoca vómitos. Tenía pensado decirle que me había puesto enferma con el traqueteo del viaje y beberme un poco antes de llegar aduciendo que se trataba de un reconstituyente. Dudo que ningún hombre estuviese muy ansioso de llevarse a la cama a una mujer que está vomitando la cena.

Él se rió.

—¡Bravo! Y así usted tendría tiempo de coger las joyas y escapar. —Levantó la jarra de chocolate, echó lo que quedaba en la taza de ella y alzó la suya—. ¡Un brindis por una valiente y emprendedora mujer!

Cressida levantó su taza golpeándola contra la suya, incapaz de resistirse a reír con él. Había tenido que urdir su terrorífico plan en secreto y era reconfortante tener la aprobación de alguien. Se lamió el chocolate que manchaba sus labios y le dijo:

—Espero que usted vea ahora, su excelencia, que no me hizo ningún servicio secuestrándome de las manos de lord Crofton.

—Por desgracia, no —le contestó dejando la taza—. Elogio su plan y su valentía, señorita Mandeville, pero usted no conoce como es el mundo de Crofton. Podría haber encontrado que era algo novedoso aprovecharse de una mujer enferma, y lo más seguro es que la hubiese encerrado hasta que se recuperase.

Ella lo miró fijamente, sintiendo cómo se le revolvía el estómago e imaginando lo que podía haber sido.

—Lo otro que usted ignora es que no iba a Stokeley Manor para estar a solas con lord Crofton. Está celebrando una fiesta que durará varios días.

—¿Una fiesta? ¡Me prometió no arruinar mi reputación!

—A lo mejor es verdad. Se trata de una fiesta de máscaras, pero también es una orgía. ¿Sabe lo significa eso?

—¿Una bacanal? —le contestó vacilante—. ¿Exceso de alcohol y libertinaje sexual?

—Más o menos. Las personas que asisten a ese tipo de eventos suelen estar aburridas de todo y exigen cosas nuevas. Me temo que usted era la pieza central de esa novedad. Vírgenes de buena familia son muy difíciles de conseguir, sobre todo las que se abandonan voluntariamente a su destino.

Su mente conmocionada se adelantó a él.

—¿En público?

Apenas conseguía respirar y luchaba por no desmayarse.

—Por lo menos delante de algunos huéspedes privilegiados. ¡Dios mío, discúlpeme! —Rodeó la mesa para situarse a su lado—. Lo siento, no se lo debería haber expuesto tan crudamente...

De pronto todo se volvió gris y una mano firme empujó su cabeza entre sus rodillas.

—Mantenga la respiración, todo va bien, nada de eso le va a suceder, se lo prometo.

Le frotó el cuello con la mano. Eso, y sus palabras, hicieron su efecto. Alzó la cabeza y él la dejó incorporarse. Por un momento vio destellos de manchas oscuras, pero luego se le despejaron. Lo miró y lo vio preocupado. Tragó saliva.

—Creo que debo darle mis más sincero agradecimiento por rescatarme, excelencia.

A ella le pareció ver que él se ruborizaba un poco.

—Sin duda alguna no podía dejarla con él y, respecto a nuestra aventura, debemos ir con cuidado.

Cressida cogió la taza de chocolate, pero ya estaba vacía.

—Espere un momento.

Él abandonó la habitación y regresó en un momento con una botella y unas copas.

—Es brandy. Beba.

Ella nunca había bebido brandy, pero sorbo a sorbo vació la copa. Se sentía más calmada, y también con más miedo. ¡Se había creído tan lista y que tenía todo bajo control! Pero ahora... ¿No habría esperanzas para ella y su familia? Entonces recordó lo que le había dicho: «Nuestra aventura».

Los ojos de Saint Raven brillaban entusiasmados.

—No me puede negar mi parte en esto, señorita Mandeville. Lo siento, pero no puedo dejarla que vaya a una orgía sin un guía experimentado.

Capítulo 5

Cressida dejó el vaso.

—El término «guía experimentado» no es algo que me tranquilice precisamente, su excelencia.

Pero recordó que él se movía en una esfera distinta a la suya, más elegante y segura, pero también de menor nivel moral. La familia de ella no era de una prístina virtud, pero tampoco frecuentaba ambientes degradantes. Pertenecían a lo que se entendía como «clase media».

—Me gustan las fiestas en donde hombres y mujeres se reúnen con entusiasmo para disfrutar de los placeres sensuales con más libertad de lo común —le explicó sin mostrar ni un rastro de vergüenza.

—Supongo que usted estará invitado —le dijo con una aspereza que luego lamentó.

—Si no puede evitar esa cara de vinagre, señorita Mandeville, no podré llevarla a ningún lugar atrevido.

—No tengo ningún deseo de ir... —empezó a decir, pero tuvo que cortar ya que debía hacerlo.

Sus ojos brillaron.

—Puede verlo como una experiencia formativa.

—Hay cosas que prefiero no aprender.

—Definitivamente, señorita Wemworthy.

Eso la hirió.

—Yo no soy... ¡Oh, es usted un hombre exasperante!

—Lo intento. Vamos, señorita Mandeville, tiene el nombre de una romántica exploradora —dijo con los ojos brillantes, inclinado hacia delante, desafiándola—. ¿No existe ni la más pequeña parte de usted que quiera llevar esto hasta el final y ser testigo de una fiesta libertina? ¿No disfrutó acaso de su atrevida aventura con Crofton deleitándose con la perspectiva de ser más lista que él?

Ella se quedó con la mirada fija. Era como si él pudiese ver una secreta parte de su alma. Aunque estaba aterrada y odiaba la idea de dejar que Crofton la tocase y le diese órdenes, se había sentido llena de excitación, de vida, como nunca antes.

—Sí —admitió.

Él le sonrió.

—¿No sería una lástima volver a casa, a Matlock, sin intentarlo? A lo mejor...

Tris era consciente de que estaba siendo malvado, pero lo hacía sin malicia. Realmente era un guía experto y con él la señorita Mandeville estaría segura. Además, deseaba ver ese mundo a través de sus ojos atónitos. Había llegado el momento de mostrarle otra realidad.

—No hay necesidad, por supuesto —dijo él con tiento—. Puedo ir a Stokeley y recuperar la estatuilla por usted; sólo hay un pequeño problema.

Cressida se mordió el labio. Era como si le leyese la mente y captara todas sus incertidumbres, tentaciones y luchas.

Él la picó un poco más.

—Usted puede quedarse aquí, cómoda y segura…

Sus blancos dientes dejaron de morder su labio inferior y asomó la lengua para lamérselo. Una boca carnosa, generosa, suave, especialmente cuando la humedecía… Tuvo que recordarse que la diversión no incluía llevarse a esa dama a la cama. Las virtuosas señoritas de Matlock eran territorio prohibido.

—Sería una cobardía dejarlo todo en sus manos.

—La cobardía es a veces la máxima expresión de la sabiduría —le dijo, para dejar que se convenciese sola.

—También hay consideraciones de orden práctico. Conozco la casa y usted no. Yo sé cual, entre todas las estatuillas, es la correcta y cómo conseguir que se abra el cierre que revela su secreto.

—Bien, entonces me lo puede explicar…

—No es algo fácil de describir y puede que tengamos poco tiempo —le contestó volviéndose a pasar la lengua por los labios—. Incluso es posible que lord Crofton las haya cambiado de sitio.

—¿Por qué?

Cressida se sonrojó.

—Son… esa clase de cosas que quedarían bien en una bacanal.

Ella le encendía el deseo y le hacía pensar en fresas grandes y dulces cubiertas de crema.

—Entonces sí que las tendrá puestas para exhibirlas. Si siente que puede hacerlo, su presencia será de gran utilidad. Puedo garantizarle que estará segura. —Pero su honestidad lo obligó a añadir algo—. Lo que no le puedo garantizar es que no verá cosas que la abochornen. De hecho, puedo asegurarle que lo hará.

Vio en ella un destello de excitación antes de fruncir el ceño. Sería un crimen negarle esa experiencia.

—Así que, ¿quiere usted venir esta noche?

Cressida lo miró a sus ojos brillantes y desafiantes. Claro que quería ir.

—Quedarse aquí sería como si Wellington se hubiese quedado en Bruselas tomando el té durante la batalla de Waterloo.

El duque se puso de pie.

—¡Qué encantadora es! Muy bien, tenemos que hacer planes para la batalla, y lo primero va a ser disfrazarla. A mí me pueden reconocer, pero es esencial a todos los niveles que a usted no. —Tiró de un cordón—. ¿Hasta qué punto la conoce Crofton?

—No muy bien.

—¿Y cómo llegaron a ese extraordinario acuerdo?

—Me pidió permiso para cortejarme, pero mi padre se encargó de rechazarlo. No me gustaba y claramente era uno de los que iba detrás de mi gran dote. Me preocupa que todo esto no sea más que una venganza.

—Es posible, pero usted no hubiese podido hacer otra cosa y doy por hecho que no obligó a su padre a que se sentara a jugar a las cartas.

Ella suspiró.

—No, pero después de la catástrofe, me ofreció la oportunidad de recuperar algo diciéndome que mi familia podía conservar todos los objetos de la India a cambio de mi virtud.

Trató de mostrar congoja, de presentarlo como una deferencia hacia nosotros, el muy sanguijuela. Casi hice que lo echaran de la casa, pero enseguida vi la oportunidad de recuperar las joyas.

—Esto hace que me pregunte hasta qué punto la partida fue limpia, aunque ahora lo importante es su disfraz.

Se levantó y abrió la puerta.

—¡Harry!

Entró en la habitación un joven lacayo en el cual Cressida encontró un gran parecido con la señora Barkway.

—Su excelencia...

—Búsqueme al señor Lyne.

Cuando el lacayo se marchó, el duque se giró para examinarla.

—Se ve distinta ¿Qué ha pasado con sus rizos?

Cressida se sonrojó.

—Eran falsos.

—¡Dios santo! Su aspecto cambia sin ellos. Con una máscara... O un velo... ¡Sí, eso es! Tengo un disfraz de sultán en alguna parte. Puede ir como si fuera una hurí. Con un velo tapándole la parte inferior de la cara, una máscara sobre los ojos y ya está. ¿Es su pelo tan largo como parece? Lo podría llevar suelto.

Llamaron a la puerta y entró un nuevo hombre. Era otro caballero alto y elegante, sólo que con el pelo más claro que el de Saint Raven y la cara más cuadrada. Cressida levantó las cejas.

—¿Qué pasó con el plan de mantenerme lejos de las miradas, su excelencia?

—Cary ya la ha visto... y a sus ligas —añadió con la clara intención de sacarle los colores—, y también sus medias...

Antes de que ella pudiese decir nada, añadió:

—Señorita Mandeville, permítame presentarle al señor Caradoc Lyne. Cary, la señorita Mandeville.

—Parece encontrarse mejor, señorita Mandeville. Espero que no se haya asustado mucho.

—No más de lo razonable, señor.

Puso cara de disculpa.

—No podíamos dejarla en manos de esa babosa, señorita Mandeville. —Se volvió hacia el duque—. ¿Qué es lo que hay que hacer?

Saint Raven le expuso la situación con claridad. Su amigo argumentó que era inconveniente llevar a una dama a un asunto tan vergonzoso, pero se dio cuenta de que era en vano. Cressida pensó que el duque de Saint Raven estaba acostumbrado a hacer las cosas a su manera.

—Así que nos urge conseguir un traje. Algo de estilo árabe y que lleve velo.

—Creo que hay por ahí algo así de la última..., en fin.

Volvió al cabo de un rato y extendió sobre la cama un par de pantalones de seda color púrpura y una chaqueta multicolor de manga corta con muchos brillos. Cressida los miró fijamente.

—¡No puedo ponerme pantalones!

—Vamos a una orgía, señorita Mandeville.

Una vez más el duque la miró con ojos burlones. Cressida cogió la chaqueta. Con suerte le taparía hasta la cintura.

—Se me verá el corsé.

El señor Lyne se aclaró la garganta.

—Pensé que daría por hecho que no lo llevaría; podemos probar con otra cosa.

—Tonterías —interrumpió el duque—, el traje va perfecto con el mío de sultán.

Cressida intentó decir algo pero él continuó:

—Necesitamos un velo para la cara y otro para la cabeza que sean bastante tupidos, y una máscara y maquillaje.

La puerta se cerró al salir el señor Lyne, que claramente seguía sus órdenes, pero Cressida, no.

—No voy a ponerme esa ropa, su excelencia.

—¿Por qué no se la prueba primero? Luego ya podrá arrepentirse.

—No quiero echarme atrás, quiero algo más adecuado para una dama. ¿No podría ir disfrazada de… monja, por ejemplo?

Tris se rió.

—Confíe en mí, querida. Si quiere pasar desapercibida esta noche, mientras menos elegante y refinada, mejor. Así hay menos posibilidades de que la reconozcan. Usted verá.

Lo entendió, pero aún se rebelaba.

—¿Por qué alguien se iba a imaginar que yo pudiese estar en un evento de esa naturaleza?

—La mayoría de las mujeres serán profesionales, pero a algunas señoras les gusta la aventura y el desenfreno. Una mujer soltera sería una rareza, pero no tan extraña. La clave está en no dejar que imaginen nada.

Se calló para que le respondiera, pero no tenía nada que decir. Ahora que había visto el traje, no estaba segura que pudiera pasar por todo eso, pero al mismo tiempo era un reto. Ella no sabía que reaccionaría con tanta fuerza a un desafío

—Es su elección. —¿Sabría acaso que era tan seductor como el demonio?—. Tengo una serie de cosas que arreglar, así que le dejo tiempo para decidirse. Lo sensato sería que permaneciera en esta habitación; si quiere le puedo enviar algunos libros para que se entretenga.

Ella seguía con el ceño fruncido por culpa de las estrafalarias prendas, pero asintió y él se marchó. Cressida cogió el pantalón, símbolo de su extraña situación.

¡Pantalones! Mucha gente pensaba que la ropa interior femenina era indecente porque se parecía a la que llevaban los hombres. Le parecía imposible llevar sólo unos pantalones, y esa cosa de seda la ha-ría sentirse como si no llevase nada. Por lo menos eran tupidos. Había visto dibujos de mujeres orientales con pantalones de ese estilo que parecían más bien un velo. Éstos eran bastante bonitos, adornados con trenzas doradas en los tobillos y los laterales, y con un cordón color oro para atárselos a la cintura. Los cogió, se los puso por encima y pensó que seguramente le quedarían bien. Eran demasiado largos, pero el fruncido de los tobillos ayudaría. Los dejó y cogió la chaqueta de seda brocada color rojo y púrpura bordada con hilos dorados. Tenía las mangas cortas, el cuello bajo y botones en la parte delantera. Cressida se dijo a sí misma que al menos la taparía como la parte superior de un vestido de noche, pero sin ropa interior, cosa bastante incómoda.

¿Sin combinación ni corsé? ¿Cómo podría salir así en público? Quería probarse el conjunto para poder comprobar lo peor, pero se encontró con su problema habitual: no se podía quitar sola su elegante traje. Hubiese sido diferente en Matlock. Su madre y ella compartían sirvienta, pero la mayoría de sus trajes eran cómodos y prácticos, y se los podían poner y quitar ellas solas.

Matlock. Dejó la escandalosa chaqueta sobre la cama. Su vida allí era tan tranquila y confortable. Había vivido toda su vida en una hermosa casa bien provista con el dinero que su padre les enviaba. Su madre y ella tenían buenos amigos y una sólida posición en la sociedad. No entre la clase más alta, pero sí entre la de mayor respetabilidad, a pesar de la extraña ausencia de su padre. Como se habían casado allí mismo no había indicios de que tal vez el marido nunca hubiese existido. Además las obras de caridad de su madre las habían mantenido ocupadas y como Matlock era un pequeño balneario, en verano había conciertos, obras de teatro, fiestas y reuniones.

Si el plan funcionaba, pronto podrían volver. Incluso aunque su padre siguiese mal, su madre y ella estarían en un ambiente familiar, rodeadas de amigos. Sin embargo, si fracasaba, nunca podrían regresar.

Si su padre se hubiese quedado en la India...

Si no le hubiese dado por jugar...

¡Si ella se hubiese dado cuenta a tiempo y hubiese hecho algo...!

Ésa era la herida que la hacía sangrar por dentro. Se había distraído en Londres. Los eventos sociales enseguida la habían aburrido, pero la ciudad la había fascinado. Había empezado a pensar que le gustaría casarse con un hombre de ese mundo. No un aristócrata ocioso, si no un hombre activo y comprometido. Tal vez un hombre que trabajara en el parlamento o incluso en el gobierno, eso sería genial.

O un comerciante. No es que le interesara el dinero, si no lo maravilloso que sería suministrar a un país mástiles, a otro lana y a un tercero especias. Su amiga Lavinia estaba comprometida con un capitán de barco y esperaba con ansia poder viajar a puertos lejanos. Eso era demasiado para Cressida, pero quería formar parte del funcionamiento del mundo.

Ahora todo eso se había acabado, a menos que recuperara las joyas. Durante la temporada que había estado en la ciudad se le había hecho evidente que no lograría casarse bien sólo por su bello rostro, ni siquiera llevando los falsos rizos. Echó un vistazo a los suyos, patéticamente cosidos a un turbante. ¡Los ambientes elegantes eran tan estúpidos! Crueles, mezquinos y también llenos de vicios. Mientras su padre mantuvo su fortuna, muchas señoras y señores los habían visitado, pero desde que la había perdido y estaba enfermo, se habían evaporado. Ahora era verano, y Londres estaba medio vacío, por supuesto, pero de igual modo había quedado de manifiesto la falta de corazón de la gente. Alguien llamó a la puerta.

—Soy Harry, señorita.

Cressida la abrió y éste entró con una pila de libros y ropa. Dejó los libros y, ruborizado, le ofreció unas medias de algodón blanco, unas ligas sencillas y un pañuelo de tela delgada.

—Mi madre le ha enviado esto, señorita. Espera que le sirvan.

Recogió los restos del desayuno y se los llevó en una enorme bandeja.

—Llame si necesita algo, señorita.

Cuando se marchó, Cressida se quitó las zapatillas y se puso las firmes y confortables medias, sujetándoselas firmemente con las ligas. Se sentó frente al espejo y se colocó el pañuelo alrededor de los hombros metiendo los extremos por debajo del escote, consiguiendo finalmente tener un aspecto digno.

La decencia era algo extraño. No le importaba llevar ese vestido en un baile, pero lo que era digno para la noche no lo era para el día. Pensó en la ropa que tenía sobre la cama: los pantalones no eran nada decentes.

Saint Raven se había ofrecido para recuperar las joyas él solo. A cada momento que pasaba, le parecía lo más sensato. Sin embargo, sus objeciones eran poco convincentes. Algunas de las estatuillas de marfil eran muy similares. Todas mostraban a personas… a personas teniendo relaciones sexuales en extrañas posturas. Había cinco que representaban a parejas de pie, y una de ellas tenía las joyas. Realmente no se había fijado en ningún detalle concreto, pero creía que podría distinguirla cuando la viese y, además, conocía la casa.

Se acarició el rostro. La verdad era que quería ir. Se había obligado a ser la heroína de esta historia y ahora no quería echarse atrás. Se dijo a sí misma: «Cressida, piensa en ello como en un baile de máscaras». En Londres había asistido a uno muy bueno en el que algunas personas iban vestidas de forma escandalosa y una señora hasta llevaba un traje oriental parecido a ése.

Cogió los pantalones, se los puso por encima y se miró en el espejo.

—¿Eres Cressida Mandeville o Cressida Ratón?

Decidió que era Cressida Mandeville.

Después de haber ordenado su mente, se sentó junto a la ventana y repasó los libros. ¿Los habría elegido Saint Raven? Se trataba de una cuidada selección de poesía, historia, una novela de tres tomos y, advirtió con una sonrisa, un diario de viajes sobre Arabia.

¿Sería una indirecta para que lo fuese estudiando? Siempre le habían gustado los diarios de viajes a países exóticos. Algunas veces pensaba que era como su padre y que prosperaría bajo un cielo extranjero, aunque, como su madre, tenía una fuerte veta conservadora. Pequeñas aventuras como trasladarse a Londres eran suficientes para ella.

El tiempo trascurría. Harry volvió a tocar la puerta y entró sonriente, llevando su maleta.

—¡Oh! —Para Cressida fue tan maravilloso como si hubiese conseguido las joyas—. ¡Harry, gracias!

—No me dé las gracias a mí, señorita. El señor Lyne la encontró en el camino y se la ha enviado.

Tan pronto como se marchó, Cressida la abrió y encontró el chal de seda y, milagro, ¡también su bolsito! Crofton lo debió haber echado en su maleta. Tal vez ya no necesitaría el vomitivo, pero con él en sus manos sentía que tenía un arma.

Pasó las manos por sus vestidos y su ropa interior, encantada de que ya no estuvieran en posesión del sucio de Crofton y, de pronto se quedó quieta. Debía estar furioso, ¿intentaría vengarse? ¿Arruinaría su reputación diciéndole al mundo que la había raptado Le Corbeau?

No, no podía hacerlo. Tendría que explicar por qué viajaba con él. Y aunque a ella la arruinaría, él también saldría malparado. Incluso la gente más desconsiderada de la ciudad se sobrecogería por haberle hecho tamaño chantaje a una dama. Si dirigía su ira hacia alguien sería contra el asaltante de caminos. Pero, pensó mientras cerraba la maleta, si continuaba con su plan, se volvería a encontrar con Crofton. Tenía que estar muy segura de que no pudiese reconocerla. La extravagante indumentaria junto a un velo y una máscara le bastarían. Se volvió a concentrar en el libro, disfrutando de su viaje mental por Arabia. Sólo la interrumpió Harry para traerle una bandeja con té, pan, queso y fruta.

Oyó sonar cuatro veces un reloj lejano antes de que su anfitrión volviese con un tejido fino y pálido entre sus manos.

—Espero que no se haya aburrido mucho, señorita Mandeville, pero si así ha sido, no se preocupe, ¡comienza la aventura!

Capítulo 6

Cressida se levantó de un salto, tenía la boca seca. Las palabras de Saint Raven le habían acelerado el corazón. O quizá simplemente su presencia.

—No me he aburrido, excelencia. He estado en Arabia.

Tris dejó las cosas en la mesa.

—Me pareció oportuno Es fascinante.

—¿Lo ha leído?

—¿Si no por qué lo iba a tener?

—¿Negocia con Oriente?

—¿Se refiere a comerciar, señorita Mandeville? —le preguntó levantando las cejas.

—No hay nada de malo en el comercio, su excelencia.

—Desde luego que no, pero no está dentro de las actividades de un duque.

—¿Por qué no?

—La estabilidad y la prosperidad de Inglaterra están en sus tierras, señorita Mandeville. Siempre ha sido así y lo seguirá siendo. Para mí es un honor contribuir de esa manera.

No hubo nada desagradable en su voz, pero, a su juicio, la puso en su lugar: el de la clase media.

—Vea lo que Cary ha encontrado —le dijo mientras cogía la fina tela que había traído. Separó la seda en dos piezas y se puso una delante de la cara—. Son lo suficientemente tupidas como para ocultar sus facciones.

No pudo evitar una risita al ver sus pestañas aleteando sobre el velo. A pesar de eso su confianza se tambaleaba.

—No estoy segura de poder salir en público con esas ropas.

El duque dejó caer el velo en la mesa.

—Ha llegado el momento de que se los pruebe y lo vea por sí misma. Además, tendrá una armadura a su lado.

Aflojó el cordón de una bolsa y echó sobre la mesa un montón de abalorios brillantes.

—Son baratijas de una compañía de teatro, pero puede que nos sirvan. ¿Desea que Annie Barkway la ayude? Creo que su alma pura peligraría al vestirla con estas ropas.

Cressida, nerviosa, tragó saliva, pero reunió coraje y se volvió.

—¿Me podría desabrochar la ropa, excelencia?

—Si he de ser tan atrevido, realmente debería llamarme Saint Raven.

Evidentemente era un hombre imposible y ella repitió:

—Saint Raven. —Y él empezó a desabrocharle los botones.

La noche anterior, incluso confusa por la impresión y el agotamiento, le había molestado tener que pedirle eso mismo. Ahora, cada toque de sus dedos la hacía sentir algo que le subía por todo el cuerpo y no podía evitar pensar en ellos en otras circunstancias. Como si fueran un matrimonio.

Se estaban preparando para ir a algo tan salvaje y absurdo como una orgía, pero estaba más relajada y natural que con ningún otro hombre en su vida, teniendo en cuenta que se trataba de uno joven y extraordinariamente atractivo. Tras sus conversaciones y planes había llegado a sentir que lo conocía, que incluso podían llegar a ser amigos. Pero era sólo una ilusión. Se lo había demostrado con su muestra de incomprensión sobre el tema del comercio. ¿Cómo podía estar interesado en países extranjeros cuando no tenía deseos de explorar sus posibilidades de negocio? ¿Cómo podía no querer ser parte de los fascinantes avances de la ciencia y la tecnología y, también, de los beneficios que conllevaban?

Eran extranjeros el uno para el otro y ni siquiera hablaban el mismo idioma. La exasperaba y a la vez se sentía atraída por él. La noche anterior la había besado de una manera que nunca había imaginado . Y es más, si hubiese creído lo que le dijo, eso significaría que también la había deseado. La había deseado, a ella, a Cressida Mandeville, la mujer más común entre las mujeres corrientes.

Sintió de nuevo su ropa suelta, la sujetó, tomó aire para calmarse y se dio la vuelta.

—Gracias, Saint Raven, ya me las puedo arreglar sola.

Volvió a ver en sus ojos esa mirada, más apagada, pero aún así caliente. Hizo que se le moviera algo tímidamente, pero real y profundo, dentro de ella. Al sentir la tentación se repitió a sí misma:

«¡Cressida, es un sinvergüenza! Hace orgías en esta casa. Seguramente se excita con cualquier mujer que lleve la ropa suelta.»

Él le sonrió como si pudiera imaginar sus pensamientos, y se marchó. Ella soltó un suspiro y dejó que su traje cayera.

Se sacó el corsé por la cabeza y, a regañadientes, se quitó la combinación. Ahora sólo llevaba sus medias y su ropa interior. Se puso los pantalones de seda encima y se abrochó el cordón. Le quedaban bien, algo ajustados en las caderas. Pero cuando se miró en el espejo casi se atraganta.

¡Cómo se le ceñían también en el trasero! Era como estar desnuda. Y además no llevaba nada en la parte de arriba. Agarró la chaqueta y se la puso. Sintió la frescura del forro de seda contra su piel y cómo le rozaba los endurecidos pezones. Se abotonó la chaqueta a toda prisa y se volvió a mirar en el espejo. Ya estaba tapada, y tal como había pensado, por la parte de arriba estaba más cubierta que con su vestido, ya que el escote de la chaqueta le quedaba más alto. Sin embargo, no podía ignorar el hecho de que llevaba los pechos sueltos y que, cuando encogía los hombros, ¡se le movían! La larga línea de botones dorados era lo único que evitaba que estuviese completamente expuesta. Y al poner la espalda recta la chaqueta dejaba entrever sus senos.

La solución que le quedaba era simplemente no ponerse recta. Lo peor era que la chaqueta sólo le llegaba a la cintura. Con cualquier movimiento su piel quedaría al descubierto. Piel que nunca antes había sido expuesta a la vista en público.

Lentamente, aún mirándose, levantó las manos y se quitó las horquillas del pelo, y una franja de su pálido vientre, incluido el ombligo, quedó al aire.

Imposible. Sin embargo, poco a poco empezó a pensar que ese traje le quedaba mejor que uno convencional. Se deshizo la trenza, que le caía por la espalda y meció sus cabellos libres, largos hasta la cintura. El pelo hacía juego con el traje, y con esa extraña del espejo. Era como si estuviese mirando a otra persona, a una extranjera de la exótica Arabia.

Estaba algo rellenita, pero tenía una cintura bien marcada. Los vestidos de talle alto que estaban de moda no le favorecían, pero ese escandaloso pantalón y esa chaqueta sí, ya que hacían que sus pechos y sus caderas, en algún sentido, se viesen bien, sin ningún decoro, pero bien. En equilibrio.

Cogió el velo y se lo puso justo debajo de los ojos. Tal vez era verdad que nadie la reconocería así vestida.

Dejó a la extraña exótica del espejo y se fue a escarbar la bolsa de bisutería. Se puso en cada muñeca media docena de pulseras. Dos llamativos brazaletes en la parte alta de los brazos. Un collar de cristales rojos y falsas perlas que realmente no parecían del todo orientales. Y, a regañadientes, decidió que una diadema de «diamantes» no quedaría bien. Siempre había querido llevar una tiara de diamantes. Aún así, cuando estudió en el espejo su conjunto se rió encantada. Ahora era otra persona, más llamativa de lo que nunca había estado.

Cogió el largo velo azul y se lo puso por encima del pelo. Para sujetárselo necesitaría la diadema. Se estaba riendo del efecto cuando alguien llamó a la puerta. Se quedó helada. Debía de ser Saint Raven, y la iba a ver así.

—Adelante.

Cuando lo vio sus nervios se disiparon; era otro ser más de ese mundo de fantasía. Sus pantalones sueltos eran muy parecidos a los suyos, pero de un rojo subido, y su chaqueta negra, no llevaba mangas y estaba ribeteada con una trenza dorada. Sin embargo, la llevaba sobre una camisa de mangas anchas, y para su pesar él iba demasiado cubierto.

—¿Por qué yo no tengo camisa, excelencia?

Él se rió y le hizo un repaso con la mirada de una manera que le resultó a la vez indignante y halagadora. Ella vio reflejadas las impresiones que tenía acerca de su apariencia.

—Porque —le contestó—, eso estropearía la diversión.

Ella se ruborizó, pero no pudo evitar sentirse encantada ante su reacción.

—Tampoco voy armada —se lamentó, señalando el cuchillo curvo adornado con piedras que él llevaba sujeto con su faja de seda negra.

—Por supuesto que no; eres una de las mujeres de mi harén.

Ella lo miró a los ojos.

—¡Oh, no, mi sultán! Yo soy su esposa principal.

—¿Eso incluye los deberes maritales? —le preguntó con una traviesa sonrisa.

Ella se sonrojó todavía más, pero no se dejó intimidar.

—Sólo con un anillo y después de jurar los votos.

No podía creer que le hubiese dicho eso, pero él no se había echado atrás horrorizado, ¿quería eso decir que eran amigos? ¿Podrían ser amigos durante un rato?

Cressida examinó el resto de su traje. Era obvio que estaba muy bien hecho y era caro. También incluía un turbante negro y un brillante «rubí» en una oreja, que ella hubiese imaginado que era falso.

—¿Por qué me da la impresión de que ese pendiente es bueno?

—Porque tiene buen ojo. Es un privilegio ducal.

Le echó un vistazo.

—Excelente, mi querida Roxelana, aunque la tiara no le va.

—Algo tiene que sostener el velo, ¡oh, gran Suleimán!

Tris le pasó una estrecha máscara negra.

—Pruebe con esto. Sus ojos claros destacan demasiado y si la atamos por encima del velo, lo sujetará.

Se acercó a ella, le quitó la tiara y la dejó a un lado. Sus manos en su cabeza la hicieron estremecerse y al mirar a través de la máscara la realidad se trasladó todavía un paso más lejos.

—¡Oh, sí, mírese!

La giró para que se mirara en el espejo, y verdaderamente no se reconocía en esa criatura vestida de colores chillones, descarada, salvaje y de una sensualidad exuberante.

El duque puso algo en su mano, de pie frente a ella, y la cogió por la barbilla.

—Sus cejas tienen que ser más oscuras.

Ella sintió que se las repasaba con algo y que luego le presionaba la mejilla.

—Y un lunar.

Saint Raven cogió algo y se lo dio.

—Para los labios, aunque estén debajo de un velo hará su efecto.

Cressida se quitó el velo y se extendió sobre los labios una crema de color rojo profundo. Era grotesco, pero eso daba igual en ese juego. Cuando se volvió a poner el velo, los labios escarlata se vislumbraban indecentemente a través. Al levantar la mirada vio que estaba utilizando el carboncillo para pintarse por encima del labio unos bigotes con las puntas rizadas.

—¿Por qué no se pone uno postizo?

—No queremos que a Crofton nada le recuerde a Le Corbeau.

Estaba junto a ella y lo que se reflejaba en el espejo era una pareja llamativa y evidentemente falsa. Criaturas que existirían durante un tiempo breve, aunque ese momento podría ser mágico y divertido. Entonces le dijo:

—Se tiene que quitar los pololos.

Ella se alejó de él:

—¡Imposible!

—Se le ven y ninguna mujer que acuda a una fiesta con un traje así los llevaría.

Ella miró sus pantalones. Eran tan sueltos como los suyos y no podía saber si llevaba algo debajo.

—No, tampoco llevo nada.

Eso hizo que se volviera a ruborizar, pero era un nuevo reto.

—¡Váyase!

Cuando se quedó sola, se quitó los pantalones y entonces, con un suspiro, se quitó las medias y la ropa interior. Tan rápido como le fue posible, se volvió a poner los pantalones y se los ató a la cintura. Por lo menos le quedaban más sueltos. Se dirigió al espejo. No podía ver una gran diferencia, pero ella lo sabía. La seda se deslizaba sobre su piel desnuda y le rozaba entre las piernas en un lugar vergonzoso. No le extrañaba que las mujeres se hubiesen mostrado reticentes a llevarlas durante tanto tiempo. Se miró un par de veces más y recabando fuerzas y con la espalda recta y la barbilla alta, abrió la puerta.

Tris la estaba esperando. Volvió a entrar, evidentemente evitando sonreír.

—Mucho mejor, y acostúmbrese a ir así. De todas formas, no se separe de mí en toda la noche o, así vestida, no podré garantizar su seguridad. Su corazón le dio un vuelco de miedo y emoción. ¿Estaba realmente tan peligrosamente atractiva?

—¿Y de usted, estoy a salvo, señor?

—Tal vez debería llevar mi daga.

Algo en sus ojos le advertía que todo eso podía ser nada más que un juego.

—¿Es usted un peligro para mí?

Por una vez pareció ponerse serio.

—No, pero si tiene algo de misericordia, señorita Mandeville, no juegue con fuego.

¡Vaya! Eso debería haber sido una llamada de atención, pero se parecía más a una tentación...

—De acuerdo —dijo rápidamente—. ¿Vamos allá?

Cressida evitó caer en el abismo y se miró de nuevo en el espejo. Se sentía de una manera bastante parecida a cuando había tenido que decidir si aceptaba el trato de lord Crofton. La situación y la necesidad no habían cambiado, pero había menos peligros. Se encontró con su mirada en el espejo.

—Está bien.

—¡Bravo! Nos quedaremos vestidos así para la comida; después saldremos. Nos tomará unas dos horas llegar a Stokeley.

Comieron en la habitación y fue algo placentero e informal. Para preservar la cordura, los acompañó Cary Lyne. Hablaron sobre temas tan comunes como la fría primavera y las pobres cosechas, los matrimonios reales, y el estado de Europa... lo que los llevó a hablar de viajes. El último año ambos habían viajado juntos. Quisieron que ella les contara cosas de Matlock y de sus experiencias en Londres, pero Cressida tenía poco que aportar en comparación con ellos. Tampoco estaba acostumbrada a la compañía informal de hombres y prefería escuchar.

Entonces Saint Raven le proporcionó una capa, bajaron las escaleras y esperaron el carruaje afuera. A ella le sorprendió que se les uniera el señor Lyne. ¿Sentiría Saint Raven que necesitaba un acompañante? Si así fuese, le encantaba la idea de ser ella la tentación tan sólo por una vez.

Empezaron por hablar de carruajes y la conversación volvió al tema de los viajes otra vez. Saint Raven era el tipo de viajero que le gustaba conocer a las gentes del país. Se quejaba de que desde que era duque le era más difícil quedarse en pequeñas posadas y hablar con los lugareños, incluso aunque viajara como Tris Tregallows.

—Ahora en todas partes hay viajeros ingleses —se quejó mientras se balanceaba de un lado a otro por el traqueteo del carruaje—. Me los he encontrado en pequeñísimas posadas en Charante o en algún puerto nevado de los Alpes, y después se han dedicado a comentar sobre mí con los lugareños. Como consecuencia recibí insistentes invitaciones para que me quedara en una mansión en Austria o fuese a un castillo en Francia donde celebrarían un baile en mi honor.

—Qué pena —añadió el señor Lyne con una risa irreverente.

—Decidí utilizar otro nombre, pero aún así me encontraba con gente que me reconocía, y entonces me sentía ridículo.

Cressida no sintió pena por él.

—A mí no me hubiese importado quedarme en un palacio o en un castillo.

—Entonces tendrá que venir algún día de viaje conmigo.

Sintió que le quemaba el anhelo de viajar con él como un hierro candente, pero se rió.

—No —repitió una vez más— sin haber jurado los votos y un anillo.

Escuchó como el señor Lyne se reía

—Muy tentadora oferta —le respondió Saint Raven, pero ella se dio cuenta de que estaba bromeando.

—Usted debe conocer bien el Peak District, señorita Mandeville —dijo el señor Lyne, y luego la conversación continuó sin pausa.

De esa manera se enteró de que Saint Raven era un mecenas del arte. Él le quitó importancia, diciendo que era sólo un *hobby*, pero cuando ella mostró su incredulidad, lo atribuyó a que lo hacía como un deber. A juicio de ella, su energía y su mente inquieta las mostraba en compañía de poetas, pintores, músicos y actores.

Ella ya había insinuado su deseo de viajar con él, pero se guardó para sí su interés en las artes y lo mucho que le gustaría tener su propio cuarteto, o apoyar a artistas y poetas viendo cómo jóvenes promesas florecían bajo su patrocinio. Ésa sí que hubiese sido una perspectiva encantadora.

El carruaje empezó a ir más lento, miró por la ventanilla y reconoció el pequeño pueblo que estaba a media milla antes de llegar a Stokeley Manor. Habían pasado las horas de viaje y apenas lo había notado. Al acercarse al gran portón, ella deseó pasar de largo para continuar la noche en tan grata compañía. Sin embargo, este viaje tenía un fin, y estaba ahí para coger la estatuilla, o al menos las joyas. Después se separarían para siempre.

Lyne sacó un reloj de plata y lo abrió con una mano.

—Casi dos horas, tal como habías previsto. Has acertado, Tris.

—Una estimación precisa —le corrigió Saint Raven, mirando por la ventanilla el escenario iluminado por la luna. ¿Acaso él también lamentaba haber llegado?

Avanzaron a través del campo y cruzaron después la arboleda de la entrada a Stokeley. Ella siempre había sentido que le daban a la casa una atmósfera hermética y oculta. Nunca le gustó mucho ese lugar y no lamentó su pérdida excepto por el dinero que representaba y las joyas de la estatuilla. El camino seguía paralelo al muro bajo que rodeaba la finca, y ella sabía que la sucesión de árboles pronto se interrumpiría y aparecería la casa.

—¡Está ardiendo! —gritó.

Saint Raven se acercó a ella para asomarse a la ventanilla. Pero se relajó al mirar.

—Es sólo un efecto teatral. En las ventanas hay colgadas de unas finas tiras de tela que parecen llamas.

Se volvió a sentar en su sitio.

—Ahora ya sabemos el tema que ha elegido Crofton para esta noche. Señorita Mandeville, bienvenida al infierno.

Capítulo 7

El carruaje se detuvo y por un momento parecía una respuesta directa a sus palabras. En ese momento Cressida se dio cuenta de que había una cola de coches.

—Están todos en fila esperando cruzar las puertas del infierno —señaló.

—Por supuesto, ¿no es Satán el que tiene el monopolio sobre todas las cosas más divertidas? ¿Hay alguna posada en el pueblo que acabamos de dejar?

Ella se reprimió las ganas de discutir y le contestó:

—Sí, The Lamb.

—Entonces bajémonos aquí.

Ordenó que parasen el carruaje.

—Te llamaremos cuando estemos listos, Cary.

—Muy bien.

Saint Raven abrió la puerta antes de que lo hiciera el mozo y se bajó. Se volvió para coger a Cressida por la cintura. La elevó por el aire y la depositó en el suelo.

—Hace un viento frío, ¿verdad? —dijo ella tiritando.

Pero no era por la noche de verano. Lo que la había hecho sentirse un tanto destemplada era su escasa ropa y el contacto con él. Nunca había estado al aire libre tan poco cubierta, ni siquiera en los días más calurosos de verano. O a lo mejor era el ruido de la gente charlando, e incluso gritando, que salía de los carruajes que aguardaban. Ella esperaba que los gritos fuesen provocados por las risas y no otra cosa.

Saint Raven puso un brazo sobre sus hombros y la hizo sortear los coches hasta llegar a la puerta. Tenía el pulso agitado por una docena de distintas razones que hacían que estuviera nerviosa, pero sentir a su lado su olor a sándalo, la hacía pensar que nada podía hacerle daño ni torcerse. Esa noche él sería el gran Suleimán y ella Roxelana. Interpretarían su papel en esta peligrosa aventura, encontrarían la estatuilla, cogerían las gemas y se marcharían. Mañana estaría en su casa con la misión cumplida y conservaría extraordinarios recuerdos que tal vez plasmaría en un diario secreto, de una noche escandalosa en compañía de ese hombre deliciosamente desvergonzado.

Efectivamente se trataba de un libertino. Mientras pasaban entre las filas de coches, lo reconocían. Había mujeres que se asomaban por las ventanillas para hacerle descaradas invitaciones mientras sus hombres tiraban de ellas desde el interior de los carruajes.

—¡Qué amigos tan encantadores, señor! —le comentó después de que una mujer chillona casi se cayera por una de las ventanillas.

—No me fastidie o la mandaré de vuelta con las otras huríes.

Se suponía que debía comportarse como parte de la mascarada, así que se mordió la lengua. Mantenerse en su personaje la ayudaría a evitar ser descubierta por culpa de un desliz, así que había decidido hablar con un acento extranjero para disfrazar su voz.

—En el harén por lo menos no estarían todos borrachos, gran Suleimán —le dijo con un acento gutural que parecía alemán.

—Pero según tengo entendido sí que había todo tipo de drogas interesantes.

—¡Saint Raven, por todos los diablos! —le gritó un hombre de cara regordeta y colorada que se asomaba desde una de las ventanillas de los coches—. Intercambiemos la pareja, Saint Raven, amigo, y a cambio te daré un mono.

Iba vestido de Enrique VIII y le quedaba muy bien el disfraz.

—¿Nada más empezar el juego, Pugh?.

Saint Raven tiró de Cressida. Ya podían ver las puertas abiertas de Stokeley Manor que empezaba a parecerse a un refugio a pesar del efecto de las llamas del infierno.

A sus espaldas siguieron oyendo las ofertas que Enrique VIII le hacía a gritos:

—Te doy mil, Saint Raven, ¡vamos hombre! ¡Me muero por el trasero tan sabroso de esa moza!

Cressida se quedó helada, pero un brazo fuerte la obligó a entrar. Una ola de calor se apoderó de cada centímetro de su piel sobrexpuesta, y sólo quería volver y tirarle del sombrero a ese estúpido por debajo de sus orejas.

—Habrá más de este tipo de cosas, así que ignórelas.

—¿Qué las ignore?

—Sí.

Era una orden. En ese momento se dio cuenta de que se estaban aproximando a una multitud de personas que salía en avalancha de los carruajes y entraban en la casa.

—Al fin y al cabo es muy halagador, ninfa.

—¡No tengo ningún deseo de que se piropee mi trasero!

Con las luces rojas de la casa, sus ojos parecían que llameaban mientras se reía.

—Entonces asegúrese de darle siempre la cara al enemigo.

Tris ya le había advertido de la situación y ella no se resistió. Esto era asunto suyo y había insistido en asistir. Sus razones eran válidas, pero también la había espoleado la curiosidad. Esperaba, o anticipaba, un gran escándalo, y ahora lo tenía ante ella.

La escena que se desarrollaba cerca de la puerta era un buen comienzo. Los paneles de entrada al vestíbulo debían estar llenos de lámparas rojas para dar una impresión infernal. Emergían extravagantes criaturas de los carruajes que se precipitaban a las llamas. Gracias a Dios, para ella y su familia esta casa nunca había sido su verdadero hogar, ya que verlo profanado de esta manera hubiese sido una agonía. En la puerta abierta se encontraron con un diablo de cola rizada, un hombre con una toga, una monja y una mujer con un vestido rojo que no llegaba a descifrar. Saludaron a Saint Raven como si fueran íntimos y la miraron con curiosidad. Los hombres eran, sin duda, caballeros por estatus, pero no por su naturaleza, y las mujeres no eran damas en ningún sentido. Cressida se volvió a ver diciendo que hubiese preferido disfrazarse de monja, pero no como aquella con el hábito negro abierto por la parte delantera de cintura para abajo, y que con certeza no llevaba ropa interior. La otra mujer llevaba un ceñido vestido rojo con cuatro cortes que dejaban ver sus piernas desnudas y rollizas al caminar. Sus enormes senos sólo iban cubiertos por un ligero velo.

Cressida despegó los ojos de la escena y se quedó paralizada al ver a lord Crofton dando la bienvenida a sus invitados. También iba vestido de diablo, pero no llevaba máscara. Miró con lascivia a la atrevida mujer y le arrebató el velo que cubría sus pechos. Ésta chilló y Crofton la giró y la hizo caer en sus brazos. De espaldas a ella, la agarró por debajo de los pechos y se los empujó hacia arriba. Llevaba los pezones pintados de un color tan rojo como ella los labios.

—Ésta si que es una bienvenida como debe ser. —Crofton empezó a llamar a la gente—. Vengan, vengan y besen las tetas del infierno.

A Cressida se le cortó la respiración. No podía ignorar una agresión tan cruel. Saint Raven apretó su brazo.

—Es Miranda Coop —le murmuró al oído—. Una profesional de pies a cabeza.

Ella se rindió, pero tuvo que ver, horrorizada, como Saint Raven apretó el pecho derecho de la mujer y lo besó.

—Tan adorable como siempre, Miranda —murmuró.

La prostituta ronroneó.

Los que estaban detrás empezaron a empujar hacia delante. Los hombres estaban deseando pagarle a Crofton el derecho de entrada. Entonces, una mujer con un ajustado vestido negro y una diadema de estrellas entró sin más y la señora Coop la abofeteó tan fuerte que la tiara le salió volando y en un momento las dos se pusieron a pelearse. Crofton y otros hombres se abalanzaron sobre ellas para controlarlas.

—Mejor ellas que yo. No me gustaría enfrentarme a Violet Vane.

Saint Raven hizo lo posible para alejarse con ella del escandaloso tumulto. Cressida se volvió para mirar atrás, pero él la obligó a seguir. El recibidor no era grande, y los gritos y chillidos hicieron que ella quisiese taparse los oídos con las manos. El ruido de la pelea provocó que otros invitados saliesen de las habitaciones cercanas, y se vio asediada por más alborotos y malos olores, que la dejaron aplastada entre un hombre delgado vestido de arlequín y Saint Raven. Y de pronto ¡alguien le agarró el trasero!

Ella lanzó un codazo hacía atrás tan fuerte como pudo, y se sintió encantada de sentir que le había dado. Saint Raven se rió y se cambió de lugar para ponerse entre ella y lo peor de la aglomeración. Se consiguieron refugiar debajo del hueco de la escalera. Entonces él resopló.

—¿Está bien?

—Por supuesto.

Y lo estaba; lejos de la opresión, quería reírse de todo. Era tan fascinante como ir a una reserva de animales salvajes. Subió tres escalones para tener una mejor visión de la escena. Las dos mujeres estaban agarradas por un hombre, pero se seguían gritando la una a la otra e intentaban volver a la lucha. La de negro ahora también tenía el pecho al descubierto y los pezones rojos. ¿Acaso todas las putas lo hacían?

La multitud las animaba y alentaba para que siguieran. Cressida miró al duque, que estaba más abajo.

—Ya que parece no estar interesado, he de suponer que esta clase de incidentes suceden en todas las orgías, ¿no?

Él la agarró de la cintura y la hizo bajar.

—Me complace ver que le atraiga tanto el espectáculo, pero, al menos yo, recuerdo nuestro propósito. ¿Por dónde se va al estudio?

Cressida se aguantó las ganas de reñir por diversión, y tiró de él hacia una habitación a la derecha de las escaleras. Ésta daba a un corredor de la parte de atrás, iluminado por un par de lámparas de pared. Ahora mismo estaba desierto. El ruido se desvaneció haciendo que esa parte de la casa pareciera que no había cambiado desde el año anterior, y a ella se le hizo un nudo en la garganta al darse cuenta.

—Debe de ser extraño.

A Cressida le desconcertó que estuviese pendiente de sus sentimientos.

—Sí, pero ésta no era mi casa. Sólo pasamos aquí el mes de diciembre del año pasado. La mayor parte del mobiliario venía con la casa.

Cressida se puso de nuevo en marcha y se dirigió al estudio. Puso la oreja en la puerta pero no oyó a nadie dentro, así que giró el picaporte y entró. Se quedó parada; había tan pocos cambios que se pudo imaginar a su padre sentado en el gran escritorio central llevando sus registros con meticulosidad. Aunque se conocían sólo desde hacia un año, y últimamente estaba furiosa con él porque los había llevado a este desastre, consideraba que era un hombre interesante. Sus conversaciones sobre viajes y las posibilidades ilimitadas del comercio habían llenado un vacío en su mente y en su corazón.

Una mano en su espalda hizo que se adentrase más en la habitación, entonces Saint Raven cerró la puerta.

—¿Dónde están? —dijo Cressida mirando a su alrededor—. No las veo aquí, ¡no están!

—Tranquila, recuerde que le dije que un hombre como Crofton no ignoraría unas piezas como ésas.

—¿Y si las ha vendido o se ha desecho de ellas?

—Si son tan interesantes como usted dice, las tendrá a la vista. ¿No desea nada más de aquí?

Lo miró fijamente y recordó que todavía no le había explicado lo del asalto del camino.

—Veo que lleva el robo en la sangre.

—Tengo un famoso antepasado que era pirata ¿y? Vamos cortos de bolsillos, pero si hay algo que desee, seguro que nos las podremos arreglar.

Ella lo pensó un momento, pero su padre se había llevado a Londres los papeles importantes. Sus recuerdos de la India estaban diseminados por la casa, incluida esta habitación. Envidiaba a Crofton por ello, pero no lo suficiente como para tratar de llevárselos en estos momentos. Saint Raven había cogido algo de la mesa de trabajo: una daga con un diseño de llamas alrededor de los bordes y la punta.

—¿Qué es esto?

—Una espada de la sabiduría. No recuerdo su nombre en indio. Representa la idea de cortar con los nudos de la confusión y el engaño.

—Nos iría bien ener una.

Tris examinó la espada flameante con ironía, preguntándose en qué diablos estaría pensando para traer a una dama a un evento como éste, especialmente vestida de esa manera. Pugh no sería el único en tratar de comprarla, o Helmsley el único que la toquetease. Ya había sido testigo de lo peor de Miranda Coop y Violet Vane. Mientras antes recuperasen las joyas y saliesen de allí, mejor. Volvió a dejar la daga.

—Usted ya ha visto lo que hay, a lo mejor preferiría esperar…

—¡No me puede dejar aquí!

—Hay una llave en la puerta.

—Y llaves maestras. De todas formas usted no sabe que estatuilla es.

¡Maldita sea! Tenía razón, pero sus exuberantes curvas y sus labios escarlata escondidos debajo del velo hicieron que desease encerrarla en un calabozo.

—Descríbamela.

—No puedo —le contestó sacudiendo la cabeza—; todas se parecen. Tendría que verla. —Ladeó la cabeza—. De todos modos, ésta es una de esas raras oportunidades de poder explorar un territorio ajeno. Me quedaré muy decepcionada si lo más que llego a ver es esa pelea.

—Ahí fuera, sin embargo, hay dragones.

—Hechos de papel maché y lazos.

Era una niña.

—No, aquí son dragones con dientes de verdad y aliento de fuego. No deje que el espumillón la distraiga.

Tris le había dado una máscara con unas estrechas aberturas para tapar el efecto de sus grandes ojos, pero aún así, podía notar cómo se le abrían. Eso era bueno, tenía que comprender el peligro.

—Tenga cuidado y quédese conmigo todo el rato, ¿de acuerdo?

—Sí, por la misma razón que usted no me puede dejar aquí.

—¿Por qué las mujeres siempre quieren tener la última palabra?

—Porque tenemos razón.

El duque abrió la puerta. No se oían gritos, por lo que la pelea se debía de haber terminado.

—Vamos —le dijo—. ¿Qué intentamos primero, el comedor o la cocina?

—Por aquí. —Ella lo dirigió hacia la derecha tomándole la mano. Él se sobresaltó al sentir su tacto y se dio cuenta, por la manera en que se había detenido y como lo miraba, que ella también. Él sonrió y envolvió su mano con la suya.

—La sigo.

Había tocado las manos desnudas de muchas mujeres, cosa que no podían decir todos los hombres, pero no podía recordar la última vez que había estado cogido a la de una mujer así, con una fraternidad casi infantil.

Cressida llevó al duque hacia el comedor, abstraída por el efecto de esas manos sin guantes y por la manera que había cogido la suya. ¿Cuándo antes había ido así cogida de la mano con un hombre? Al final del pasillo se giró para mirarlo de nuevo. Él levantó sus manos unidas y besó la de ella. Una extraña inquietud recorrió su cuerpo.

«Esto es una mascarada, Cressida —se dijo a sí misma—, una actuación. Si hay algo más aquí, si este hombre te gusta, no se te olvide que es un libertino. Besó el pecho de aquella mujer con tanta normalidad como si le estuviera besando la mano.»

Se soltó de él y se dirigió hasta una pequeña sala de la parte de atrás donde se detuvo. Estaba todo cambiado. Los apagados y más bien oscuros paneles ahora brillaban con luces rojas, o más bien lámparas con chimeneas de cristal colorado, y esa morbosa luz iluminaba a mujeres desnudas que se exhibían en poses obscenas. No estaban completamente desnudas; llevaban unos velos, pero todos los detalles de sus cuerpos se transparentaban. Tenían las caderas estrechas y los pechos diminutos. Parecían niñas. Los hombres las manoseaban y les tocaban lugares impensables, y las chicas sólo se reían. A su lado estaban los cuidadores, enanos y jorobados vestidos de negro con cuernos en la cabeza. Cressida supuso que eran duendes del infierno. En realidad no las protegían demasiado. Ella se giró hacia Saint Raven y le murmuró:

—¿Son tan jóvenes?

—No, sólo son putas que lo parecen.

—Pero ¿por qué?

—Algunos hombres tienen gustos extraños. Pero recuerde nuestro objetivo. No veo ninguna estatuilla por aquí.

¡Las estatuillas! Con esa iluminación morbosa se le hacía difícil estar segura, pero no estaban. Dejó que él se la llevara de allí, a pesar de tener la intensa sensación de que debía hacer algo respecto a esas niñas.

Llegar al comedor fue un alivio; parecía casi normal. Sólo estaba iluminado por velas y había unos refrigerios sobre la mesa presentados de manera convencional. De hecho, se parecía bastante a cuando ella y sus padres cenaban allí, algunas veces con invitados. Le dio risa imaginarse a sus vecinos, los Ponsonbys, o al vicario y su esposa en esta fiesta mientras miraba a los invitados que había a su alrededor. La ropa ajustada y transparente allí parecía normal. Ya se debería de haber terminado la pelea porque la mujer de negro, Violeta algo, estaba allí. Su vestido se ceñía a cada una de sus curvas y se abría para dejar al descubierto sus senos pequeños y levantados. ¿Estaría flirteando, aunque tal vez no fuese la palabra adecuada, con un pirata de botas altas, bombachos y una camisa abierta hasta la cintura? Sus pantalones eran tan ajustados que parecían estar pintados sobre su piel. Tenía un gran bulto que no pasaba desapercibido, y Cressida sabía lo que era porque lo había visto en las estatuas clásicas.

La mujer de rojo que también estaba allí, aunque en el otro lado de la sala, seguía con los pechos al aire y con marcas de arañazos. Eso no parecía molestarla. Se estaba riendo con «¿Pugh?», el hombre disfrazado de Enrique VIII, que le estaba dando de comer algún tipo de pastel alargado. Cressida recordó quién era. Lo había visto en algunos eventos sociales y se llamaba lord Pugh. Gordo, rubicundo y ruidoso, aunque ella nunca hubiese pensado que fuera un libertino y además creía que estaba casado.

Ingenuamente había dado por hecho que estos entretenimientos eran para solteros, pero evidentemente no. Saint Raven lo era, pero ella no creía que cambiase cuando se casase con lady Anne, lo que convertía en una burla ese hermoso momento en el teatro. También conocía por su nombre a las prostitutas. Volvió a mirar a Pugh y a la meretriz llamada Miranda y no pudo evitar fijarse que mientras la mujer se comía lentamente el pastel, tenía su mano debajo de esa extraña prenda con la que se tapaban los hombres sus partes pudendas a la que llamaban bragueta. Siempre le había parecido que era algo particularmente indecente. Incluso reyes como Enrique VIII la habían llevado. Se preguntaba que hubieran hecho las damas en aquella época. Era difícil que pasara desapercibido. Cressida relacionó mentalmente la gran protuberancia en la parte delantera de las calzas de lord Pugh y el alargado pastel que le estaba dando de comer a la mujer.

Después de un momento apartó la vista y se encontró a Saint Raven mirándola, enigmática e inescrutablemente. Luego cogió algo de la mesa, largo y cilíndrico, y se lo ofreció.

—No, gracias —le contestó con la esperanza de que sus palabras sonasen frías como el hielo.

—Sólo es medio pepino relleno con… —metió el dedo para probar de qué se trataba— paté de gambas.

—Quizá no me gusten las gambas.

—Pero pensé que a usted le gustaban… las gambas, Roxelana.

Ella le lanzó la mirada más gélida que pudo. Le estaba recordando que no sólo era parte de su harén, sino también que era del tipo de mujer que asistiría a una orgía como ésta. Una rápida mirada la hizo ser consciente de que algunas de las personas que los rodeaban estaban atentas a lo que decían.

—¿Tienes miedo de ser envenenada, mi amor? —le preguntó Saint Raven.

Las miradas estaban puestas sobre ella, que se dio la vuelta y le dio un mordisco en la punta del pepino, mientras le venían a la mente escenas más escabrosas.

—¡Ay! —dijo.

A Tris le dio un ataque de risa, y se tapó la boca, casi ahogándose. A Cressida su triunfo también le dio risa y consiguió rescatar los restos del manjar antes de que se le cayese. Ahora tenían a toda la sala entretenida y atenta. Tenía que desempeñar un papel, pero la verdad, se estaba divirtiendo. Le encantaba el paté de gambas, así que se levantó el velo y lentamente fue lamiendo el relleno rosa del pepino. El público la aplaudió, pero ella tenía toda su atención puesta en él. Sus ojos brillaban, y su mirada le decía ¡adelante! Le parecía cruel morderlo, así que lo cogió con la boca por uno de los extremos absorbiendo lo que quedaba del paté.

Alrededor suyo rompieron en aplausos y aclamaciones. Sin saber lo que había hecho, Cressida lo miró esperando que le indicara algo. Él la miró también. ¿El brillo se había convertido en fuego? Algo le cerraba la garganta y le costaba tragar. Ella dejó el pepino y se giró hacia la mesa haciendo como si estudiara la comida que había, muy consciente del barullo que había en torno a ella. Los hombres quisieron saber quién era y si estaba disponible. Enrique VIII de nuevo empezó a hacer ofertas. Entonces un cuerpo grande se pegó a ella por detrás y sus manos aparecieron en la mesa por ambos lados atrapándola. Sintió un aliento caliente en la nuca. Se dispuso a defenderse, pero entonces lo reconoció. A lo mejor fue su olor a sándalo, pero tal vez fue algo mucho más secreto.

—¿Tiene hambre? —le preguntó con una voz profunda.

Nerviosa, miró hacia abajo y él le tapó los ojos con la mano derecha, en la que llevaba un gran anillo de oro con su sello, una audaz declaración de identidad en medio de una mascarada. Una mano, eso era todo, pero hizo que se le fundieran los nervios, se le endurecieran los músculos y se le entrecortara su ya inestable respiración. Tenía los dedos largos, elegantes, fuertes y muy masculinos. Por primera vez notó que tenía algunos arañazos en los nudillos y se imagino que serían por alguna pelea.

Respiraba intentando recuperar la cordura. La noche anterior el duque de Saint Raven la había sacado de un carruaje, después se había enzarzado en una pelea y ahora estaba en una orgía donde todo el mundo lo conocía. Éste era su entorno y sin duda no era el de ella. Liberó sus ojos de esa seductora mano y lo apartó para ganar más espacio, se dio la vuelta y sus miradas se encontraron.

—Simplemente me había tomado un momento para poder mirar por la sala. Las estatuillas no están aquí.

Capítulo 8

Tris se dio cuenta, perplejo, de que se había olvidado totalmente de las malditas estatuillas por culpa del juego con ese pepino, que estaba duro y adolorido. Además, había estado sintiendo su delicioso trasero contra su cuerpo y la mente se le había ido por unos derroteros muy distintos a la aventura que los había llevado hasta allí. «Se trata de Cressida Mandeville», se recordó a sí mismo. No es Roxelana, esposa o puta, sino la hija virginal de un mercader de Matlock, lo más parecido a una trampa que lo llevaría derecho al matrimonio si llegase a meter la pata.

Roger Tiverton, con su disfraz de pirata, tenía una tartaleta de mermelada ante la boca y se la estaba comiendo de una manera muy particular. Sacaba primero la lengua para lamer delicadamente el dulce en suaves círculos y luego llevárselo golosamente a los labios y tragárselo. A su alrededor había tres mujeres mirándolo fascinadas. Cressida Mandeville era una de ellas.

Tris pensó que si se hubiese tratado de Miranda Coop, la habría lanzado en medio de la mesa del banquete entre las sugestivas delicias para enseñarle de qué iba todo eso de la tarta de mermelada. Pero a Miranda no le hacía ninguna falta aprenderlo y la señorita Mandeville, desafortunadamente, debía permanecer protegida de toda esa sordidez, por lo que la tomó por la barbilla, girando su cabeza hacia él. En sus grandes ojos no vio confusión, sólo asombro, lo cual le recordó que siempre le habían gustado las mujeres inteligentes.

—No estamos aquí para este tipo de diversiones, Roxelana —le dijo mientras veía en su mirada todas las preguntas que a él le gustaría contestar, pensando que tal vez podría hacerlo sin llevarse su virginidad, sin arruinar su futuro, y sin atraparse a sí mismo—. A no ser que pueda interesarla en otro tipo de juegos. Si desea explorar un poco, estoy totalmente a su disposición.

Cressida, que lo había escuchado sin poner distancia, le contestó suavemente.

—No soy una puta.

—No le estoy ofreciendo dinero.

Vio cómo ella inspiraba profundamente.

—Entonces dejemos claro que no soy una loca llena de lascivia como las demás.

«Cressida, lo deseas y sabes que es así.»

—No sólo las putas disfrutan de los placeres no autorizados —le dijo atrayéndola hacia él para que sintiera su excitación—. Me encantaría darle placer y le puedo garantizar que también lo disfrutaría. ¿No siente curiosidad?

Pensó por un maravilloso momento que iba a acceder, pero entonces giró la cara, rompiendo el momento.

—Esa curiosidad será satisfecha en un momento más apropiado.

Estuvo a punto de perder la cabeza, pero se controló.

—Para bien o para mal —le contestó mientras salían de la habitación.

Cressida dejó que la guiara hasta el salón, sintiendo que tal vez estaba perdiendo una oportunidad de la que se arrepentiría el resto de su vida. Pero no era una puta y rendirse a los pies de semejante libertino sería una locura sin nombre, y tal vez perdería su virginidad, y podría quedarse embarazada. Y además sin posibilidad alguna de casarse con él. Incluso si contara con la fortuna que tuvo su padre, sería una pareja desigual, y, sin ella, sería sencillamente imposible. Por otro lado, no era lo que quería, a pesar de encontrar atractivo al duque, y la excitación que podía provocar un evento como éste en la mente más sana, por no mencionar su cuerpo. Sencillamente no podría vivir con un hombre adicto a este tipo de juegos y que se reía abiertamente de la fidelidad. Jamás compartiría un hombre con mujeres como Miranda Coop.

El vestíbulo, donde había un bullicio enorme y una tempestad de olores, no dejaba de recibir invitados. Muchos de ellos llegaban ya borrachos, pero todos agarraban una bebida de las bandejas que llevaban los sirvientes disfrazados de diablillos negros. Pensó para sus adentros que todo esto era más teatro que realidad, y que sería tan absurdo ofenderse por un evento así, como ponerse a dar aullidos en el momento en que Otelo asfixia a Desdémona. Se preguntaba también si la casa podría recibir a más invitados sin explotar, mientras sentía la confusión creada por la penumbra y el mal olor.

Crofton, con su disfraz rojo y sus cuernos, seguía recibiendo a gente en su infierno sensual, aunque a Cressida su aspecto le parecía más digno de una farsa que de un drama. Lucifer no hubiese llevado cuernos o cola para recibir a los pecadores, sino que se habría mostrado bello y seductor. Tanto como el bello y seductor duque de Saint Raven.

¿Cuántos de estos sórdidos personajes podían ser gente con la que se podría haber encontrado en eventos en Londres? Las mujeres debían ser prostitutas en su mayoría. Las señalaba su manera estridente de reírse, los descarados disfraces y simplemente la manera de moverse. No le sorprendía ahora que Saint Raven desde un principio no la hubiera creído. Tal vez fuera el perfume que usaban las putas lo que tenía inundado el ambiente, aunque el hedor a cuerpo sucio podía proceder de cualquiera. Era algo que había observado en los círculos más altos de la sociedad, y Crofton era particularmente descuidado en los temas de higiene.

La multitud hizo que pegara su cuerpo al de Saint Raven y se sintió aliviada con su olor a sándalo, que le sirvió de antídoto mientras avanzaban hacia el salón. No dejaban de reconocerlo y por el camino besó a tres atrevidas mujeres que se le lanzaron al cuello. Cressida se recordó a sí misma que eso no tenía nada que ver con ella.

Mientras charlaba con la gente, su mano iba agarrándola más firme cada vez, primero en su cadera, luego en el trasero. Ella comprendió por qué lo hacía, pero no era más que otra señal de quién era realmente. En un momento en el que estaba nuevamente esquivando preguntas sobre la identidad de Cressida, giró la cabeza para besarla a través del velo y la cogió por la cintura atrayéndola hacia su costado. Ella, cansada de sentirse como una marioneta, puso la mano sobre su sedosa cadera y lo besó con fuerza, sintiendo que la boca de él se paralizaba un momento.

—No te preocupes, guapa —dijo una mujer—. A Saint Raven no le hace falta que lo froten.

Cressida se quedó helada; se había equivocado totalmente. La forma dura que tenía bajo la mano no era la cadera. ¡Dios mío! Se movía y sólo había una fina capa de seda entre la palma de su mano y esa cosa. Sabía que no debía retirarla asustada, pero deseó que algo, lo que fuese, la llevara de vuelta a su vida real. Escuchó su suave risa al despegar sus labios de ella. Abrió los ojos y lo miró de frente, suplicando ayuda para sus adentros. Se dio cuenta de que él también lo estaba pasando mal, pero era porque se estaba aguantando la risa. Sintió cómo su mano caliente cubría la suya y dio gracias al cielo pensando que la apartaría discretamente, pero la presionó con más fuerza. La dura forma volvió a moverse, tal vez haciéndose más grande.

Sintió cómo se le aceleraba el corazón, en gran parte de rabia porque el muy cerdo estaba aprovechándose del momento. No podía rebelarse, pero podía mandarle una mirada hostil, y eso fue lo que hizo.

—Tan impaciente —murmuró de manera que los demás pudiesen escucharlo y reírse. Luego cogió la mano de ella haciéndola acariciarle el torso hasta llegar a sus labios, besándole la palma—. Más tarde, mi hurí.

—¿Para qué esperar, Saint Raven?

Cressida sintió cómo se le abrían los ojos, primero de pánico después de ira. ¡Crofton! Pero Saint Raven la mantuvo ocupada, besándole cada uno de los dedos, dándole tiempo a recomponerse para luego girarse con ella hacia su anfitrión.

—Le garantizo que estaremos todos muy agradecidos de ver vuestras proezas en acción, duque.

Aunque el repugnante hombre los miraba sonriendo lascivamente, no era eso lo que la descompuso, sino ver que tenía la atención puesta en ella. ¿La reconocería acaso? Si descubría su identidad, estaría muerta. De manera literal y eterna, la respetable señorita Cressida Mandeville, aparecería muerta con un sórdido disfraz, tras una sórdida exhibición en una sórdida orgía. En Matlock se hablaría de ella durante los próximos cincuenta años.

—Nunca me exhibo en público, Crofton. Y como seguro que ya sabes, el placer se realza con la tortura de una deliciosa anticipación.

Algo en el tono de Saint Raven había acabado con la afabilidad de Crofton.

—Será más tarde, entonces —dijo transformando su actitud lasciva por una desdeñosa—. Aunque no te puedo garantizar una habitación privada una vez que la fiesta se vuelva salvaje. Tal vez acabe haciendo una exhibición pública, duque, si la expectación no te basta. Pero veo que no estás bebiendo.

Chasqueó los dedos y un diablillo llegó corriendo con una bandeja de bebidas. Crofton cogió una y se la puso en las manos a Cressida.

—Es mi brebaje diabólico.

Ella lo aceptó, pero no bebió. Hubiera sido una locura imperdonable emborracharse allí. Vio cómo Saint Raven tomaba un vaso y hacía un brindis con su anfitrión, pero se dio cuenta de que apenas daba un sorbo. Crofton la miró y entonces se levantó el velo para dar un trago, un tanto decepcionada al darse cuenta de que sólo era cerveza. Si hubiese estado lleno de alcoholes fuertes se habría dado cuenta.

Crofton volvió a hablar, sonriendo.

—Estoy seguro que estará de acuerdo, mi duque, de que la anticipación se alimenta de estimulación y eso es algo que no nos falta aquí. Tenemos toda una colección en la sala de atrás y unos interesantes objetos de madera de abedul en la habitación principal. Podrías impresionar a tu hurí con uno de ellos.

La miró sonriente, mostrándole esos dientes largos que siempre había detestado y ella se limitó a no hablar, apartando la vista, para quitárselo de encima. Pero no funcionó.

—Veo que no la has animado todavía; a mí me encantaría hacerlo si no te importa... ¿No? En fin ¿qué más te puede divertir? Tengo catamitas en la habitación del fondo, muy apropiado ¿no os parece? —dijo soltando una de sus peculiares risitas—. Pero ya sé que ése no es tu vicio, Saint Raven, y mucho menos con una esclava propia —Crofton volvió a mirarla—. Tengo la sensación de que te conozco, pequeña.

Ella hizo un gran esfuerzo por parecer estúpida y no parecerse en nada a Cressida Mandeville.

—Imposible —dijo Saint Raven tajantemente—. Es un descubrimiento personal.

—Ah, una recién llegada al país. No está a la venta, imagino. Yo había planeado algo similar...

Algo hizo que se callara y sin tener que mirar, Cressida supo que era por Saint Raven. Sintió una emanación que le erizaba cada pelo de su cuerpo. La desagradable sonrisa de Crofton se tornó vomitiva.

... había planeado algo similar.

¡Se refería a ella! Si no hubiese sido por Saint Raven, estaría en medio de esta orgía como la puta de Crofton, a su lado, vestida de manera repugnante, manoseada a su antojo. Tal vez recibiendo invitados con los pechos al aire en la puerta.

Para no desmayarse, se tomó la bebida de un trago. Un diablillo tomó su vaso y lo remplazó por otro antes de que ella le dijera que no quería más. La bebida era amarga y sabía mal.

Crofton estaba ahora haciendo esfuerzos por quedar bien con el duque.

—No te lo tomes en serio, duque, no te ofendas. Sólo quiero complacer a mis invitados. En un rato habrá un concurso que puede que te divierta. Será en el salón. Algo bastante peculiar.

—No soy competitivo en ese aspecto, Crofton, no me hace falta serlo.

Crofton se sonrojó; estaba furioso pero no se atrevía a mostrarlo y Cressida pensó que no sólo se reprimía por su rango.

—Quise decir que te puede gustar ser parte del público, duque. Me disculpan —dijo marchándose a recibir a un nuevo invitado.

La pequeña confrontación había dejado a Cressida temblando y también sentía la tensión en el hombre que tenía a su lado.

—¿Por qué será que siento que en el salón está nuestro objetivo? —dijo con una voz tal vez demasiado calmada y ligera.

Cressida le respondió en el mismo tono.

—¿El concurso?

—Si tuviera una colección de estatuillas, eso es lo que haría con ellas. Me sorprendería que Crofton tuviera tanta imaginación, pero echemos un vistazo.

Tomó el vaso de ella y el suyo y se los dio a una pareja de borrachos que tenían cerca, que se lo agradecieron bebiéndoselos con sorprendente entusiasmo. Por un momento Cressida pensó en eso, y sintió que tal vez en su bebida hubiera más alcohol del que se imaginaba. Pero enseguida se dio cuenta de que no tenía la sensación de estar ebria. Sabía cómo era eso, ya que alguna vez había bebido más vino del que debía y había sentido sus efectos.

Bastaba de distracciones. Estaba allí con un propósito muy importante y debía mantener la mente fija en eso, para que pronto, si Dios la ayudaba, poder estar de vuelta en su casa y organizar el regreso de su familia a la sana sobriedad de Matlock.

Tris apartó al desagradable Crofton de su mente, que para él sólo era una mera distracción, pero le preocupaba que por haber venido a su fiesta pudiese aumentar sus pretensiones. Cressida Mandeville también era culpable de la molestia física que sentía, y que era poco probable que pudiera remediar. Lo quemaba la tentación de seducirla a pesar de ser su guía en ese evento y haberle prometido que con él estaría a salvo.

Pero su deseo le sopló al oído que podría satisfacerla sin ponerla en riesgo. Incluso sería de ayuda para ella, pues tendría menos posibilidades de ponerse en peligro y más conocimientos a la hora de escoger marido. Mientras recordaba la mano en su cuerpo y la curiosidad en sus ojos asombrados, pensó que ninguna mujer con tanta curiosidad al respecto podría mantenerse demasiado tiempo sin traspasar la barrera de la decencia. Estaba perdido. Tenía que soportar la novedad de ser guía de una viajera por un terreno peligroso y devolverla a su casa de una pieza. ¿No se decía a sí mismo que le encantaban los retos? Bien, pues ahora tenía uno.

Una fiesta así estaba diseñada para estimular el erotismo de los sentidos y romper barreras, pero el estilo de Crofton le parecía basto. Esa bebida, por ejemplo. Menos mal que Cressida no había bebido mucho, aunque en el momento en el que se distrajo pudo haberse tomado todo el vaso. Él ciertamente no necesitaba beberla, ya que Cressida por sí misma ya era un afrodisíaco. Su conjunto le parecía mucho más provocador que el vulgar exhibicionismo de Miranda, y su manera de caminar como una dama, mucho más estimulante que los contoneos de las putas.

Miranda estaba cerca riéndose con un hombre vestido de bufón. Le llamó la atención que aunque fuera de la misma altura y tuviera una complexión similar a la de Cressida, el efecto que le provocaban era completamente diferente. Las curvas en una eran vulgares y en la otra voluptuosas. Se dejó arrastrar por la tentación de estudiar los encantos de su hurí.

Sus pechos eran demasiado grandes para la moda del momento, pero a él le fascinaban, y el maldito Pugh había tenido razón sobre su trasero. Era firme, alto, redondo y le provocaba que se le hiciera la boca agua y que le picaran las manos por querer acariciarlo y apretarlo.

¡Demonios! Mientras antes encontrasen la estatuilla y se fueran de allí, mejor. Pasó el brazo por su fina cintura y se encaminó hacia el salón.

Capítulo 9

Tris se detuvo en la puerta para echar un vistazo al salón y tranquilizarse un poco:

«Recupera la estatuilla y vete...»

Desde allí pudo ver las figuras de marfil colocadas en fila encima de un mantel al fondo de la habitación. Estaban entremezcladas con unas velas, lo que le daba a la chimenea un aire de altar, aunque los ahí presentes no parecían en absoluto fieles devotos. Algunos se acercaban para examinarlas detenidamente, otros se paseaban por ahí bebiendo y riéndose, mientras unos pocos intentaban imitar las poses. Cressida se puso de puntillas delante de él.

—Ahí están.

Sonaba aliviada. No podía estarlo más que él. Otro roce de su delicioso trasero contra su cuerpo y se volvería loco. Deseaba poder alejarse un poco de ella, pero la multitud los empujaba el uno contra el otro, y de todos modos necesitaban estar cerca para poder hablar en secreto.

—¿Sabe cuál es? —murmuró, cerca de su oído, atormentado por un olor que comenzaba a conocer muy bien.

Su aroma. Cressida giró la cabeza levemente, acercando sus labios a él.

—Una de las verticales. Desde aquí no distingo cual.

Tris se concentró en su objetivo.

—Una de cinco, las otras cuatro son más o menos horizontales. ¿Cómo podrá distinguirlas?

La voz de Saint Raven sonaba suave en el oído de Cressida. Sintió su cálido aliento en el lóbulo de su oreja. El olor a sándalo la inundaba, pero había algo más, algo que palpitaba con fuerza en el aire. Tal vez por eso se sentía tan rara: caliente, mareada y con la piel especialmente sensible, sobre todo en sus partes secretas. Deseaba restregarse contra algo, deseaba restregarse contra él.

Algo le estaba diciendo Tris sobre mantener los pies en el suelo…

—… hay una limitada gama de posibilidades.

Posibilidades. A ella todas las poses de las estatuillas le parecían poco prácticas, pero ahora, curiosamente, deseaba volverse hacia él e intentarlas todas.

—¿Entonces?

Cressida tragó saliva e inspiró fuerte.

—La reconoceré, pero necesito acercarme. A ellas, quiero decir… —añadió con impaciencia.

—Muy bien.

El centro del salón estaba aún más lleno que el vestíbulo, por lo que se fueron haciendo camino por los bordes. Cressida supuso que era normal que la llevara pegada a él mientras avanzaban a través de varios grupos de gente que charlaban y se reían, pero se preguntaba cuánto tiempo podría soportarlo sin perder la cabeza. Con cada respiración inhalaba su olor a sándalo, que ascendía y giraba en su cerebro. A pesar del ruido, podía oir los latidos de su corazón y su pulso acompasados con el suyo, mientras su deslumbrante conjunto de seda le acariciaba el cuerpo con cada movimiento.

Tris la miró y sus ojos le parecieron más grandes y oscuros. ¿Le frustraba a él también que la máscara no revelara más de sus ojos? Tenía los labios entreabiertos y su tórax ascendía y descendía con cada respiración. Los sonidos parecían magnificarse, pero al mismo tiempo se sentían distantes. Pensó que aquella bebida debía haber estado muy cargada de brandy u otro alcohol, pero se esforzó por comportarse con normalidad. Pero ¿qué era lo normal en una situación como ésa? Siempre había asumido que en su cama matrimonial disfrutaría del amor de una manera cálida y cariñosa. Nunca se había imaginado esa salvaje llama de pasión lista para convertirse en llamarada a la primera oportunidad.

Tris también estaba alterado, pero era un hombre con experiencia y podía soportar sus curvas contra su cuerpo, controlarse y protegerla. Pero ¿cómo evitar que viese lo que estaba ocurriendo en mitad del salón? Por lo menos aún seguían todos vestidos. Como la mayoría de los miembros de la sociedad inglesa carecían de la flexibilidad de los dioses y diosas indios, el resultado era más cómico que erótico. Aún así, era mucho más de lo que una dama debiera ver.

Sintió que ella se estremecía y miró en su misma dirección. Demonios. Había una pareja contra la pared; la mujer rodeaba la cintura del hombre con sus blancas piernas, mientras éste movía su trasero adelante y atrás. Le bloqueó la visión tirando de ella, a pesar de que un latido de excitación lo agitara al ritmo de la pelvis del hombre que estaba contra la pared.

—No está bien mirar.

—¿Aquí? —le contestó—. Pensé que era parte del juego.

Su respuesta había sido demasiado atrevida, por lo que replicó atrayéndola con fuerza hacia sus brazos y sus cuerpos se tocaron.

—Le advertí que pasaría vergüenza. Ahora confiese, ¿se detuvo a mirar?

—Es que estaba asombrada —le dijo contoneando su cuerpo de tal manera que para él fue una tortura—. Las estatuillas me han parecido bastante exuberantes. ¿La gente hace cosas así en realidad?

¿Ahora quería hablar del tema mientras se le acercaba más y más? Si no hubiera sido una completa inocente, pensaría que su intención era acabar con él.

—¿Contra la pared? —Intentó sonar como si hablaran del tiempo—. Dudo que muchos puedan hacerlo sin apoyo. De cualquier manera, la comodidad es algo bastante importante. Lo que yo prefiero es...

«¡No pienses ahora en lo que prefieres!», se dijo.

Un hombre pasó por su lado y esa mujer endemoniada se apretó aún mucho más contra él. En esos momentos hubiese ofrecido su reino a cambio de la bragueta de una armadura.

—Hay veces —se escuchó decir—, en las que la falta de comodidad tiene sus propios atractivos.

Sólo un beso. No haría daño a nadie... Pero el fastidioso velo se interponía entre ellos.

—Comodidad —ella repitió moviendo suavemente el velo con su voz.

¿Era deseo lo que él había escuchado? ¿Ganas? ¿Una necesidad como la suya? Más allá había un trozo de pared libre. De pronto recuperó el control. ¡Maldita sea! Ésa era la peor trampa en la que podía caer: pensar que una joven decente podía desear lo mismo que un hombre indecente. Rompió el momento y se dirigió directamente hacia la chimenea.

«Recupera la estatuilla y vete», no se dejaba de repetir.

Avanzó sin miramientos hacia la colección. Un par de hombres se giraron para protestar, pero se detuvieron al reconocerlo o al pronunciar alguien su nombre. No le gustaba utilizar su rango de esa manera, pero tenía que acabar con esto.

—Dígame cual prefiere, Roxelana —dijo para facilitarle las cosas.

Al no oír respuesta alguna se giró y la vio frunciendo el ceño. Diablos, si no escogía la acertada ¿qué iban a hacer?

«Piensa, Tris. Deja de pensar con tu maldito miembro y haz que se te ocurra una estrategia.»

Podía intentar comprárselas todas a Crofton, pero resultaría peligroso. Y no sólo porque le cobraría una fortuna, sino porque sería capaz de negarse sólo por incordiar. O peor aún, sospechar algo. ¿Serían capaces de encontrarla aunque estuviera escondida en el más imposible de los lugares?

—¿Entonces? —insistió.

¿Acaso tras la máscara su mirada reflejaba preocupación?

—Necesito acercarme. —Y añadió—. Yo también soy un poco corta de vista, su excelencia.

La manera de pronunciar su título mostraba cuánto detestaba admitirlo.

—Suleimán —le recordó.

Bajo el velo, sus labios rojos se tensaron de rabia. Él se imaginó cómo sería si se tensaran alrededor de… pero inmediatamente bloqueó ese pensamiento. Tampoco podía evitar que la incapacidad que la señorita Mandeville tenía de reconocer cualquier error o debilidad le provocara ternura.

—Imagino que no lleva anteojos encima —la increpó.

Sus labios rojos se separaron como si respirara profundamente, sin duda, enfadada.

—Eso sí que sería gracioso: una hurí con anteojos. Sólo los necesito para dibujar o para bordar detalles, y no esperaba hacer ninguna de las dos cosas en esta aventura.

Él vio el repentino cambio en su expresión al recordar a lo que había venido y rodeó el contorno de su seno para distraerla. ¡Ah! Cressida Mandeville tenía unos senos muy dulces y suaves, y hubiese apostado su alma a que no tenía ni la más mínima idea del placer que podía obtener de ellos. Y mucho menos del que podían proporcionarle a él.

¡Qué lástima que no sea una ramera! ¡Dios! Estaba acariciando su seno. Se detuvo. Teniendo en cuenta su mirada de placer no iba a ser ella quien lo hiciera, por lo tanto le tocaba a él. Además, se dio cuenta de que la gente que tenía alrededor los estaba observando. Cuando se duda, hay que ser descarado, por lo que se giró para tomar la mano de Cressida al estilo tradicional y la llevó hacia la fila de estatuillas, comentando en voz lo bastante alta para que se le oyera.

—¿Qué postura prefiere, Roxelana? Tengo que confesar que no me complace la del caballero boca abajo con las piernas cruzadas.

—Me gustaría ver a alguien intentarlo —murmuró ella.

Tris miró a su audiencia.

—La dama duda que sea posible. Uno se pregunta qué sucede durante el frenesí del clímax. Me encantaría ver el experimento.

Los invitados soltaron una risita ahogada.

—¿Sólo observas, St Raven? —dijo un hombre vestido de manera poco imaginativa con el traje de amplia falda de su abuelo. Lord Seabright, un idiota amistoso—. Estoy seguro de que puedes hacerlo, aunque tu hurí pese demasiado.

Tris sintió cómo Cressida se ponía tensa y contuvo la risa.

—De carnes generosas y con deliciosas curvas —contestó rápidamente—. Entonces —dirigiéndose hacia lady Generosa—, ¿cual prefiere? Tal vez, si me complace suficientemente, se la compre.

Una escena con muchas posibilidades. Por un momento pensó que se rebelaría y que quizás agarraría una de las estatuillas para estampársela a Seabright en la cabeza, pero antes de poder sugerírselo, ella le dio la espalda al hombre.

—Es una elección tan difícil —dijo con su acento extranjero, estudiando la fila de estatuillas.

Si no podía reconocer la correcta, deberían esperar. Finalmente, la gente se cansaría de observar su juego de seducción. Tuvo que contener un gemido. ¿Pasar horas allí? Incluso ahora, con Cressida de pie, era consciente de cada una de sus sensuales curvas. Se imaginaba el sabor de su piel en su lengua, el tacto de su pezón llenando su boca...

Apartó los ojos de su cuerpo y la mente de su excitación para concentrarse en las estatuillas verticales. ¿Qué es lo que las hacía diferentes para ella? ¿Recordaría acaso si la mujer tenía la pierna izquierda o derecha sobre la cadera del hombre? Seguro que recordaría si se trataba de aquella que tenía ambas piernas levantadas. La cuarta era algo complicada: ambos cuerpos sosteniéndose sobre un pie y con el otro rodeando simultáneamente sus caderas. Había tres con la mujer con una pierna levantada, en dos de ellas la derecha y en la otra, la izquierda. ¿Acaso era aquella? Miró a las que tenían la derecha levantada, preguntándose en qué se diferenciarían. ¡Ah!, en una de ellas el hombre la agarraba por la cintura con las dos manos y en la otra una de sus manos estaba en su pecho. Por lo tanto, puede que la de Londres la hubiera confundido por la de la pierna izquierda levantada, o por la de la mano del hombre en su pecho.

Se inclinó hacia ellas y tocó la de la mujer con la pierna derecha alrededor de las caderas de su compañero que tenía la mano puesta en uno de sus pechos.

—Ésta, lord Suleimán. Ésta es la que me gusta.

La cogió de manera casual.

—Dejadme buscar a nuestro anfitrión para saber su precio.

Merecía la pena intentarlo, pero tenía la impresión de que su condición de duque no sería suficiente. Estaba a punto de proceder cuando Crofton llegó junto a él a través del gentío.

—Mi querido duque, no puedo permitir que te lleves una estatua sin más —dijo con la socarronería que Tris había temido—. Como todos los demás, debes ganártela. Cada estatua será para la pareja que mejor reproduzca lo que representa.

A Tris le pasaron una serie de blasfemias por la mente. Podría persuadir a Cressida de que interpretaran la pose en público, pero nunca completarla. Incluso si estuviese dispuesta a intentarlo, no se lo permitiría.

—Ya veo que has elegido una de las más fáciles —añadió Crofton astutamente.

Siguió hablando en un tono bajo e indiferente.

—Fue mi Roxelana la que la escogió, lord Satán. Sin duda piensa que es la postura que le dará más placer.

—En ese caso disfrutará reproduciéndola, pero debo insistir en que devuelva el premio hasta entonces.

Tris no podía oponerse. Comenzar una pelea por la estatuilla llamaría la atención. Además, podría caerse y romperse en dos. Era endemoniadamente frustrante. Sólo necesitaba llevársela un par de minutos a un rincón oscuro.

—¿A qué hora será el concurso? —preguntó.

—A medianoche, por supuesto. Hasta entonces, por favor, disfrutad de mis muchos pequeños obsequios —y Crofton se giró para aplaudir a aquellos que intentaban llevar a cabo las poses.

Por primera vez Tris se preguntó cuánto valdrían las joyas y si los Mandeville aceptarían dinero. Probablemente no, y si la cantidad era sustancial, no sería fácil para él. Era rico, pero no tanto como debiera ser un duque, y carecía de dinero en efectivo.

Su tío siempre había lamentado no haber tenido un hijo, y una vez que se dio por vencido dividió su fortuna en generosas porciones entre sus seis hijas y dejó de interesarse por la gestión de sus tierras. Si no hubiese sido por sus fieles empleados, el ducado hubiese terminado en un estado ruinoso. De hecho, las cosas de por si ya iban bastante mal. El final de la guerra había traído malos tiempos y casi todos los ingresos del Estado eran necesarios para reparar los efectos de la negligencia y proporcionar empleo. Aún así, tenía que mantener cierta imagen pública, y mostrar que las cosas le iban bien en lo económico. Además, lo de las joyas era un tema de justicia. Lo cierto es que pertenecían a los Mandeville y debían ser devueltas a ellos. Tenía que haber una manera de hacerlo.

La gente empezó a quejarse de que les tapaban la vista, por lo que se movieron hacia la izquierda de la chimenea. Desde ahí podría estudiar la posibilidad de sacar la estatuilla de la fila. Si acercaba las que estaban en los extremos, no se notaría.

Atrajo a Cressida hacia sus brazos. Ella lo miró casi desesperada mientras él le acercaba la boca al cuello para hablarle al oído.

—No se preocupe, la conseguiremos. ¿Cómo supo que era ésa?

—El sombrero —murmuró de vuelta—, la mujer tiene un sombrero más alto y puntiagudo.

Miró la estatua, deseando que Cressida dejase de moverse tan sensualmente contra él. Era una mujer extremadamente inquieta.

—El sombrero —repitió él sin saber si reírse o gemir.

—Y un cinturón diferente.

Se rió suavemente rozando su fragante cuello y reconociendo el delicado aroma del jabón que había enviado a sus aposentos. Era su favorito para las mujeres, pero ahora, curiosamente, había decidido buscar otro para sus futuras huéspedes. Ese perfume siempre le recordaría a Roxelana.

Ella se giró en sus brazos y él no supo cómo contenerla. Un arlequín se reía mientras intentaba hacer la postura con las piernas cruzadas sobre sus hombros con la ayuda de dos amigos. Tris no se imaginaba cómo iban a ponerle una mujer encima. Hopewell le caía bien y temió que se le rompiera el cuello.

Hopewell inclinó sus piernas cruzadas hacia delante y alguien levantó a una de las prostitutas más pequeñas para sentarla encima de él dándole la espalda. La chica entrelazó sus piernas con las de Hopewell y consiguieron mantenerse en equilibrio, pero comenzó a quejarse de que no era divertido sin un pene dentro. Cressida tenía los ojos como platos y Tris lo único que deseaba era tapárselos con las manos. La chica parecía tener unos trece años, pero prefirió ignorar ese hecho. No podía seguir haciéndose cargo de damiselas con problemas. Además, ésta en particular parecía estar encantada con la situación, si no fuera por la falta de pene.

Cressida se dio la vuelta para mirarlo.

—¿No sólo la pose?

—No, no se preocupe, no lo vamos a hacer.

—Tenemos que hacerlo —dijo, pero él percibió su temor.

Pasó los nudillos a lo largo de su espalda.

—No, no será necesario. Confíe en mí.

Confíe en mí… cuando todo lo que quería era deslizar su mano bajo su chaqueta y sentir el satén de su espalda y continuar bajo sus pantalones hasta sus deliciosas nalgas. Y levantar su pierna derecha…

Cressida sentía que se volvía loca. Tenían que planificar cómo robar la estatua, pero no podía pensar con claridad ya que su excitación continuaba aumentando. Dos veces había tenido que controlarse para no tocarse entre las piernas. Tenía que ser el alcohol de aquella bebida porque nunca antes se había sentido así. Si pudiese ausentarse un momento para refrescarse con agua tal vez funcionaría. O si no un poco de láudano para dormirse hasta que se le pasase.

En ese momento, tan pegada a Saint Raven, el ruido de la sala sólo era un sonido de fondo mientras se sentía arder, y deseaba locamente restregarse contra él, abrir sus piernas y sentirlo ahí. Sus manos se frustraban al encontrarse con su camisa y su chaqueta. La boca se le hacía agua pensando en él. Quería lamer su cuerpo.

Le dio un escalofrío y pensó en la causa que la hacía sentirse así. Era por su culpa, maldito y astuto sinvergüenza. Había pasado toda la tarde tocándola y dándole pequeños pellizcos, y ahora encima le recorría la espalda con sus nudillos, haciendo que todo su cuerpo temblara de excitación. Cada pliegue de seda de su vestido le acariciaba el cuerpo al moverse, particularmente al rozar sus pezones llenos de deseo. Seda sobre seda. La costura entre sus muslos le tocaba un lugar exquisitamente sensible. Sus pechos parecían desbordarse y sus pezones querían algo más que ser tocados. Pegó su cuerpo al de él. Estaba caliente, tanto como ella, pero continuaba acariciando su espalda casualmente, hasta que llegó al final de su chaqueta e introdujo la mano bajo ella, cálida y sensual sobre su piel desnuda. Ella emitió un suave gemido mientras él la acercaba más a su cuerpo, haciendo que sus pechos chocaran con su tórax, como si supiera exactamente cómo se sentía.

Menudo demonio que era, capaz de hacerla sentir así. Debería detenerlo. Detenerlo todo. Sabía que pararía si insistía. Confiaba en él. Confiaba en él... Su respiración se agitó frenéticamente. Pero si confiaba en él, ¿podía acaso dejar que continuara con lo que estaba haciendo? ¿Aquello que deseaba desesperadamente?

—Aparte el velo un momento, por favor —murmuró, y ella obedeció, bajándoselo por debajo del mentón.

Oh, sí. Besos. Su boca estaba sedienta de besos. Tenía una cierta conciencia de estar en público, pero le daba igual. Atrapándola fuertemente por la espalda, él fue en busca de sus labios y esta vez ella los abrió, deseosa de que la besaran como la noche anterior y más aún. Ansiaba un beso tan retorcido como las estatuillas, un beso que la envolviera por completo. Un beso que la abrasara, que la absorbiera.

Subió su pierna derecha deslizándola por el muslo de él, sintiendo la seda sobre la seda. Era demasiado alto, por lo que se puso de puntillas para rodear su cadera con la rodilla. Esto era lo que deseaba. Esto. Abrirse a él, arriba y abajo, en ese lugar palpitante que ardía al ser presionado, deseándolo cada vez con más fuerza. Tris puso la mano bajo su rodilla para ayudarla a aguantar la pose. No podía imaginarse que un beso pudiera ser más profundo, pero él lo hizo posible. Su deseo se había convertido en dolor y se pegó más contra él para aliviarse mientras la agarraba fuerte por la curva de su espalda. No era bastante, necesitaba más. Al oírla gemir Tris echó su cabeza hacia atrás.

—Demonios.

Tras un momento, bajó la pierna de Cressida y ella sintió cómo contenía el aliento de frustración.

—Lo siento. Hemos ido demasiado lejos.

O no lo bastante. Temblaba, sentía dolor y tenía el estómago horriblemente apretado, hasta el punto de querer echarse a llorar.

—O no lo bastante —dijo al igual que ella, que se acababa de dar cuenta de haberlo dicho antes en voz alta.

Comenzó a acariciarle la espalda nuevamente, pero de manera tranquilizadora.

—Haré algo al respecto, ninfa, pero en otro lugar. Además, no podemos arriesgarnos a irnos; aquí vuelve Crofton.

La ayudó a colocarse el velo y la giró para que pudiera ver el salón, manteniendo los brazos alrededor de ella, con su espalda pegada a su abdomen. Aunque Cressida estuviese destrozada y temblando, se sentía tremendamente protegida.

Crofton, ese demonio colorado, autor de todos sus infortunios, se había colocado en el centro de la sala y exigía atención.

—Amigos míos, ya habéis visto mis nuevos tesoros. Interesantes ¿verdad? Vienen directamente desde la India y son producto, al igual que esta sencilla casa, de una tarde afortunada jugando a las cartas con un mercader arribista que creyó poder mezclarse con sus superiores.

Risas y abucheos. El cuerpo de Cressida se tensó, pero sintió cómo los brazos de Saint Raven la cogían más fuerte. Podía interpretarlo como control, pero también como empatía y protección. Un nuevo dolor la sacudió. Las palabras de

Crofton eran un recordatorio de que provenía de otro mundo y que una vez que salieran de allí, no tendría un lugar en el mundo íntimo de Saint Raven.

«Tampoco deseo tenerlo», pensó, consciente de que se mentía.

—¿Alguno de vosotros habéis intentado las poses? —preguntó Crofton—. Os he organizado una demostración.

Con un aplauso recibió a una pareja de piel oscura vestidos de manera similar a las estatuas. Hicieron una reverencia al público antes de comenzar a imitar las posturas; empezaron por la más simple, con una gracia que Cressida admiró, incluso en el estado en el cual se encontraba.

Luego hicieron la pose en la que los dos tenían un solo pie en el suelo y con el otro se rodeaban las caderas. Su lugar más íntimo comenzó nuevamente a palpitar, mientras se maravillaba con la soltura con la que procedían. Todo el mundo aplaudió.

—Ya —dijo Crofton con una sonrisa— pero ¿pueden aguantarla mientras fornican? ¿Acaso podríais los demás? Pronto lo sabremos.

Cressida pensó que nadie podría; seguro que Saint Raven y ella se hubiesen caído al suelo si no los hubiese aguantado la pared.

Pero no, Saint Raven no estaba tan afectado como ella. Sólo había jugado con su deseo, seduciéndola con demasiada facilidad. Pero lo que lo horrorizó fue recordar que no era una puta, sino una dama con la que debería de casarse si se llegaba a salir con la suya. Ella pestañeó para librarse de unas lágrimas mientras observaba a la pareja deshacer la pose. Luego el hombre se elevó sobre sus hombros con las piernas cruzadas como si fuera la postura más cómoda del mundo.

—Dos personas deben levantar y sostener a mi *sakhi,* mi señor.

Acto seguido dos invitados elevaron a la mujer hasta sus muslos doblados, de manera que la daba la espalda. Encontró el equilibrio apoyándose en los hombros de los voluntarios, pero en cuanto entrelazó las piernas con las del hombre, pareció estar asombrosamente cómoda. Tras una pequeña pausa para que apreciaran la postura, dejó que los hombres la bajasen.

Cressida miró la serie de poses horizontales, imaginándose con demasiada viveza la manera en la que sus cuerpos conectarían. En la última, en la cual la mujer estaba de espaldas y con las piernas por detrás de la cabeza mientras el hombre movía sus caderas de arriba abajo, los invitados, ávidos, aplaudieron con entusiasmo.

Cressida se acordó de la pareja que había visto anteriormente contra la pared y supo exactamente lo que el hombre había estado simulando. Luego se dio cuenta de que ella misma había tensado sus músculos, moviendo suavemente sus caderas...

¡Oh, Dios, tenía que salir de allí!

Crofton se dirigió a sus invitados con una mirada lasciva.

—Mahinal y Sohni están disponibles para entrenar a los invitados más generosos. O tal vez prefiráis practicar con las parejas que habéis elegido. Supongo que tener una altura similar ayuda bastante. Por lo tanto, St Raven —dirigiéndose a ellos de repente—, tu pequeña hurí es demasiado baja.

—¿Sugieres acaso que dispones de una mujer de mi estatura?

Todo el mundo se rió y Crofton pareció querer escupir en las llamas del infierno. Se dio la vuelta.

—¡Bebed, festejad y pasadlo bien! Explorad. A medianoche se anunciará el comienzo del concurso con un gong. Lord Lucifer, es decir, yo mismo, seré el juez y cada vencedor será premiado con la estatuilla que mejor hayan imitado.

Muchos invitados se pusieron a explorar las posibilidades mientras Cressida se concentró en una sola cosa: buscar la oportunidad de llevársela separándola de las demás. Pero eso no sería posible, ya que había demasiada gente estudiándolas.

Tenía que hacer algo. ¿Tal vez hacer que el salón se quedara a oscuras? No veía como. ¿Fuego? Podía incendiar Stokeley Manor... No, no podía. Despreciaba a Crofton y a los suyos, pero tampoco merecían morir abrasados.

Capítulo 10

Se giró en los brazos de Saint Raven para mirarlo a la cara, evitando que su cuerpo tan lleno de deseo la distrajera, aunque el tacto de la seda sobre la seda, y ésta sobre su piel, la hacían arder de deseo.

—¿Qué vamos a hacer?

Él también parecía pensativo, y para nada afectado por el tacto de la seda sobre su piel.

—Lástima que no tengamos la que cogió su padre. La podríamos haber cambiado por otra en un momento de distracción.

—Tenía que haberlo pensado.

—Esperaba tener un momento para extraer las joyas.

—Es cierto.

Tris apoyado contra la pared, cambió de postura, haciéndole sentir esa sensación febril en la piel, atormentando su olfato con el cálido aroma del sándalo y algo más, algo más profundo y misterioso... Alejó la mente de ese abismo.

—¿Qué hacemos ahora?

Le vinieron lascivas respuestas a la mente mientras lo miraba, deseando irracionalmente ver la misma necesidad reflejada en su rostro.

—Salgamos de aquí —le dijo, y poniendo un brazo alrededor de su cintura para alejarla del tesoro, dejaron el salón.

No había mucha gente en el vestíbulo y la puerta principal estaba cerrada. Una fuerte campanilla sonó sobresaltándola: era el antiguo reloj principal que anunciaba las once de la noche, como un involuntario testigo horrorizado por tanta decadencia.

Faltaba una hora para el concurso. ¿Haciendo qué? Ser parte de otra lujuriosa exhibición le apetecía tanto como que la quemaran viva. ¿Y cómo iban a conseguir la estatuilla? Sabía que no podía participar en el juego, pero no aceptaría irse sin ella. Haber llegado tan lejos para nada, era increíble.

Por el momento seguía a Saint Raven, que la llevaba hacia el fondo de la casa. Si estaba buscando privacidad, no la encontraría fácilmente. Había gente por todas partes, en parejas y en grupos, tanto por los pasillos como en las habitaciones, todos comportándose disipadamente. Cressida estaba asombrada de la cantidad de gente que se besaba, acariciaba e incluso copulaba por los pasillos. Pero lo que más le impresionaba era el deseo que inundaba su cuerpo al escuchar los agitados jadeos que llenaban el lugar.

Se concentró seriamente en Saint Raven para no ver nada más, a pesar de que esto le causaba una serie de pensamientos que no quería tener. Una mujer chillaba, mientras un hombre gemía de placer. Un dolor abrasante atravesó su entrepierna y escuchó a alguien murmurar una blasfemia. ¿Provendría acaso de Saint Raven? Su brazo se tensó, acelerando el paso por el pasillo hasta que se dieron de bruces con un grupo.

¿Grupo? Se trataba realmente de un nudo de cuerpos. Una de esas putas jovencitas estaba de rodillas besando... ¡no podía ser! Saint Raven la obligó a darse prisa, llevándola casi por los aires. Sentía que sus piernas le fallarían en cualquier momento, haciéndola tropezar o caerse al suelo... donde tal vez él... Era un sinvergüenza, seguro que lo haría. Ese lugar dentro de ella palpitaba con más fuerza que su propio corazón.

De pronto él se detuvo en una esquina que estaba tranquila.

—¿Se le ocurre algún sitio donde haya un poco de privacidad? ¿Una bodega? ¿Un ático?

Sonaba desesperado.

Una feroz excitación le recorrió cada una de sus alteradas terminaciones nerviosas y su cuerpo caliente. Había dicho que no haría demostraciones públicas y ahora estaba desesperado por un poco de privacidad.

—La cocina no; hay sirvientes —explicó ella—. En el ático están los desvanes y los cuartos de los criados, lo podemos intentar.

No podía ni hablar correctamente.

—Esperemos que los demás no tengan la misma idea.

—Pues salgamos fuera.

—Buena idea. ¿Cuál es la salida más rápida?

Esta vez fue ella quien lo guió, tan ansiosa como él de encontrar privacidad y lo que viniera a continuación, aunque fuera a dar un paso hacia el infierno. Al salir, Tris exclamó:

—Gracias a Dios.

Una fresca brisa campestre sopló sobre la caliente y húmeda piel de Cressida, llevándose parte de su locura con ella.

El pecado seguía palpitando en su interior y cosquilleando su mente llena de nuevas informaciones, pero al menos ahora podría controlarse. Tal vez.

«¡Recuerda! —se ordenó a sí misma, mirando la luna blanca y pura—. No deseas perder tu virtud con un sinvergüenza en una orgía.»

—Vaya por delante que conoce el camino —le dijo—, incluso con luna llena no se ve bien.

—¿Qué estamos buscando?

—Un lugar para esperar hasta la media noche sin tropezarnos con nadie.

Medianoche. El concurso.

—Pero dijo que no competiríamos.

—Por supuesto que no, pero nos puede surgir una ocasión. Nos llevaremos las joyas antes o después del concurso. Los ganadores seguro que serán bastante peculiares, y a saber si estarán lo bastante sobrios como para darse cuenta del extravío.

Así de sencillo podía resultar; mientras tanto tenían una hora.

—Entonces ¿dónde? —le insistió.

—¿Los establos? No, ahí estarán los mozos. ¿La cervecería?

—Si se puede evitar, mejor. Siempre huele mal.

—Los almacenes... seguramente estarán cerrados. La lavandería... —intentó recordar la casa.

—¡El horno! —exclamó—. Aunque lo hayan usado hace un rato, dudo que haya alguien ahí ahora. No hay nada desagradable en el olor a pan caliente.

—En absoluto. La sigo, pues, Roxelana.

Puso la mano sobre la suya, claramente esperando que lo guiara hasta allí, lo cual ella hizo disfrutando del leve y cálido tacto de su piel, como un mendigo hambriento lo haría con unas migajas. Con el corazón palpitando y la boca seca, lo llevó rodeando la alborotada y escandalosa mansión. Algunos de los invitados también habían salido. Las sombras y los arbustos cobraban vida con las risillas que provenían de ellos, delatando así diversión y comportamiento disoluto. Su traviesa imaginación la tentó a llevarse al duque de Saint Raven a los arbustos. Se imaginó llena de barro, paja y hormigas. Cerca de los establos había ortigas. «Piensa en las ortigas, Cressida.» Una picadura podría hacerla olvidar su estado febril.

De los establos salía tanto ruido como de la casa. Alrededor estaba lleno de carruajes y los campos cercanos de caballos; todos los cocheros y mozos de cuadra parecían haberse instalado en los establos a beber en compañía de unas cuantas mujeres chillonas.

—Ya veo por qué envió su carruaje al pueblo. Pero ¿no se sentirán sus hombres discriminados?

—No tanto como si me los llego a encontrar borrachos. ¿El horno está al lado de la cocina?

Al oír el tono drástico de su voz, avivó el paso y cruzaron por delante de la cocina. Se detuvo ante la sencilla puerta de madera del horno de pan, la abrió cautelosamente y se sintió bienvenida por un bendito silencio y el cálido aroma del pan horneado. La envolvió como un antídoto a la locura que reinaba por todas partes esa noche. Era un lugar demasiado sano para el pecado. Le soltó la mano y se adentró en la oscura seguridad del interior.

—Imaginé que su padre tendría este lugar tan bien cuidado como una torre —dijo al cerrar la puerta, dejándolos en una oscuridad sólo rota por la luz de la luna que se filtraba a través de tres ventanas altas.

—No hay una puerta que lleve de la casa hasta aquí —le contestó separándose unos centímetros de su tentación.

—Aún así, hay cosas que robar.

Se dirigió al otro extremo de la estancia, lo cual a Cressida le provocó alivio aunque también una ligera decepción. Rogó que no se le notara.

—No hay nada de mucho valor aquí. Cuencos, quintales de harina, rollos de amasar.

—Hay quienes están tan desesperados que roban lo que sea.

—Es verdad —pensó en alto un instante—. Tal vez mi padre tuviera más miedo de que lo asesinaran por la noche, que de que le robaran. Las posesiones no parecen importarle demasiado.

—Eso es evidente.

En su tono había un directo reproche, pero en ese momento ella no iba a discutir ese asunto. Tampoco estaba segura de que fuese un tema que debatir. Se frotó los brazos, luchando por no desear que la tocara.

—Por las historias que me ha contado mi padre, supe que ganó y perdió muchas fortunas, con sus negocios, no con las cartas. En la India siempre hay oportunidades para un hombre valiente y listo, dice él.

—Y en Inglaterra, incluso después de habérselo jugado todo, tenía las joyas como respaldo.

Ella sólo podía ver su contorno plateado bajo la luz de las ventanas, mientras exploraba el otro extremo del lugar. Cressida lo observaba recordando los detalles de la habitación. La gran mesa para amasar, dar forma y enrollar la masa; justo al lado, el estante con los rollos, cuencos y pequeños recipientes.

—Muy aventurero —observó él—, pero no lo bastante como para arriesgarlo todo. Me pregunto cómo cometió ese error.

—Tiene mal la vista, igual que yo.

—O deseaba perderlo todo.

Cressida miró su sombra en la oscuridad.

—¡Eso es absurdo!

—¿Ah, sí? Mi teoría es que la gente suele conseguir lo que realmente desea, por muy indeseable que parezca en la superficie. Hay quienes encuentran la calma tan intolerable que la destruyen cada vez que la consiguen. Tal vez su padre se sentía tan atrapado por su predecible vida inglesa que intentó escapar de la única manera que sabía.

—¿Buscando una nueva aventura? —lo dijo con incredulidad, a pesar de percibir algo de verdad en lo que decía—. Pero ¿y nosotras? ¿Y mi madre?

—Tal vez por eso su mente está congelada. Tal vez se olvidó... ¡Ah, no! Se volvió loco al perder las joyas ¿no es así? Eran para usted y su madre. Tuvo que ser como haber molestado a un tigre para divertirse y después descubrir que se ha comido a los suyos.

Cressida se puso las manos en la cara, encontrándose con una máscara y un velo. Se los quitó y los tiró al suelo, percibiendo cómo el velo caía más lentamente. Deseó poder negar el análisis de Saint Raven, pero sonaba sensato y demasiado verdadero. No había conocido a su padre hasta después de muchos años, pero comenzaba a sentir un creciente resentimiento hacia él. Seguro que había deseado volver a Inglaterra, reunirse con su mujer y su hija y estar en los más altos niveles sociales como sir Arthur, un rico mercader.

¿Había sido consciente de lo que había hecho? ¿Y por qué?

—Todas esas historias —dijo—. Fortunas ganadas y perdidas. Jugando con su vida. ¿Cree que sabía lo que hacía? ¿Que buscaba el riesgo?

—¿Quién sabe? Pero he conocido a hombres así y nunca admiten saber nada. Se quejan de su mala fortuna, pero siguen haciendo lo que la causa.

Movió algo que provocó un pequeño estruendo.

—¿Qué es esta enorme caja de madera?

Ella se alegró de tener una pequeña distracción.

—La palangana para amasar. Solía venir de vez en cuando a mirar. Me fascinaba ver cómo hacían el pan; era algo nuevo para mí, ya que siempre lo habíamos comprado en una tienda de nuestra calle.

¡Qué provinciano le parecía ahora! Estaba segura de que el duque de Saint Raven nunca había comprado el pan en una tienda.

—Me encantaba la panadería de Lea Park —le dijo, como para confirmar que se equivocaba—. No miraba cómo lo hacían, pero siempre estaba caliente y tenía ese característico olor a pan amasado. Todo un alivio para los chicos hambrientos.

—¿Es Lea Park su hogar?

—¿Qué es un hogar?

Esa extraña pregunta se le quedó en la mente.

—El hogar es donde está la familia.

—Su padre estaba en la India, pero la India no ha sido su hogar.

—El hogar por lo tanto es donde una persona crece.

—Hasta que se mudan.

Ella no sabía que hacer; la conversación no conseguía hacerla volver en sí, y el simple soplo de su voz le erizaba la piel y hacía que su respiración se volviese más profunda. O tal vez eran sus manos, que le cosquilleaban por querer tocarlo. Deseaba con locura apoyar la cara en su pecho para inhalar el aroma a sándalo que ahora sentía. Incluso bajo el olor del pan recién hecho…

Dio unos pasos hacia atrás y se encontró con el cálido y suave arco de escayola del horno de pan. Dejó que eso la confortara y se concentró en lo que le había dicho, en aquello que no había comprendido.

—O sea ¿que Lea Park es su casa? ¿Dónde creció?

Vio cómo él también se acomodaba, seguramente con las caderas apoyadas en el marco de la ventana.

—No, crecí en Sommerset, en una casa llamada Cornhallows. Una pequeña mansión no muy diferente a ésta. No tenía horno porque estaba cerca del pueblo donde había un panadero.

—Entonces compraba el pan de la tienda. —No respondió inmediatamente, lo cual la desconcertó—. Suena como si fuera un hogar agradable.

—Lo era hasta que mis padres murieron.

La pena que desprendían sus palabras fue directamente a su corazón, haciéndole olvidar sus carnales deseos.

—¿Cómo?

—Se ahogaron mientras cruzaban el Severn.

—¿Los dos juntos? —No podía imaginarse algo así.

—Intenté quedarme en Cornhallows, pero claro, nadie quiso hacerse cargo de un niño de doce años. La casa era de alquiler, así que ahora viven allí otras personas.

Cressida suspiró, sintió la aspereza del aire en su garganta al imaginarse a ese pobre niño. Doce años. No era extraño que se preguntara qué era un hogar.

—Pero ¿su padre no era el duque?

—El duque era mi tío, aunque por entonces yo ya era su heredero.

—¿Por eso se fue a vivir con él a Lea Park?

No podía. No sabía mucho del duque de Saint Raven, pero Lea Park no sonaba apropiado para él. De pronto le asaltaron un montón de recuerdos: el duque en la distancia, en el teatro, los salones de baile y las *soirées* siempre riéndose y lleno de vida. Siempre siendo el centro de atención de cada evento, como un ciervo en una cacería.

—Lea Park es donde vive el duque de Arran. Era un amigo de mi padre que accedió a ocuparse de mí. Me eduqué con su familia y así aprendí todo lo relacionado con el ducado.

Aunque esta charla amistosa parecía ser el perfecto antídoto para el deseo, ahora Cressida se sentía atrapada por una nueva locura. Necesitaba saberlo todo sobre este hombre, necesitaba comprenderlo y poder darle apoyo. Era una nueva e irresistible locura en medio de la fragrante oscuridad.

—¿Por qué no se fue a vivir con el duque de Saint Raven?

Escuchó una irónica risilla.

—Yo no era la persona más querida en Saint Raven's Mount. Mi padre y mi tío se habían llevado mal casi desde la infancia. El duque, en mi casa nunca lo llamaron de otra manera, tenía diez años más. Por lo visto había sido siempre un arrogante, y mi padre se negaba a doblegarse ante su hermano. Era un desenfadado iconoclasta.

—¿Un republicano? —le preguntó sorprendida.

—No ardientemente, pero cualquier enemigo de su hermano era su amigo. Un niño de doce años no entiende de esas cosas, pero dejó una especie de diario en el que aprobaba la Revolución Francesa. Sin duda alguna hubiese dado gritos de júbilo junto a la guillotina si al duque le hubiesen cortado la cabeza.

—No puede ser.

—Nunca lo sabremos. Pero no creo que quiera escuchar más sobre la sórdida historia de mi familia.

¡Claro que quería saberlo todo sobre él!

—Seguro que a toda Inglaterra le encantaría conocer la historia íntima de su familia, mi señor duque.

Fue recompensada con una risotada que sonaba genuina.

—Muy bien, entonces continúo: mi padre y el duque se odiaban y era algo que tenía mucho que ver con la sucesión.

Para el duque era una tarea sagrada mantener a su hermano loco lejos de su alcance. Confieso que de algún modo lo entiendo, teniendo en cuenta cómo mi padre hacía gala de sus ideas revolucionarias. Cada nueva hija que tuvo mi tío debió haber sido una terrible decepción y siempre se lo manifestó a su esposa. No era el tipo de mujer que acabaría apocándose ante tal actitud, así que se volvió dura y amargada. Lo cual es algo por lo que doy las gracias, ya que así no me enviaron a vivir a Mount Saint Raven. Juró no vivir nunca bajo el mismo techo que yo.

—Qué absurdo. Si hubiese sido buena, podría haberse convertido en un hijo para ella.

Volvió a reír.

—Querida Cressida...

Su tono incrédulo le provocó un escalofrío.

—¿Cree que había algo de maternal en ella? Incluso la duquesa de Arran veía a sus hijos una hora al día hasta que tuvieron una edad en que le parecieron más interesantes. Creo que mi tía no hacía ni eso. Sus hijas crecieron en una casa separada hasta que empezaron su formación. Luego las trasladaron a Mount Saint Raven, y entonces tuvieron que empezar a presentarse ante ella para que las examinara en sus logros como damiselas. Imagino que la vida en Matlock es algo distinta ¿verdad, Cressida?

—No hace falta ese tono irónico. Supongo que tampoco es como la vida en Cornhallows.

—*Touché*. Por lo que sé, a mi tío le dio un ataque de ira cuando supo de mi nacimiento. Sospecho que a mi padre le hubiese gustado pasear a seis niños delante del duque sólo para hacerlo rabiar, lo cual podría haber acabado con él. Pero mi padre se casó tarde y tuvo la coherencia de no casarse con una jovencita. Mi madre tenía treinta y cinco años, y era una mujer independiente y muy inteligente.

Cressida sintió el gran cariño que le tenía. Detrás de su cinismo y amargura adulta ¿seguía hiriéndolo esa terrible pérdida infantil?

—¿Ya no pudo tener más niños?

—Por lo visto, no. Tuvo dos pérdidas tras mi nacimiento y tal vez mi padre se aseguró de que no volviera a concebir. Ella era mucho más valiosa que la rivalidad que tenía con su hermano. La temprana muerte de mi padre debió haber sido un alivio para los duques, pero no lo bastante.

Deseó estar más cerca de él y poder acariciarlo con afecto.

—¿Era realmente tan odioso?

—Oh, sí que lo era. Me lo encontré una vez en Londres, tenía dieciocho años y recuerdo cómo me impactó su odio. El duque ni me miró, pero la duquesa... Si por ella hubiese sido, me habría clavado una daga en el corazón, y si no lo hizo fue por temor a la horca.

Era tan difícil para Cressida imaginarse todo esto que se limitó a sacudir la cabeza.

—Pero ¿Lea Park fue un buen hogar?

—Gracias a los Peckworth. Son una buena familia.

Peckworth. Los recuerdos de Cressida se conectaron.

—¿Lady Anne Peckworth es la hija del duque de Arran?

—¿La conoce?

Cressida casi se ríe; de hecho podía haber acabado haciendo obras de caridad con la hija del duque, lo cual era una de las maneras de poder entrar en los círculos de la alta sociedad.

—La vi con usted en Drury Lane. Era el estreno de *Una mujer atrevida.*

«Y usted besó su mano de una manera que hubiese roto mi corazón si fuese lo bastante tonta como para que me importara.»

Se quedó pensando en la imagen de él con lady Anne, mirándose a los ojos, con complicidad e intimidad. Si tenía alguna tentación de ponerse a soñar con él, se recordaría que ya estaba comprometido. Intentó sentir lástima por lady Anne, atrapada por ese irresponsable libertino, pero no lo consiguió. Tal vez las migajas sí que merecían la pena.

—Una obra divertida ¿no le pareció?

Sus palabras la sacaron de sus pensamientos.

—¿Divertida? Mucho. A mi madre no le gustó demasiado, pero mi padre se partió de risa.

—¿Y usted?

Recordando aquella noche, se sorprendió de toda la atención que le había prestado a la obra teniendo en cuenta que podía haber estado mirándolo a él.

—Creo que me perdí algunas de las referencias ingeniosas del diálogo.

Lo vio moverse y, aunque sus zapatillas asiáticas eran muy silenciosas, escuchó cómo cruzaba la oscura estancia acercándose a ella.

—¿Se le ilumina la mente ahora? —le dijo mientras se aproximaba.

—Un poco.

Recordó un chiste de la obra sobre gallos altivos, lo cual parecía tener sentido en este momento. Lo tenía casi delante de ella y otra vez sintió que se inundaba de deseo.

«El propósito. La búsqueda. ¡Piensa en eso, Cressida!»

—¿Qué vamos a hacer? —dijo de pronto.

En el horno había un reloj para que los panaderos controlaran cuánto tiempo llevaban en el fuego sus hogazas, pero no lo veía en la oscuridad. Aún tenía que pasar toda una hora y él estaba demasiado cerca, a sólo unos centímetros de ella.

Se dio la vuelta, intentando evitarlo con disimulo. De pronto tocó la puerta de acero del horno, pero retrocedió creyendo haberse quemado, aunque no estaba caliente. Bajó el pomo, dejándola abierta entre ellos dos y un aromático olor salió de su interior.

—Deben haber horneado los panes y tartas hoy mismo.

«Suculentas tartas, largas barras de pan. ¡No pienses en eso!» Él se pasó hacia el otro lado de la puerta, acercándose. Necesitaba una nueva barrera.

—¿Y qué hay de lady Anne?

—¿En qué sentido?

—Dicen que se va a casar.

Estaba cada vez más cerca.

—Los rumores, como siempre, se equivocan. Es mi hermanastra y está enamorada de otra persona.

Su loco corazón le dio un vuelco y él enseguida le preguntó:

—¿Celosa?

—¡No! —Cressida se echó hacia atrás, pero estaba atrapada y con la espalda contra el horno.

—Somos camaradas por esta noche, Cressida. Ni más ni menos que eso, y me gustaría tenerla en mis brazos.

Dio un paso hacia ella, y atrapándola con su calor y dureza contra el cálido horno, la cogió por las caderas y bajó la cabeza para besarla en medio de la oscuridad que provocaba su cuerpo. Eso no estaba bien. Peor aún, era una locura. Toda esta conversación sobre su familia y sus penurias de la infancia podían no haber sido más que un truco de este sinvergüenza para ablandarla, ya que había provocado una intimidad que no existía entre ellos.

Aún así, le había advertido lo que había. Nada más ni nada menos. Tenían esa noche, sólo esa noche. Creyó que sus labios intentaban expresar eso mismo contra los suyos. Fuera lo que fuese lo que estuvieran haciendo, hacía que su confusión se transformase nuevamente en fiebre.

—¿Qué hace?

—Darle placer —murmuró—. Confíe y ríndase al placer.

—No debería. No debiéramos. ¿Qué estamos haciendo?

—Explorar. Explore conmigo, ninfa y probaremos todos los placeres.

—*Marlon,* un poema muy pícaro.

Retrocedió un poco, pero seguía atrapándola con sus brazos.

—No huya de esto, Cressida. Tiene el nombre y el corazón de una exploradora. Explóreme, Cressida Mandeville.

Rozó su boca con la suya provocándole más tormento aún que un beso.

—Vamos, pequeña. Explore. Le prometo que la llevaré de vuelta a buen puerto.

Deslizó las manos por sus brazos para encontrarse con las suyas y llevarlas a su costado.

—Suélteme la blusa.

Afortunadamente estaba apoyada contra el horno, lo cual evitó que se cayera al suelo. Con sus manos sobre las suyas muy poco a poco fue soltando su blusa de satén por fuera de sus pantalones y... ¡Oh, Dios! Presionó las manos contra su piel caliente. Las mantuvo ahí un momento y luego recorrió nuevamente sus brazos y hombros para acariciarle suavemente el cuello. Ella no pudo contener las ganas de estirarse y echar la cabeza hacia atrás contra el horno. Tampoco pudo evitar flexionar los dedos sobre su piel, tan suave y tersa por encima de sus huesos y músculos.

Sus expertas manos exploraron su nuca y su cuello, haciéndole sentir algo mágico. Lo atrajo más hacia ella y cuando sus labios se volvieron a rozar con los suyos, lo besó con fuerza. Entonces, tímidamente, asomó la lengua para lamer su boca.

Capítulo 11

Tris sonrió y respondió con un profundo beso. Cressida Mandeville lo había estado volviendo loco durante horas y por fin se disponía a jugar con él.

Además, no había llegado a satisfacerla aún, lo cual no era propio de un galán. Pero ella retrocedió.

—Tengo miedo.

Su retirada le permitió acceder a los botones de su chaqueta y mientras sus dedos intentaban abrirlos, le preguntó:

—¿De qué, corazón?

—De esto.

Abrió el primer botón.

—¿Deseas que pare?

—No.

Sonrió al verla dudar con la respiración entrecortada y abrió un segundo botón, pero ella le atajó la mano.

—No podemos. ¿Y si llegara a concebir?

—No lo harás, lo prometo.

A pesar de su intento por controlarla abrió el siguiente botón.

—¡Cualquier sinvergüenza diría lo mismo! ¡Déjeme ir!

Se quedó quieto, pero sin echarse hacia atrás.

—Confías en mi, Cressida.

—No es verdad.

—Entonces dime por qué estás aquí. ¿Por qué estás tan segura de que no te voy a entregar a Crofton? ¿O que no voy a recuperar las joyas para luego robártelas?

—Usted es rico, esas joyas no significan nada.

Sentía su respiración agitada. Para darle tiempo bajó sus manos y las deslizó por debajo de la chaqueta. Acarició sus caderas con la punta de las uñas. Al oírla inhalar y sentir que acercaba su cuerpo hacia él, supo que sólo era cuestión de tiempo. Podía ser muy paciente cuando se trataba de conseguir lo que quería.

—No sé cuánto costarán las joyas, pero no me iría mal ese dinero.

—¿Un duque?

—¿Me creerías si te lo explicara?

Bajó la cabeza arrimándose a su cuello.

—Sí.

—Porque confías en mí —afirmó mientras lamía suavemente su cuello, sintiendo cómo ella aguantaba la respiración.

Esperó su respuesta.

—Imagino que sí.

Le encantaba cómo se resistía verbalmente mientras todo su cuerpo le demostraba lo mucho que estaba disfrutando.

—Entonces confía en mí ahora, preciosa. Explora conmigo. Podemos hacer muchas cosas sin correr ningún riesgo. Confía en mí.

Soltó sus caderas y tomó en su mano un seno dulce y generoso, cuyo pezón comenzó a cosquillear con el dedo pulgar.

Ella soltó un jadeo y se puso de puntillas y él no pudo evitar una risa victoriosa.

—¿Ves?

—Sí…

Deslizó las manos hasta sus hombros para quitarle la chaqueta. En ese momento Cressida le dio un leve empujón y él dio un paso atrás un tanto sobresaltado. Cuando ajustó la vista vio que había vuelto a cerrarse la chaqueta y lo estaba mirando con los ojos muy abiertos y con miedo. Miedo. Dios mío.

Levantó las manos.

—Está bien, está bien. No te voy a forzar.

Su corazón palpitaba como si su vida dependiera de su respuesta. Ella miraba hacia abajo intentando cerrar los culpables botones, y aunque él deseó ayudarla mantuvo la distancia.

—Háblame, amor, pensé que estabas pasándolo bien.

—Así es —murmuró, dejando las manos quietas.

A pesar de todo, su valiente honestidad lo sedujo enormemente mientras ella se cerraba como podía los últimos botones.

—Pero no está bien; tiene que saber que no está bien —le dijo mirándolo a los ojos

—Te dije que no te dejaría embarazada.

—No tiene nada que ver con eso… —le dijo mientras lo miraba—. Creo que no hablamos el mismo idioma.

Sintió un fuerte escalofrío. Tenía razón. La señorita Mandeville de Matlock tenía toda la razón; era una locura imaginarse algo más allá de esta quijotesca hazaña.

—Hemos estado hablando un idioma distinto. Creí haber escuchado que confiabas en mí.

—¡Y así es! Pero está mal. Tal vez no en su mundo, pero en el mío... en mi mundo, la gente decente no hace cosas así.

—Eso es lo que tú te crees.

Todo esto debería provocarle risa. Pero entonces ¿por qué le palpitaba así el corazón? ¿Por qué la distancia entre ambos le causaba tanto dolor?

—Creo que ahora nos entendemos —dijo, con toda la tranquilidad que pudo—. Estás negando los deseos naturales de tu cuerpo, señorita Mandeville, porque han triunfado los cánones y el decoro de los Matlock.

—Por supuesto.

—Tonterías. El decoro no es más que una camisa de fuerza. Aunque si te sientes cómoda dentro de ella, quédate ahí.

Quería sonar tranquilo y sereno, pero una rabia ardiente acompañaba sus palabras como llamas ardiendo de una daga. ¡Dios! La espada de la sabiduría le hacía mucha falta en ese momento para poder demostrarle que eso no era importante. Giró la cara y miró el reloj.

—Faltan quince minutos para medianoche. Ha llegado la hora de ir a buscar tu tesoro.

Miró a su alrededor y vio los velos blancos caídos en el suelo. ¿Por qué se los habría quitado si no para invitarlo? Los recogió y Cressida los agarró enfurruñada. Quería y necesitaba estar enfadada con él, por reírse de ella y hacer ver que la virtud era una tontería. Le hacía falta recomponerse, pero su cuerpo sin satisfacer le temblaba por dentro y le sugería que hasta las cosas imposibles pueden ser posibles. Pero tenía razón y lo sabía, no podía ser de otra manera, aunque aún así estaba enfadada, o algo más que enfadada. Lo que quería era ir hasta él, y rendirse a sus deseos y a los suyos propios, a pesar de saber que no sería más que otra diversión de un vividor. Además, no era culpa suya si no pertenecía a este mundo ni quería jugar a sus sórdidos juegos.

Tenía que volver a ponerse los velos, pero las manos le temblaban. Aun así, debía hacerlo sola; no podía pedirle ayuda. Seguramente él percibió algo y dio un paso atrás para dejarla pasar sin necesidad de que se volvieran a acercar. Ella se dirigió a la mesa grande y dejó caer lo que llevaba en las manos.

¿Cuál era el orden? El velo de la cabeza. No, primero el de la cara. ¿O la máscara? No, porque agarra el velo. Con las manos aún temblorosas, intentó atar las cintas del velo de la cara alrededor de su cabeza.

—Déjame ayudarte —dijo Tris con un tono que sonaba extrañamente como una súplica.

—Está bien —le contestó casi conmovida.

Sus pasos seguían siendo silenciosos, pero sintió que se acercaba. Esta vez estaba preparada y no tembló cuando le tocó las manos para agarrar las cintas del velo, ni cuando al atar el nudo movió su pelo con los dedos. Pero temblaba por dentro al darse cuenta, dolorosamente, de lo cuidadoso que había sido de no acercarse ni un milímetro más de lo necesario... cuando hacía tan poco la hubiese abrazado, excitándola y besando su cuello.

«¡Oh! Cressida Mandeville de Matlock, estás totalmente loca. Pero ¿loca por dejarte seducir o por rechazarlo?»

De espaldas a él, recogió el velo azul, lo sacudió y se lo puso sobre la cabeza. Luego dejó que atara la máscara para que se mantuviera en su sitio, volviendo así a ser Roxelana otra vez, reina del harén, mujer de Suleimán...

Él se apartó y ella sintió el espacio vacío que había ocupado. Ahora que había sido clara, no iba a entrometerse más. Habían estado hablando de un mismo tema en diferentes idiomas. Se volvió hacia él.

—Lo siento.

—Soy yo el que debería sentirlo por haberte molestado.

—No me molestó —dijo sin más, pero mentía. Tal vez no se estaban refiriendo al mismo tipo de molestia.

Deseaba, por alguna razón, volver a la cercanía que habían tenido hacía unos momentos y buscar una explicación a todo esto.

—Creo que no era yo. Seguro que le pareció que yo... —Pero se mordió la lengua—. Seguro que fue por el alcohol de esa bebida.

—¿La cerveza de Crofton? Pero si apenas la probaste...

Se alegraba de que la oscuridad escondiera el rubor de sus mejillas, sintiéndose intoxicada. Eso era ¡la habían intoxicado!

—Tomé un poco y luego un sirviente me remplazó el vaso.

—¡Dios mío! —dijo, seguido de una risa anticipando la barbaridad que añadiría a continuación—. ¡Pobre Cressida! Eso, querida, era un potente afrodisíaco. Es lo que ha causado toda esa juerga por los pasillos, incluso en las fiestas más salvajes los invitados buscan algo más de privacidad.

—Afro...

—*Aphrodisiakos* —dijo él, obviamente en griego—. Viene de Afrodita, la diosa del amor, o para ser más preciso, del placer sexual. Cressida, perdóname. No lo sabía...

—Fue culpa mía. ¿Cómo podía saberlo?

Afrodisíaco. ¿Ese ardiente deseo había sido provocado por una bebida? Se acordó de un momento cuando estaban en el salón y de la desesperación que había sentido entonces. Si él no hubiese parado, no estaba segura de haber tenido la fuerza para hacerlo ella.

—Gracias —dijo de nuevo.

—No hay nada que agradecerme —contestó él llanamente—. No debí haberte traído, pero ya que lo hice, debería haberte protegido más. Y nunca debí intentar nada. Tenía que haber sabido que no era exactamente lo que una mujer como tú busca en la vida.

Una mujer como tú. Una mujer de Matlock. Encerrada en Matlock. Pero esta señorita de Matlock sí que buscaba eso, y ya no estaba segura que fuera por el afrodisíaco, aunque esta vez cuando la tentación volvió a pestañear, la apagó de un pisotón.

—Son casi las doce —anunció en el tono más prosaico que pudo.

—Sí, deberíamos volver a la casa. En cuanto alguien gane la estatuilla, podremos llevarnos las joyas y acabar con todo esto.

Acabar con todo esto.

—Qué gracioso que después de todo lo que ha pasado, vaya a resultar tan fácil al final.

Se rió.

—Lo veremos tras el evento.

—Funcionará, su excelencia.

—Saint Raven.

Se rindió ante él.

—Saint Raven.

—Tris.

El nombre llegó hasta su oído como un susurro que la invitaba al pecado.

Apretó los labios para no ceder. ¿Cómo iba a estar tan loca como para tener miedo de un nombre?

—Se me podría escapar en público —dio como excusa, aunque era una tontería pensarlo—. Y no es que crea que nos volveremos a ver en público.

—Como sabes, de vez en cuando voy a los bailes de salón.

Podría haberle hecho saber que durante su temporada en Londres, en la cual asistió a varios bailes y eventos, nunca le habían presentado a Saint Raven, pero dijo otra cosa.

—Pero yo regreso a Matlock.

—Imagino que incluso Matlock permite la entrada a los forasteros.

—¿Necesita acaso bañarse en las aguas termales?

—Después de esto, seguro que sí.

Era una broma, pero le rompió el corazón. Ojalá pudiesen ser sólo amigos.

—Tenemos que irnos, Saint Raven —le recordó—, si queremos saber quién se gana mi estatuilla.

—Sí —dijo, aunque continuaba sin moverse—. Déjame ser tu agente en esto, Cressida. Iré yo mientras tú te quedas aquí.

No se había ni dado cuenta de lo poco que deseaba volver a ese repugnante lugar.

—Aquí estarás segura. Todo el que no esté ocupado estará mirando el concurso.

—¿Y si sólo puede coger la estatuilla durante un momento?

—Dime cómo abrirla. —Miró a las manillas del reloj—. Rápido.

Ella se concentró en su respuesta.

—No es fácil, las estatuillas están talladas por toda la superficie excepto en la base. Tiene que introducir algo fino y fuerte, como una cuchilla o una uña, en la base del cinturón, justo en el centro y, a la vez, debe tirar de los talones. Si acierta, sentirá un ligero movimiento, pero muy suave. En ese momento gire sus piernas hacia la izquierda y se abrirá el cierre de la cavidad.

—Por lo visto no se abre de cualquier manera. ¿Cómo de larga tiene que ser la uña?

Consiguió no temblar al recordar las suyas sobre su piel.

—Más largas que las suyas, creo. ¿Su daga?

—Imagino que es demasiado gruesa. Y ¿la del estudio?

—Sí, funcionará con alguna de sus puntas. La usé cuando mi padre me enseñó el truco.

—Ojalá que nadie la haya robado. ¿Hay algo más que deba saber?

—Si es capaz de reconocer la correcta, no, nada más.

—El sombrero y el cinturón. Me acordaré.

Había una sonrisa en él, como si le costara partir, pero ella dio un paso adelante y lo empujó.

—Vamos, vamos.

Tocarlo la aturdió; parecía que la miraba fijamente... La cogió por los hombros y la besó breve y apasionadamente para luego desaparecer.

Cressida se abrazó a sí misma. Sin él, la oscura habitación ya no parecía cálida ni acogedora, y lo que había ocurrido antes allí había estropeado algo dulce, algo bueno. ¿Cómo podía haber nada bueno en un lugar así?

Debía ser la poción que todavía le confundía la mente haciendo que quisiera lo que normalmente no deseaba. Se concentró en el tema principal. Tenía que confiar en él en lo de la casa, pero también tenía que mantenerse a salvo en ese lugar. ¿Qué pasaría si llegaba otra pareja buscando un lugar privado? Tuvo la tentación de salir de ahí y correr tras su experto guía, pero no quería volver a poner un pie en Stokeley Manor.

Abrió un cajón y palpó dentro de él hasta que encontró un rollo de amasar. Una vez armada se sentó donde pudiese ver el reloj, y se dispuso a esperar.

Capítulo 12

Tris estaba sorprendido por lo mucho que le estaba costando volver a la casa. No era su tipo de fiesta, pero nunca antes había sentido tal rechazo. Era como tener que saltar a una alcantarilla. El ruido había bajado, tal vez a causa del estupor más que de la calma.

Un olor lo hizo detenerse. Vómito. Lo esquivó a tiempo. Este tipo de fiestas eran típicas de Crofton, donde el exceso sustituía la excelencia, aunque no estaba seguro de que sus propias fiestas acabasen de manera mucho más decorosa. Por lo general sí, pero no siempre. Él nunca servía ese tipo de brebaje que Crofton había repartido tan generosamente, una poción diseñada para que la gente perdiera la cabeza lo más rápidamente posible, lo cual mostraba la inseguridad de un anfitrión.

Tris deseó que Crofton se fuera al mismo infierno que estaba recreando, y se arrepintió de haber llevado allí a Cressida. En su momento, podía haberla persuadido para que se quedase en Nun's Chase, pero entonces le había parecido una buena idea. Ni siquiera se había detenido a pensar en proteger la inocencia de su mente, pues no le había parecido importante. De hecho, si se lo hubiera preguntado, hubiese respondido que la inocencia es peligrosa porque equivale a la ignorancia. Por lo visto, el tema de la pureza tampoco se le había cruzado por la cabeza. No, pensó al detenerse ante a la puerta principal, pureza no es la palabra adecuada, suena demasiado a sermón. Tal vez se refería a la belleza. A la belleza de una flor en su mejor momento, o una fresca mañana de verano, o una sábana de lino blanca y fina. Algo que había que atesorar y no ensuciarlo.

Se rió de sí mismo. La misma naturaleza marchita las flores y hace que las mañanas se terminen, y el lino está hecho para ensuciarse y lavarse después. Todo es parte del orden natural, aunque no se debía precipitar por una fiesta como ésta que ni siquiera tendría que existir. Era extraño pensar así, ya que tal vez Crofton se había inspirado en sus propias fiestas en Nun's Chase. Se sacudió todos estos pensamientos de la cabeza y entró en la casa.

Al abrir la puerta lo golpeó un olor terrible y tropezó con las piernas de un gladiador que roncaba. Debajo de él había una mujer gorda y casi desnuda que también dormía. Tris lo empujó para evitar que la ahogara. No vio nada con lo que cubrirla, pero se imaginó que a ella no le importaría, ya que evidentemente era una prostituta. Avanzó entre los otros invitados hacia el escritorio y desgraciadamente no estaban todos inconscientes. Además, algunas de las chicas eran claramente demasiado jóvenes, y todo eso le quitaba del todo las ganas de copular a cualquiera.

Abrió la puerta del escritorio sintiéndose aliviado, pero ahí se encontró a su amigo Tiverton disfrazado de pirata y copulando con la prostituta que antes reclamaba un pene. Ahora estaba despatarrada encima del escritorio, con expresión de aburrimiento o fatiga. No parecieron darse cuenta de que cogió la daga de la sabiduría, lo cual fue casi un acto de caridad, ya que la espada parecía estar a punto de pincharle el trasero.

—¡Venga ya! —Se quejó ella—. O sigues o lo dejas.

Tris echó un vistazo. El pirata no estaba en condiciones de seguir y no entendía por qué insistía. De cualquier manera, no era su problema. Se estaba alejando cuando la chica se quitó a Tiverton de encima.

—¡Déjame en paz ya, gandúl impotente!

—¡Cierra la boca!

Tris actuó por instinto. Cogió el brazo de Tiverton en el momento en que lo levantaba, y lo sujetó firme tras su espalda. Lo mantuvo alejado de la chica mientras ésta se levantaba como podía. Aunque parecía joven, tenía un amenazador herpes en los labios. De hecho, Tiverton no la hubiese tocado nunca estando sereno, y mucho menos le hubiera pegado. Maldito Crofton.

—Déjala que se marche —le dijo Tris tranquilamente.

—¡La mato! —gritó Tiverton liberándose de Tris—. ¡No soy un maricón asqueroso!

Se giró para enfrentarse a Tris, balanceándose borracho. No había manera alguna de hablar coherentemente con él, así que decidió tumbarlo de un puñetazo. A continuación se frotó los nudillos, aún adoloridos tras su última pelea. ¿Había sido acaso esa misma mañana? El duque de Saint Raven estaba haciendo una estupenda carrera asaltando los caminos, intentando seducir a una joven inocente, y participando en reyertas de borrachos… Un gong lo sacó de sus pensamientos. Se escucharon las campanadas del reloj. Medianoche.

Tiverton estaba roncando y la chica se había escapado. Tris se puso la espada de la sabiduría en la faja y se dirigió al salón. Esperaba poder quedársela después, ya que le hacía falta sabiduría y de cualquier modo Crofton era un caso perdido.

Por el ruido que hacía la gente supo dónde se celebraba el concurso. Los aullidos, risotadas y chillidos que soltaban los invitados de Crofton parecían los de unos animales salvajes enjaulados. Finalmente, el evento se iba a llevar a cabo en el vestíbulo y se utilizarían las escaleras y el descansillo a modo de galería. Habían colocado más velas, cuya luz contrastaba con la oscuridad rojo fuego, lo que le hizo pensar que Stokeley Manor podía convertirse en un auténtico infierno antes de que la noche terminase. Tal vez haría falta fuego para poder limpiar el suelo, ya que las bebidas que se habían derramado y otras sustancias lo habían dejado pegajoso.

Crofton, el demonio rojo, presidía el evento desde los peldaños inferiores, y animaba a sus invitados con los ojos brillantes. Por lo menos habían dejado de beber, lo cual explicaba por qué había tantos que aún estaban conscientes. Seguro que se debía más a que se habían acabado las reservas que a su sano criterio de anfitrión.

Las estatuillas estaban en una pequeña mesa al comienzo de las escaleras. Tris intentó ignorar la cacofonía y el jaleo del lugar central del acto y se concentró en la mesa. Tal vez le iba a resultar más fácil de lo había pensado. Las estatuillas ya no estaban ordenadas en una línea, por lo que podría sacar la que buscaban y vaciarla sin que nadie se diese cuenta. Comenzó a moverse en esa dirección, cruzándose con todos los borrachos, intercambiando una palabra o dos cuando fuese necesario, pero manteniendo el mínimo contacto.

De pronto un cuerpo se pegó a él. Miró hacia abajo y se encontró a Violet Vane, la reina de la noche, con los ojos muy pintados con *kohl* y apestando a su habitual *poudre de violettes*, trepando con los dedos por su abdomen.

—¿Dónde está su delicia turca, Saint Raven? ¿Necesita algo más fuerte ahora?

Le agarró la mano.

—Ha acabado conmigo, por el momento…

Ella sonrió.

—Lo dudo, he escuchado historias sobre usted, mi señor duque. Necesita una mujer de verdad, una que tenga su fuerza…

El pegajoso perfume comenzaba a darle nauseas. ¿Por qué estaba perdiendo el tiempo actuando como un caballero con una mujer como ésta?

—No, no esta noche —dijo haciendo que se diera la vuelta y dejándola en manos de un senador romano. Ignoró su ristra de insultos y se acercó hacia la mesa. Pero, maldita fuera, ahora todo el mundo lo estaba mirando.

—Ah, St Raven —dijo Crofton—. ¿Has venido a participar después de todo?

—Sólo a observar —contestó Tris apoyándose sobre la escalera con los brazos cruzados.

Estaba a poca distancia de la mesa y rezaba para que la atención se volviera hacia las tres parejas que estaban imitando una postura horizontal cuando una ovación indicó que una de ellas lo había conseguido. Tris miró a su alrededor. Nadie parecía fijarse en él y Crofton miraba el concurso con avidez. Era el momento de actuar.

Estudió las estatuillas de la mesa. La pierna derecha levantada. Sombrero y cinturón...

¡No estaba allí! Con el corazón acelerado, volvió a mirar y no estaba. Para asegurarse las contó. Ocho. Maldita sea. ¿Habría comenzado antes el concurso? Si había sido así ¿por qué demonios había sido ésa la primera estatuilla y quién la había ganado? Ignorando la ovación general, miró hacia el recibidor y la escalera, buscando a la persona que tuviera el trofeo. No la encontró. Pero cerca de la puerta principal reconoció a un hombre que iba vestido de bufón. Era Dan Gilchrist, amigo suyo y una persona bastante decente. Se preguntó qué hacía allí, pero agradeció al cielo haberlo encontrado. Intentando no perder la calma, Tris avanzó entre la gente.

—Qué noche más salvaje —le dijo al llegar.

—Demasiado, si me lo preguntas —contestó Dan sonriendo.

Era un joven amistoso, más bien gordito, que trabajaba para el Ministerio de Interior y tenía reputación de ser inteligente y trabajador. Esa noche había elegido un traje de bufón, pero parecía sobrio e incluso aburrido.

—Entonces, ¿por qué sigues aquí? —le preguntó Tris, sin querer entrar directamente en el tema.

—Vine con Tiverton, y algunos más. Imagino que no se querrán marchar hasta que acabe.

Tris pensó en Tiverton, que seguramente seguía inconsciente en el escritorio, por lo que estuvo a punto de ofrecerse para llevar a Dan a casa. Pero recordó que estaba con Cressida y mientras menos gente la reconociera, mejor. ¡Oh, Dios, Cressida! ¿Cómo iba a decirle que la estatuilla había desaparecido? Había sido por llegar tarde, por haber perdido el control y querer seducirla, porque la había interpretado mal, porque no la había cuidado lo bastante y se había tomado esa maldita poción. Nunca se había sentido tan derrotado.

Pero no estaba todo perdido, aún podía ejecutar el plan.

—¿Ha empezado hace mucho el concurso?

—Comenzó a la hora de las brujas. —Gilchrist sonrió e hizo tintinear su bastón de cascabeles—. Debo admitir que tengo ganas de ver a alguien intentar la postura sobre la cabeza.

Tris volvió a mirar hacia la mesa, pero incluso desde ahí las podía contar. Seguía habiendo ocho.

—Me da la impresión de que una de las estatuillas ha desaparecido. Estoy seguro de que había nueve.

—Miranda Coop convenció a Crofton para que le diera una, o hizo algún trueque para obtenerla. —Gilchrist tintineó sus campanillas otra vez.

Tris se esforzó por no mostrar reacción alguna.

—Me pregunto qué habrá tenido que hacer. Crofton está totalmente entregado a su concurso.

—Era una de las más simples. Estoy seguro de que La Coop puede hacer algo lo bastante interesante como para persuadir a un hombre.

—Yo también. —Tris blasfemó para sus adentros.

Miranda no era de las más fáciles, pero algo podía hacer.

En el peor de los casos, podría ofrecerle algo que le interesase para convencerla. Hacía meses que intentaba clavarle sus garras. La idea de tener que seguirle el juego le revolvía el estómago, pero debía corregir unas equivocaciones suyas.

—¿Dónde está? Me gustaría saber qué es lo que le propuso.

—Entonces tendrá que seguirla hasta Londres. Se ha marchado ya.

Tris miró a los ridículos concursantes con indiferencia.

—Sabia mujer. Creo que haré lo mismo.

Se alejó antes de que Gilchrist le pidiera que lo llevara de vuelta y se dirigió hacia el horno. Había predicho que nada de esto sería fácil y parecía tener toda la razón. ¿Qué maldita mala suerte había hecho que La Coop se encaprichara de esa figura en particular? ¿Y qué iba a decirle a Cressida ahora?

Un plan. Tenía que presentarle un nuevo plan. Hizo una pausa a la altura de los establos para pensar y por suerte se le ocurrió algo. Debería funcionar y aunque le obligara a hacer cosas que no deseaba, ése sería su castigo por todas las estupideces que había cometido.

Abrió la puerta del establo y se lo encontró lleno de sirvientes borrachos o dormidos. Sin embargo, había uno jugando a los dados en el suelo que parecía más o menos sobrio. Se puso rápidamente de pie.

—¿Sí, señor?

Un tipo listo. Había imaginado que algunos invitados querrían sus carruajes y que serían muy generosos con quien estuviera lo bastante sobrio como para ayudarlos.

—Ve al pueblo y diles a los hombres de Saint Raven que traigan su carruaje al final del camino y que te den una corona.

Los ojos del chico se abrieron como platos.

—¡Sí, su excelencia! —Y partió a buscar su caballo.

Era agradable todavía poder impresionar a alguien. Tris continuó hacia el horno. Dudó unos instantes antes de entrar, intentando inventarse alguna buena historia, pero no le quedaba más que contarle la verdad.

—Soy yo —dijo al abrir la puerta, e hizo bien en hacerlo porque la hurí tenía el rollo de amasar listo para el ataque.

—¡Ya la tiene! —exclamó deleitada.

—No, ya se la habían llevado.

Cerró la puerta y le quitó el rollo de las manos, a pesar de que más bien parecía que lo iba a dejar caer en vez de golpearlo.

—Lo siento. Por lo visto Miranda Coop tuvo unas negociaciones privadas con Crofton antes de que comenzara el concurso. No hubiésemos podido evitarlo aunque hubiéramos estado allí.

Aunque fuese verdad, no dejaba de sonar como una excusa.

—Entonces tenemos que quitársela. ¿Dónde está?

—Camino de Londres.

Aunque no la viera sintió su consternación.

—¿Le Corbeau? —le sugirió tímidamente.

—Lo haría si pudiese, pero nos lleva mucha ventaja. Para cuando llegara a Nun's Chase y me pusiera el traje, ella ya estaría en casa. Pero no está todo perdido, sabemos adónde va.

A menos que La Coop sepa el secreto, las joyas no están en peligro. Las recuperaremos.

—¿Está seguro?

Sonaba a súplica lastimosa. Tras haber ido tan lejos y hecho tanto para cumplir su plan, ahora la voz de la valiente señorita Mandeville de Matlock temblaba.

—Lo estoy. —Por Hades, no le iba a fallar—. Al menos ya nos podemos marchar de aquí. He ordenado que nos traigan el carruaje a la entrada. Vamos.

Al verla tan consternada por la noticia, puso su brazo alrededor de ella para conducirla hacia la noche, sin pensar que tal vez rechazaría su proximidad. No fue así, pero tal fue vez consecuencia de su asombro y decepción.

¿Por qué diablos no tenía una varita mágica para solucionarlo todo? ¿De qué le servía ser duque si no podía ayudar a sus… amigos? De hecho, podía y debía hacerlo. Si no conseguían las joyas, encontraría una manera de darle dinero y de que sus padres lo aceptasen. Pensó en un conocido que había ganado la lotería, tal vez podía arreglar algo.

—Siento haberte traído aquí —le dijo.

Cada paso que lo alejaba de la casa parecía una bendición.

—No, se lo agradezco. Podía haber funcionado y sin duda ha sido muy educativo.

—Hay muchas lecciones que es mejor desaprender.

No eran palabras sabias. Evidentemente, las lecciones que ya había desaprendido eran las que hacían que se mantuviera a una distancia de él, por lo que no intentó acercarse, pero se sintió absurdamente aliviado cuando ella volvió a tomar su brazo. Entonces avanzaron por el camino que llevaba al portón de la casa como un caballero y una dama dando un paseo. La luna llena estaba parcialmente cubierta por nubes, pero aún así iluminaba sus pasos. Al alejarse del ruido y volver a encontrar la paz, parecía una escena cotidiana, excepto por su ropa. La seda de su camisa no parecía la protección adecuada para el brazo desnudo de ella…

—No estoy segura de que sea verdad.

Tuvo que hacer un esfuerzo para recordar de qué hablaba. ¡Ah, sí! Aprender.

—El conocimiento siempre es útil —continuó—, incluso aunque sólo sirva para advertirte de lo que debes evitar. A hombres como ése, para empezar.

—Y qué se debe cambiar —continuó—. He estado pensando…

Él evitó quejarse temiendo lo que iba a decir.

—No creo que esas prostitutas sean mujeres que actuan como niñas.

Había una sola respuesta posible.

—Tal vez no.

—Y no sólo estaban haciendo las poses, en el pasillo…

—Sí, pero nadie las obligaba a ello.

—Más que la pobreza.

—Tal vez. —Gracias al cielo el tema no iba de lo que había ocurrido entre ellos—. Cressida, no hay nada que hacer, el mundo es un lugar brutal y la gente sobrevive lo mejor que puede. Por eso estoy intentando hacer lo posible para recuperar tu fortuna.

—Yo no corro ese peligro.

Su silencio, tras decirlo, mostraba que sabía que lo había estado, y tal vez que él por lo menos había salvado a un cordero del matadero.

—Aún tengo la daga de la sabiduría. ¿La quieres?

—No especialmente.

Lo había dicho sólo para distraerla, pero evidentemente se lo había tomado como una reprimenda. No era de sorprender. Ellos dos eran como mezclar ácido y leche, una mezcla que siempre se estropea.

—O tal vez pueda pagarle a tu padre por lo que valga. Me gustaría quedármela, pero no quiero parecer un ladrón.

Y además sería una pequeña cantidad para sus arcas.

—Tómela como un regalo, su excelencia. Como una recompensa por su noble servicio.

Su excelencia. Le dolió, pero se abstuvo de protestar. Ya estaban llegando a la carretera que los llevaría de vuelta a la realidad, donde la leche y el ácido fluían adecuadamente por diferentes canales.

Cressida se había dado cuenta de que él no se hacía preguntas sobre el bien y el mal, y también que se estaban distanciando. Había pasado de estar en sus brazos a ir agarrada a él formalmente; la distancia era desgarradora y cada centímetro entre ellos frío y doloroso, pero era lo correcto.

Todavía deseaba cosas que no debería, pero cada paso que la alejaba de Stokeley Manor la acercaba a su mundo decente, lo cual era algo que deseaba cada vez más. Había visto y experimentado cosas, pero ahora quería volver a ser de nuevo la señorita Mandeville de Matlock, incluso si eso conllevaba no ver al duque Saint Raven nunca más.

Pensó en Miranda Coop, que tenía su estatuilla. Había dicho que podían recuperarla. ¿Podían? ¿Acaso su relación no se había roto aún? Un sentimiento de excitación traicionó su sentido común. Atravesaron el portón y se dispusieron a esperar.

—¿Cómo recuperaremos la estatuilla? Imagino que no será posible visitar a la señorita Coop por la mañana temprano...

—Difícil, pero yo sí. Puede que sea tan sencillo como eso.

Después de todo no se refería a los dos. Miró la carretera plateada, deseando que se apresurara el carruaje. No podía seguir así mucho más tiempo. Luego se dio cuenta de que todavía les quedaban dos horas de viaje juntos. Gracias a Dios el señor Lyne iría en el coche. Pero ¿acaso debía volver a la casa de Saint Raven?

Un auténtico escalofrío la atravesó; estaba cansada y tenía frío.

—¿Podría llevarme a Londres?

—¿Vestida así?

Se frotó los brazos desnudos.

—Tal vez no.

—Tu equipaje está en Nun's Chase, Cressida, y no me parece apropiado pasar a buscarlo para llevarte a casa a altas horas de la madrugada. Podrás dormir bien, vestirte correctamente y volver a Londres por la mañana.

Tenía razón, por supuesto, pero en su mente desesperada, Nun's Chase le parecía casi tan intolerable como Stokeley Manor.

—Confía en mí.

Se volvió para mirarlo. Él tenía la vista fija en la carretera, y su expresión era fría bajo la pálida luz de luna—. Ella le importaba, lo sabía. Era descuidado con muchas cosas, pero no con ella.

—Por supuesto —le contestó suavemente—. Confío en usted.

Vio cómo, de pronto, se relajaba y se alegró de al menos poder darle eso, hasta el punto de querer llorar. Fue un alivio que no cayeran esas lágrimas, ya que él se dio la vuelta y extendió sus brazos.

—Tienes frío. ¿No quieres compartir mi calor?

Fue hacia sus brazos y se acurrucó a su lado. Era una sensación cálida y reconfortante, que le provocaba emociones aún más peligrosas.

—Nunca te he preguntado qué excusa usaste para marcharte con Crofton, o cómo pensabas volver. Espero que todavía podamos usar ese plan.

Tenía la mejilla apoyada en su chaqueta de seda.

—Se supone que estoy visitando a Cecilia, una amiga casada que vive cerca de Londres, y que me llevó un amigo que iba para allá.

—Pero de hecho viajaste con Crofton. ¿Acaso nadie cuestionó ese detalle?

—Mi madre está demasiado ocupada con mi padre como para enterarse de nada, y casi todo el servicio se había ido. Además, Cecilia existe.

—¿Y sabe ella esta historia?

Alzó la cabeza para mirarlo.

—Claro que no. Algo así le hubiese parecido fatal.

Cressida inmediatamente deseó tragarse esas palabras. Era verdad, pero lo que decía también era una crítica evidente a sus gustos y modo de vida. Aunque lo cierto era que en sus momentos de lucidez también condenaba sus gustos y estilo de vida.

El ruido metálico del vehículo y de las herraduras la alivió. Se acercaba el carruaje y quería que todo aquello acabase, el evento, la intimidad, todo. Se separó nuevamente de él. Desde ese momento tendrían compañía y una vez en Nun's Chase echaría el pestillo y se iría directamente a dormir. El vehículo se detuvo y el señor Lyne bajó para ayudarla a subir, y una vez dentro se sentó. Saint Raven le dijo algo a su amigo, se acomodó al lado de ella, cerrando la puerta con un firme golpe. Ella sintió que se le revolvía el estómago.

—¿No viene con nosotros?

—Se queda para asegurarse de que la historia sobre La Coop es cierta.

Capítulo 13

El carruaje se puso en marcha y por un momento Cressida pensó en bajarse. ¿Los dos a solas en ese reducido espacio durante un par de horas? ¿Después de todo lo que había pasado? Al menos había dos velas. Más iluminación de la que habían tenido durante toda la noche, y la luz siempre invita a la sensatez.

Él estiró sus largas piernas y el holgado satén le marcó los muslos. Los tenía muy cerca y la invitaban a acariciarlos.

El carruaje avanzaba veloz, dio un brusco giro y ella se tuvo que agarrar a la correa de cuero.

—Mi informante es un hombre honesto y correcto, pero me doy cuenta de que debí haberme cerciorado. Podía haberse equivocado en algunos detalles. Cary lo va a averiguar y luego nos seguirá.

—No va disfrazado.

—A estas horas dudo que a alguien le importe.

Agitada por el movimiento, Cressida tomó conciencia de cómo iba vestida. Durante la noche se había ido acostumbrando, pero ahora sentía que iba en paños menores. Era como si los dos estuviesen en ropa interior, aunque aparentemente ninguno de ellos parecía llevarla.

Satén sobre los muslos, satén sobre un bulto que debía ser…

¡Cressida!

Eran como si fueran Adán y Eva, dándose de repente cuenta de su desnudez. ¿Qué manzana había mordido en aquel infierno?

Él abrió una pequeña compuerta de la cabina, y sacó una petaca y dos vasos de plata.

—Brandy. ¿Quieres un poco?

Ella contuvo un escalofrío.

—No, gracias, su excelencia.

Usó la manera formal como protección, pues sentía que la poción seguía fermentándose en su interior, y si bebía algo más, a saber qué podría provocarle.

Tristan lo devolvió a su sitio sin haberlo tocado.

—Te calentaría. Deberíamos haber traído mantas.

Mantas. Cama…

—No tengo frío, su excelencia.

Parecían estar avanzando por una parte más llana del camino, por lo que pudo soltar el asidero.

—¿Qué vamos a hacer, su excelencia, si la señora Coop no tiene la estatuilla?

Él se volvió hacia ella con rotundidad.

—Si vuelves a llamarme así, no seré responsable de mis actos.

La repentina violencia de su voz le cortó la respiración y la hizo temblar. Lo miró muda.

—Por lo menos —dijo firme—, llámame Saint Raven, aunque sería una gentileza por tu parte si me llamaras Tris.

—Tris —le susurró sintiendo que estaba pacificando a un animal salvaje.

Aunque también se dio cuenta de que era algo que le importaba, y que lo había herido al dirigirse a él tan formalmente. Seguro que podría concederle lo que le pedía sin mayores estragos.

—Tris —dijo claramente y para deshacer la barrera se quitó la máscara y los velos.

Era como si hubiese cambiado el aire y pudiese volver a respirar bien nuevamente. Él incluso sonrió levemente, con esa sonrisa tenue y seductora que le gustaba tanto.

—Tristan Hugh Tregallows a tu servicio. No te preocupes por las joyas, ahora son asunto mío y no te voy a fallar. Mi orgullo y honor están en juego.

Sin poder evitarlo, ella arqueó una ceja, expresando una ligera sospecha sobre su honor.

—¿Detecto dudas acaso? No importa lo que sea el honor, Cressida, lo que importa es que una vez que uno se compromete a algo, lo tiene que mantener.

—Un punto de vista muy aristocrático. Le aseguro que en Matlock el honor es algo que se define mucho más claramente.

Se avergonzaba un poco por dentro. Pero ¿de qué le servía esconder lo que era? Una pequeña doña nadie de Matlock con ideas sobre lo que era correcto y lo que no, algo que él desdeñaba.

—Te refieres a la decencia —le dijo—, lo cual es otro tema.

—No hay nada malo en la decencia.

—Excepto que se interpone al placer, como la ropa interior.

Ella lo miró.

—No siga.

Un repentino giro del carruaje la empujó hacia él. La sujetó con sus brazos y la devolvió a su puesto. Ella se agarró a la correa de cuero, prometiéndose no soltarla hasta llegar a Nun's Chase.

—Le ruego que me explique qué tipo de honor le hizo asaltar a honestos viajeros en el Camino Real.

—¡Ah, sí!

Estiró las piernas todo lo que el espacio le permitía y Cressida juntó sus pies para no tocarlo.

—Es un tema delicado, pero mejor será que lo sepas. Creo haberte contado que sólo por una noche fui Le Corbeau.

—Sí.

—Cuando volví en la primavera a Inglaterra supe que un famoso salteador de caminos se hacía relacionar conmigo. El nombre Le Corbeau se suele traducir como «el cuervo» en inglés, o como mi nombre, Raven. Además, su radio de acción se limitaba a la zona que rodea mi casa en Nun's Chase. Incluso se parece a mí, aunque casi nadie lo supiera. En Mount Saint Raven tenemos un retrato de un lejano antepasado mío, un antiguo caballero, que vestía como lo hace Le Corbeau.

—Dios mío, ¿cómo pudo haberlo sabido?

—Es una de las preguntas que me gustaría hacerle. He estado investigando durante casi todo el verano y finalmente descubrí su escondite: una casa de campo que ha estado ocupando a media milla de Nun's Chase. Desde ahí se dedicaba a observarme, el muy impertinente.

Miró a Cressida.

—¿Somos amigos o debería pedirle disculpas por mi mal vocabulario?

Sabía lo que debía responder, pero él la debilitaba; además, sólo les quedaban un par de horas juntos.

—Amigos —respondió—. Imagino su rabia. ¿Lo atrapó ahí mismo? ¿Usted fue el responsable de su captura?

—No, se me escapó, pero lo capturaron. Entre tanto, había descubierto algo sobre sus posesiones que daban un nuevo dato a la situación.

—Y ¿entonces? No se haga de rogar.

Sonrió.

—Es una historia digna de una obra de teatro y a mí me encanta contar historias. Además, tenemos horas por delante.

Ella inspiró. ¿Era consciente de cuánto le atormentaba el tiempo que tenían que pasar juntos? ¿Le molestaba como a ella que el movimiento del carruaje le despertara la tentación de acercarse?

—En la casa encontré un baúl con varias cartas y objetos. No leí las cartas inmediatamente, pero por los objetos vi que había una conexión con mi familia. En particular, un anillo de compromiso de la familia que se había perdido.

—¿No sería el de su tía?

—Sí, pero por lo visto se negaba a usarlo. Era una joya pesada de más de doscientos años que llevaba un zafiro en forma de estrella. Magnífico, pero anticuado, casi bárbaro.

—Y lo tenía el salteador de caminos. ¿Lo había robado? No puede ser —dijo contestándose a sí misma—. ¿Quién se atrevería a llevarlo por los caminos? ¿Su tío no lo echó de menos?

—Seguro que sí. Era avaricioso con sus posesiones. Hacía un inventario cada año, e hizo uno especial tras la muerte de mi tía. Antes de 1790, el anillo aparecía como guardado bajo llave en la habitación de los tesoros del Mount. Después está en la lista de las posesiones del duque, lo cual significa que a nadie le hacía falta verlo.

—¿Se lo dio a alguien en 1790? —le preguntó intrigada por el misterio—. ¿Y ahora lo tiene este bandido? ¿De quién se trata?

—Jean-Marie Bourreau, por lo visto. Tras encontrar el anillo sentí que debía leer las cartas. Estaban en francés, pero yo lo entiendo bien. Lo que revelaban era que mi tío tenía una amante en París, lo cual no me sorprende, y que había tenido un hijo con ella en 1791, Jean-Marie. Imagino lo terrible que debe haber sido para él. Por fin tenía un hijo, pero no había manera de que heredase el ducado.

El carruaje volvió a dar un salto. No la movió de su asiento, pero hizo que se apagara una de las velas. Saint Raven, Tris, sacó unas tijeras, cortó la mecha y la volvió a encender con la llama de la otra. Su romántica mente no pudo dejar de apreciar la habilidad de sus elegantes y largos dedos. Nunca se había sentido tan susceptible como mujer.

Se inclinó nuevamente hacia atrás y prosiguió:

—Debe haber sido otro retorcido infortunio. Su esposa era fértil y tuvo una gran descendencia, seis en total, pero todas mujeres. Y luego, usando sus palabras, esa maldita mujer siguió viva hasta que él ya estuvo demasiado débil como para seguir intentándolo.

—Suena como si hubiera sido un hombre espantoso.

—Simplemente un duque —contestó secamente.

De manera instintiva tocó el dorso de su mano y antes de darse cuenta de que no lo debía hacer, ya era demasiado tarde. Él giró la suya y cogió la de ella. No podía retirarla y tampoco deseaba hacerlo, así que la agarró ofreciéndole su comprensión, pero también absorbiendo la energía de su fuerza, hasta que él hizo una mueca de dolor, y ella aflojó el apretón.

—¿Le hago daño?

—Sólo si la aprietas.

Levantó la mano ligeramente.

—¿Se ha peleado otra vez?

—No es mi costumbre, y sólo ha sido en defensa propia.

—¿Con quién se peleó en Stokeley? ¿Con Crofton?

—No, no. Fue con Jolly Roger. No me pidas detalles.

Tenía ganas de saber más, pero tras todo lo que había visto aquella noche, prefirió no seguir preguntando. Lo que le afectaba hasta el punto de provocarle el llanto era su comportamiento poco apropiado y rudo.

—Mientras no fuese una mujer la causa de la pelea…

Se arrepintió de haber dicho algo tan obviamente coqueto. Él sonrió con los labios y la mirada.

—¿Celosa?

—¡No!

Levantó una ceja.

—Está bien, un poco. Esta noche era mi acompañante.

—Y lo sigo siendo —levantó su mano y la besó—, Roxelana.

Ella sin darse cuenta soltó la correa y pasó la lengua por sus labios. ¿Cómo pudo haber pensado que su deseo había muerto y que el peligro había pasado? Sólo su tacto y su mirada hacían que desease pegarse a él, tocarlo, sentir su sabor, y besarlo. El ritmo de los cascos de los caballos iba acompasado con el de su sangre.

Soltó la mano.

—Entonces encontró el anillo y las cartas —dijo.

Él volvió a arquear las cejas antes de contestarle.

—Sólo había una con fecha posterior al nacimiento en la cual negaba toda responsabilidad sobre el niño. Por lo visto hubo un envío de dinero, pero fue obviamente un regalo de despedida. El resto de las cartas del baúl eran borradores de cartas desesperadas de Jeanine Bourreau rogándole ayuda y recordándole sus promesas. Por lo visto pensaba que la llevaría a Inglaterra y que la dejaría bien establecida. Puede que las recibiera y las ignorara o que no las haya recibido nunca. Poco después del nacimiento de Jean-Marie, la revolución dejó al país en un completo caos.

—¿Sabe lo que le ocurrió a ella?

—No, pero supongo que sobrevivió vendiendo su cuerpo. No habría tenido otra manera de mantenerse a sí misma y a sus dos hijos.

—Entonces, ¿qué está buscando Jean-Marie aquí? ¿Dinero? ¿Venganza?

—No lo sé, sólo ha contactado conmigo para mofarse de mí. Pero me gustaría saberlo, y para eso tengo que sacarlo de la cárcel. No quiero que salgan a la luz las sórdidas historias de mi familia en los periódicos y que vayan de boca en boca. Por eso Le Corbeau tuvo que volver a sus asaltos.

—Y asaltó a Crofton… Oh, Dios, imagino que no lo habrá denunciado a los magistrados.

—Tampoco lo sé. Lo volví a intentar y por eso te tuve atada tanto tiempo. Te pido disculpas.

Ahora le parecían muy lejanas las horas en que tuvo que permanecer tumbada, con los ojos tapados y las manos atadas, sin saber cuál sería su destino.

—También conseguí interceptar a un viejo e irascible abogado a punto de morirse, como dijo él mismo, y le quité su reloj de oro y algunas guineas. Espero que haya funcionado, porque no volveré a intentarlo.

—Pero aún así se ofreció a hacerlo de nuevo por mí.

¿La pregunta habría incomodado al sofisticado duque?

—Es un asunto que no ha terminado.

Cressida le sonrió con auténtico cariño. Había muchas cosas deplorables en el duque de Saint Raven, pero verdaderamente era un hombre generoso que se tomaba sus responsabilidades con seriedad. Incluso con su primo extranjero y bastardo.

—¿Qué va a hacer con él? —le preguntó con la cabeza apoyada en la ventanilla de su lado, mecida por el movimiento y sintiéndose casi en paz.

—Pronto saldrá de la cárcel y sé dónde vive y a qué se dedica en su vida cotidiana. Tendrá que volver a ella para despejar las sospechas, por lo que será fácil acorralarlo y obligarlo a que me cuente sus auténticos propósitos.

—Me resulta bastante tiránico.

—¿No soy duque acaso?

—¿En esta época civilizada?

—No es una época tan civilizada como piensas, señorita Mandeville de Matlock. Pensé que acababas de presenciar una evidencia de ello.

—No se burle de mí.

—¿Lo he hecho? Te pido perdón. Pero el mundo no está civilizado, Cressida. En cuanto a la tiranía, tengo el poder y las influencias suficientes como para hacerle la vida muy difícil a un francés si así lo deseo. Le Corbeau debe parar —anunció como si su palabra fuera la ley—, no puedo permitir el escándalo que provocaría su captura. De todas formas, por lo que parece, mi tío los trató a él y a su madre de manera abominable. Si desea algún tipo de compensación, haré todo lo posible por dársela.

—¿Y si desea seguir asaltando caminos?

—Si lo hace será por pura extravagancia.

—¿Es un rasgo de familia?

La miró fijamente.

—No te burles de mí, señorita Mandeville. Puedo ser serio, y en ocasiones incluso digno.

Se intimidó al sentir su enfado, pero se dio cuenta de que sentía más dolor que rabia. Le lanzaba dardos como si llevara una armadura, pero tal vez no era así.

—Ser duque no siempre es un placer, y para que lo sepas, me he pasado casi todo el verano trabajando, no en reuniones sociales u orgías. He estado lo últimos seis años bajo la tutela oficial de mi tío, pero nos llevábamos tan mal que en cuanto tuve edad suficiente nos comenzamos a evitar. Tengo mucho que aprender. Tampoco sirvió que, por miedo, me fuera al extranjero en cuanto heredé.

—¿Miedo de qué? —preguntó abandonando toda resistencia al ver su lado más vulnerable.

—El duque murió de un ataque al corazón muy repentinamente. No estaba bien, pero tampoco había señales de que moriría tan pronto. No estaba... preparado. Creo que de alguna manera me convencí de que nunca ocurriría.

—¿Acaso no quería ser duque?

Aunque la luz de la vela podía crear ciertas sombras, su expresión era de total sorpresa ante la pregunta.

—¿Qué atractivo tiene serlo aparte de que se inclinen ante ti, si es eso lo que te gusta? Las responsabilidades son enormes y no sólo hablo de las propiedades.

—¿Riqueza? ¿Lujo? ¿La libertad de hacer lo que quiera?

—No me parece que pueda hacer todo lo que quiera.

Su tono y mirada le dijeron que se refería a ella, a los dos.

—En cuanto a la riqueza y el lujo —continuó—, no hace falta poseer un alto rango para tener ambas cosas. Tris Tregallows el Rico tendría una vida mucho más fácil de la que llevo yo, créeme. ¿De qué me sirve tener doce casas en seis países distintos, muchas hectáreas, cientos de sirvientes y miles de arrendatarios? Todos dependen de mí.

—¿Doce casas? —repitió—. ¿Seis países?

—En Inglaterra, Escocia, Gales, Irlanda y la casa de Francia que tal vez embarguen, y la de Portugal. Allí tengo una propiedad y no sé nada sobre la producción de oporto.

—Puede hacer mucho bien.

—¿Con qué tiempo?

«Con el que gasta en juergas», pensó, pero no lo dijo.

—Puede colaborar en obras de caridad.

—Lo que también es un trabajo.

Ella no pudo resistirse a provocarlo.

—Ya veo, es el trabajo lo que le fastidia.

—¡Maldita sea, mujer, no es así! —No pasaba nada, se reía y enfadaba simultáneamente—. Un duque es un duque, Cressida. La gente no sólo quiere mi dinero, quiere mi patronazgo. Quiere mi presencia en los eventos, porque eso les genera dinero, como si fuese un cerdo con dos cabezas.

Cressida no pudo evitar soltar una risa, pero se imaginaba sus tribulaciones, y lo sentía por él.

—La gente presta atención a todo lo que digo. Intentan complacerme, especialmente las jóvenes doncellas. Algunas se rasgarían los vestidos y se tumbarían a mis pies si así pudieran ganar una corona. Y los hombres me imitan. ¡Fíjate en Crofton!

—Ya lo he visto —dijo, y era verdad.

Crofton había imitado la popular bacanal de Saint Raven obteniendo como resultado esa repugnante fiesta de libertinaje, y él sentía que era culpa suya. Además, había dicho una palabrota sin siquiera darse cuenta, lo cual recibió como un peculiar halago, ya que eso los convertía en amigos, aunque sólo fuese por un rato.

Tris suspiró.

—Si me diera por llevar un gorro de bufón, la mitad de los hombres de Londres se pondrían uno al día siguiente.

—Creo que no le iría mal llevar uno.

La miró asombrado y luego se rió.

—Eres realmente una descarada, Cressida Mandeville. ¿De verdad que he dicho una palabrota?

—Sí, pero no me importa. Mi padre dice que usar un lenguaje diferente con las mujeres es como considerarlas de naturaleza más débil. Mi madre insiste en que es un tema de respeto, pero en mi opinión, la postura de mi padre es más sincera. ¿Qué mal me puede hacer oír la palabra «maldita» si incluso está en la Biblia?

—Es un tema de contexto, Cressida. Es a ti a quién he llamado maldita, lo cual es monstruoso.

—Le estaba provocando, por eso mismo se puede permitir una pequeña represalia.

La miró fijamente.

—Eres una mujer extraordinaria. ¿Por qué me estás provocando?

Irguió la cabeza y luego le dijo la verdad.

—Pensé que quería hablar de todo esto.

—Tienes razón. No sé por qué.

Sabía que respuesta deseaba oír, pero no saldría de sus labios. El carruaje se movió y la empujó hacia él, rozándolo por un momento. Pero ya no le importaba, estaban en paz.

Capítulo 14

Cressida le sonrió.

—Cuénteme más sobre las terribles cargas de ser duque. Me animará cuando me encuentre sumida en el aburrimiento de la pobreza, y la vida sencilla y corriente.

—Nunca te encontrarás sumida en el aburrimiento de la pobreza y la vida sencilla y corriente.

Veía a donde quería ir a parar.

—No le permitiré que financie a mi familia, su excelencia.

—Tris.

—Es que Tris es más incontrolable.

Dijo eso sin pensarlo, pero vio el efecto que había tenido en él.

—Ah, eso es interesante.

Tal vez no estaban tan en paz como había querido creer.

—Sea interesante o no, nunca aceptaré su dinero. Ya ha sido lo bastante bueno con nosotros.

—Más que nada me lo he estado pasando bien, y lo sabes. Y darle dinero a tu familia me permitiría dormir bien por las noches.

—Los Mandeville no estamos entre los miles que dependemos de usted.

—Pero Cressida Mandeville está entre mi limitada lista de amigos ¿o no?

—No es justo.

—A los duques no nos hace falta serlo.

Se encontró con su mirada juguetona.

—No es posible, Tris. No hay un punto de conexión aceptable entre nosotros y lo sabe. Sólo podría ser su amiga si también fuera su querida.

Le pareció que el pestañeo de sus ojos coincidía con sus propios latidos del corazón. Altamente tentador, especialmente si su familia estaba destinada a terminar en la pobreza. Toda oportunidad de casarse bien desaparecería y, a través de su «sacrificio», obtendría el dinero para ayudar a sus padres.

Él entrecerró los párpados, pero la seguía mirando.

—Soy el último de los Tregallows y debo casarme pronto. Debí haberlo hecho hace años, pero mientras más me lo ordenaba mi tío, más me resistía. Por eso, ya no quedan demasiadas mujeres casaderas que correspondan a mi rango.

—¿Lady Anne? —dijo, aunque luego recordó—. No, me dijo que estaba enamorada de otro—. ¿Quién entonces?

Estaba orgullosa de su tono calmado.

—Aún no he puesto marcas en mi pequeña lista.

—¡Oh, no debe hacerlo así!

Él se encogió de hombros.

—La madre de lady Anne dice que si uno se lo propone, es posible enamorarse de la persona adecuada a tu rango. Y yo tengo una gran voluntad.

Cressida se sintió como una testigo distante de una tragedia, pero ya había hablado demasiado. ¿Qué sabía ella de la vida en las altas esferas sociales? Tris no tenía más libertad de elección de la que tiene un rey o un duque real. Excepto en cuanto a queridas.

Alzó la vista y vio que la miraba.

—Sin duda alguna tendré una querida —dijo—. Una mujer para el deber y otra para el placer.

Podía ser una invitación, pero dicho de esa manera era impensable.

—Espero que no lo haga. Espero que se case por amor. Y ahora —añadió con ligereza—, cuénteme más sobre sus cargas como duque.

Sonrió con ironía.

—Veamos..., mi cargo me obliga a asistir a la Cámara de Lores y lo que es peor, a prestar atención. Tengo que mantenerme informado sobre temas que un mortal común y corriente puede ignorar, como la exportación de carbón, la importación de cochinilla. ¿Sabes lo que es?

—Un tinte rojo que se usa para cubrir los pasteles escarchados.

—¿Sabes que se elabora con insectos molidos?

Lo miró.

—No, ¡qué horror! Es usted un malvado. ¡No podré volver a comer un pastel rosa en mi vida!

—Yo tampoco. Ésa es una carga más de mi rango. Déjame pensar sobre qué más temas excitantes tengo que leer... ¡Ah! Oporto, por supuesto. Me encanta beberlo, pero su producción es un tema difícil, ya que se transporta entre la Isla Newfoundland y un lugar llamado Labrador, y por lo visto hay un problema con el hielo. También está el tema del ejército y el establecimiento de la paz, muy importante y tedioso a la vez. Debo reconocer que me siento orgulloso de haber contribuido a la abolición del castigo con picota en casi todos los casos, y también a la creación de un reglamento que beneficia la situación de aquellos que se encuentran en bancarrota.

—Imagino que la nobleza en general no se preocupa de esas cosas.

Tris se encogió de hombros.

—Puede que el tiempo también me haga lo bastante cínico e indiferente como para tomarme la molestia de preocuparme. Pero por el momento no me puedo escapar, aunque confieso haber abandonado el debate sobre la cochinilla para evadirme hacia cosas más divertidas. Hay demasiados temas importantes. La situación de Irlanda, las crisis de la agricultura y la agitación del pueblo. ¿Lo ves? Si no fuera duque, podría ignorar todo eso y disfrutar de mis orgías.

Se rió queriendo abrazarlo.

—No lo creo. Siento decírselo, pero me parece que está maldito por su sentimiento de responsabilidad, y ni siquiera tiene el tipo de orgullo que se necesita para disfrutar de que la gente se incline ante usted —dijo levantado la cabeza—. Pero ¿puedo decir que tal vez todo le irá mejor? Con el tiempo uno se acostumbra a todo. ¿Tiene un secretario que le ayude con todo eso?

—Heredé el de mi tío. Leatherhulme es un viejo reseco que cree saberlo todo. De hecho así es, pero también piensa que todo debe continuar como era desde que el rey era un niño —suspiró—. Tal vez debería poner al día toda la administración. Está anticuada y basada en la idea de que el ducado existe para satisfacer al duque. Pero toda la gente que lo rodea está haciendo su trabajo lo mejor que puede. ¿Debería despedirlos?

Era un hombre muy cabal. Una esposa adecuada podría desviar su inquieta energía hacia obras de caridad…

Levantó la mano y se frotó la nuca, deshaciendo el turbante. Se lo sacó, al igual que la máscara y los tiró al asiento de enfrente. Cressida pensó que nunca la aburriría y quiso arreglarle su cabello despeinado.

—Tal vez no tenga bastante gente para hablar sobre estas cosas.

—¿Bastante gente? No tengo a nadie. Tengo amigos, pero ¿para qué aburrirlos con la cochinilla si tienen una vida sin preocupaciones?

Ella sería una buena interlocutora para él, podría serle de ayuda de muchas maneras. Desde hacía tiempo que se interesaba en temas políticos y le encantaría poder involucrarse más. Estaba seriamente comprometida con las obras benéficas y siempre había sido una buena organizadora. Había heredado suficientes valores de su padre como para imaginarse gestionando un ducado de manera moderna y eficaz.

Pero también sabía que lo que había dicho sobre las presiones de su rango era verdad. La imagen de ensueño que tenía de su vida junto a él era en una casa como Nun's Chase, sentados frente a una chimenea en zapatillas y conversando sobre los acontecimientos del día. No era en una mansión llena de eco, asistiendo a reuniones rodeados de cientos de sirvientes, miles de personas dependientes de ellos y un mundo que se fascinaba por cada cosa que hicieran. Tal vez había sacado a la luz esos temas para que no se hiciera ilusiones, pero esperaba que no fuese así, pues en ese caso habría detectado en ella unos sentimientos profundos, los cuales ni Cressida misma se había permitido admitir.

Un duque no se casaba con una cualquiera de provincias, y por una buena razón. Se estremeció al pensar que pudiera tomarse en cuenta cada una de sus palabras, que se imitase cualquiera de sus tonterías, o que la gente se inclinara ante ella sólo por el honor de estar en su compañía. Sin embargo, ésa era la realidad. Era la realidad en Matlock con las leonas locales como lady Mumford y lady Agnes Ferrault. En Londres lo había visto todo de la manera más descarada. Expresiones como lame pies no eran meras exageraciones.

Él rompió el silencio.

—¿Y qué hay de ti, Cressida Mandeville? ¿Cuándo tengas tus joyas, qué vas a hacer con tu vida?

Se esforzó para contestarle con una sonrisa.

—Volver a Matlock con mis padres y cuidar de mi padre.

—Contrata a una enfermera.

—Tal vez lo hagamos, pero Matlock es mi hogar. Tengo toda una vida allí.

—Estabas en Londres buscando un marido.

—Estaba en Londres porque mi padre pensó que me encontraría un marido de alto nivel. No tengo nada en contra de la idea, pero —se encogió de hombros—, no ha ocurrido.

—¿Acaso están todos ciegos en Londres?

Lo miró a la cara.

—No soy ninguna belleza. De hecho, usted no se fijó en mí.

—¿Nos presentaron? —Tal vez hasta se había sonrojado.

—No, pero he estado en el mismo lugar que usted una o dos veces y no se sintió irresistiblemente atraído por mi belleza y mis encantos.

Lo había dicho en broma, por lo que fue un alivio verlo reír.

—Tal vez estaba tan ocupado evitando las acosadoras del momento que no me habría fijado en ti ni que hubieses llevado un halo alrededor de la cabeza. Pero lo siento.

Le tomó la mano y la besó. Tras un momento de quietud, ella la retiró.

—No, Tris.

—No ¿qué?

—No coquetee conmigo.

No apartó la mirada.

—Nunca te haré daño, Cressida. Mi honor me va en ello.

«¿Cómo puede prometerme eso, loco? Veo que se aproxima el dolor como si se tratase del bisturí de un cirujano.»

—He disfrutado mucho de tu compañía. No me pidas que sea frío.

Le hizo falta coraje, pero fue directamente al corazón del problema.

—Está bien, mientras admitamos ahora que no puede haber nada más que amistad entre nosotros.

Cuando lo vio dudar, sintió cómo su loco corazón le temblaba. Entonces, él le preguntó:

—¿En qué se basa una amistad?

—Debería saberlo.

—Me pregunto si excluye esto.

La atrajo hacia sus brazos. Cressida podía haberse resistido. Lo sabía, sabía que él le estaba dando todas las posibilidades del mundo para hacerlo. De cualquier manera, esto no iba a durar. El bisturí de cirujano haría lo suyo muy pronto. No podía por lo tanto resistirse a lo que su corazón y su cuerpo deseaban con tanta intensidad.

Quieto como una estatua bajo la luna llena, el bandolero observaba el camino, controlando fácilmente a su caballo sin bocado. Su vestimenta era oscura como la sombra. Ocultaba la cara bajo una máscara y una delicada barba al estilo de Carlos I. Hubiera sido invisible si no fuera por la impresionante pluma blanca que adornaba su sombrero de ala ancha.

Jean-Marie Bourreau rogaba para que pasase un carruaje de ricos, y mientras más lo fueran, mejor. Estaba contento de haber salido de prisión, pero le dolía el orgullo. ¿Quién lo había imitado? ¿Quién se había atrevido a tomar su creación, Le Corbeau, y usarla para su propio beneficio?

Jean-Marie y sus hombres habían regresado cautelosamente a la casa de campo. Habían encontrado la destartalada cabaña intacta, aunque le había parecido que la ropa de cama de la habitación escondida no estaba igual que cuando se marchó. ¿Había dormido su imitador en su propia cama? ¡Le arrancaría los ojos, las tripas y los genitales! Sin embargo, los baúles estaban intactos, al igual que su vestimenta.

Tal vez el impostor había hecho su propia versión, como en la obra de teatro de Drury Lane, *Una dama atrevida*. Se había convertido en una especie de héroe para estos ridículos ingleses. Durante sus días en prisión, una bandada de mujeres había ido a visitar a Le Corbeau, e incluso algunas habían sobornado a los carceleros para que les permitieran pasar un rato con él y tener un momento íntimo.

No había sido tan terrible. Ahora estaba libre y debía recuperar su identidad. Él era Le Corbeau.

¡Ah! Se acercaba un carruaje. Vio su objetivo. Uno ligero con dos caballos y sólo un hombre en las riendas. Excelente, poca seguridad y prometedora riqueza. Apareció en medio del camino.

—¡Manos arriba!

El cochero detuvo el carruaje de golpe.

—¡Demonios, creía que estaba en la cárcel!

—Un erog, como ve, monsieur. No me cause pgoblemas.

Miró dentro del carruaje y sonrió. La persona que viajaba era una mujer hermosa y sola. Ese hecho, y que llevara la cara pintada, indicaban que no era un epítome de virtud, pero él tampoco lo era. Sería una cortesana más que una ramera si viajaba en un carruaje semejante, imaginó.

—Madame, requiego un peaje pog el uso de este camino.

—Debéis ser el rey, entonces, ya que éste es el Camino Real.

No tenía el oído habituado a los acentos ingleses, pero pensó que hablaba bastante bien.

—Tal vez. Después de todo, vuestgo guey está loco.

—Y el vuestro —le indicó— está muerto.

—Alas, no, madame. El nuestgo está ahoga muy, muy gogdo.

Sonrió y luego soltó una gran risotada, radiante y verdadera, luciendo sus excelentes dientes. El nuevo rey de Francia había pasado su exilio comiendo sin parar y era conocido como Louis le Gros.

—Entonces no es usted el rey —dijo tras mirarlo de arriba abajo—. ¿Qué tipo de peaje tiene en mente, *monsieur* Le Corbeau?

Jean-Marie se sintió totalmente seducido, tanto que le pareció estar en peligro de perder su comodidad en su montura.

—Alas, *madame*, un peaje gápido. Este cuegvo debe volag antes de que sea targde.

—Aunque me parece que merezco la pena para algo más que un peaje rápido.

Sabía lo que le estaba sugiriendo. ¿Sería como echarse la soga al cuello? La vida, creía, era un riesgo, pero una larga vida exigía un poco de sentido común.

—Tal vez, *madame*, un día podemos explogag estas cosas sin prgisa.

—Por supuesto, señor, tal vez pudiésemos…

—Pero ahoga le debo pedig que se baje del caguaje paga asesogag el peaje de vuestga… hmm… giqueza.

Se le congeló la expresión y abrió la puerta de golpe para bajarse. Él arqueó las cejas al verla de cuerpo entero. Muslos anchos, pantorrillas redondeadas, finos tobillos y esbelta cintura. Se le hizo la boca agua. El canesú de su vestido estaba cortado por debajo de sus magníficos pechos, cubiertos con un leve velo.

Suspiró de nuevo, asegurándose de que lo escuchara.

—Su giqueza, pog lo que veo, son sus encantos natugales, madame. ¿No lleva joyas?

—Vuelvo de una fiesta salvaje que no estaba a la altura de joyas.

La miró nuevamente de pies a cabeza, lo cual no era difícil, para comprobar que sus palabras eran ciertas. No podía esconder mucho bajo su vestido. Solía llevarse un beso de las señoras en lugar de alguna baratija, pero un beso de una prostituta apenas era un pago. Miró dentro del carruaje. En el asiento había una estatuilla blanca. Volvió la vista hacia ella y vio cómo se tensaba. Ah, entonces...

—Me llevagé eso.

—Es algo insignificante.

—Segé yo el que lo juzgue.

Cogió la estatuilla y se la alcanzó para que la mirara.

—Una baratija; una estatua india que gané como premio.

Era de unos dieciséis centímetros, y tenía una talla intrincada, evidentemente de marfil.

—Estoy segugo de que se megece el pgemio, madame, pero tengo mi oggullo y si la vendo tendgá algún valog. Entrgéguemela.

La mirada de ella transmitía furia, lo cual acrecentó su interés. ¿Por qué ese objeto significaba tanto para ella y cómo podía sacarle el mayor provecho?

—Creí que sólo se llevaba la mitad de las pertenencias de la gente, Cuervo.

—No se puede cogtag en dos. —Avanzó su caballo y la recogió de sus manos—. Tal vez, *madame*, le pegmita comprágmela de vuelta.

No era tan buena como pensaba a la hora de esconder sus emociones. Primero se mostró furiosa, luego calculadora y, finalmente, esperanzada.

—Paga eso —apuntó Jean-Marie—, necesitagé vuestgo nombge.

—Miranda Coop —le contestó con la arrogancia de una duquesa—. Verá que mi dirección es muy conocida. Devuélvamela antes de una semana o haré que lo cuelguen.

Volvió a subirse a su carruaje, pero Jean-Marie agarró la puerta de manera que no pudiera cerrarla.

—Me pgegunto dónde es esa fiesta tan animada que decía.

Sus miradas se cruzaron con una divertida complicidad.

—Stokeley Manor, a una hora de aquí. Y sí, casi todos los asistentes están totalmente borrachos.

Parecía que a la dama no le gustaba demasiado la gente de la fiesta. Él inclinó la cabeza, cerró la puerta y permitió al cochero reanudar su camino. Al alejarse, Alain e Yves se le acercaron.

—No estarás pensando en aceptar su invitación ¿no? —le preguntó Yves—. Hará un paquete contigo y te llevará como regalo al verdugo.

—¿Eso crees? —Jean-Marie sonrió al mirar la estatuilla, que era más interesante—. ¿Te parece que esta postura sea posible?

—Lo que creo que es posible es que nos atrapen si seguimos aquí. Y si no vas a venderla nos estamos arriesgando a morir por nada.

Jean-Marie se rió.

—Tienes corazón de mercenario y yo tengo una idea que te va a gustar. ¡Vamos! El Cuervo vuela hacia el norte.

La boca de Cressida jugaba con la boca de Tris, asombrada por el tiempo que una pareja puede pasar sencillamente besándose. Aunque tal vez sencillamente no era la palabra adecuada. Estaba sentada sobre él y cada movimiento brusco del carruaje hacía que se frotase la seda contra la seda y que cada ángulo de su cuerpo encontrara una curva en el de ella.

Su mano estaba nuevamente bajo su vestido, rozándola, caliente y fuerte, creando las sensaciones más deliciosas que se podía imaginar. Deseaba saber hacerle lo mismo, pero estaba demasiado insegura como para preguntárselo o intentarlo. Aún así, lo tenía entre sus brazos y la libertad de su boca. Era algo muy extraño. Su boca había estado tanto tiempo pegada a la suya, que se habían disuelto las barreras entre ambos y sentía que él era parte de ella. El carruaje la empujó nuevamente contra Tris y ella sintió claramente la excitación de él. Su miembro estaba duro. Un deseo ardiente le invadió el cuerpo, pero interrumpió el beso.

—Tenemos que parar.

—¿Ah, sí?

Sus pobladas pestañas le cubrían unos ojos sonrientes, y sus labios parecían más sensuales que nunca, más tentadores, más deliciosos…

Odiaba tener que poner palabras a ese misterio.

—No puedo permitir que me arruine, Tris. Sería desastroso para los dos.

Tomó un mechón de su cabello y lo envolvió alrededor de su dedo.

—Si te quedases embarazada me casaría contigo.

¿Qué tentación más grande podía haber? ¡Tenerlo para siempre y además con un hijo suyo!

Agarró ella misma el bisturí de cirujano y le dijo:

—Lo siento. Yo… lo aprecio, Tris, pero nunca podría ser una duquesa. Tal vez podamos ser amigos, en la distancia. Quizá podamos escribirnos…

—Escribirnos —repitió él.

—O no. —Recogió su cabello interrumpiendo el juego de su dedo—. Somos como viajeros que se conocen en un lugar extraño y se acompañan simplemente porque están lejos de casa. Una vez de vuelta a su origen, se termina la conexión.

—Acabamos de descubrir una conexión muy poderosa.

—Besarse no lo es todo.

Hizo un gesto con los labios.

—Es verdad.

—Quiero decir, hablando de conexión.

—Tienes toda la razón.

—¡Hablo en serio! No tenemos nada más en común.

—¿Ah, no?

Ella sabía que sí y temía que él se pusiese a enumerar ejemplos.

—No importa. Soy demasiado convencional para usted, demasiado decente. Perdería la paciencia conmigo. Lo que le atrae es esto —dijo señalando su exuberante vestido— y a mí, no.

—Me encantaría verte sin él.

Se bajó de sus piernas volviendo a su propio asiento.

—¿Ve? ¡Sólo usted diría algo así!

Él arqueó las cejas.

—Usted y la gente como usted. —Se puso las manos sobre sus calientes pómulos—. ¿Por qué le digo esto? Porque no es serio en cuanto al matrimonio. Está intentando seducirme cuando prometió no hacerlo.

Él se recostó en su esquina del carruaje.

—No, no lo hice. Te prometí que podías confiar en mí y eso sigue siendo verdad. Tampoco es que fueses reacia a besarme, así es que no pretendas que así ha sido. —Parecía relajado, divertido y seductor como Satanás—. Y en cuanto a la seducción, todavía pienso que sería una buena idea.

—¡Sería un desastre!

—No te precipites tanto. Tú, mi intrépida exploradora, no sabes aún lo que hay a la vuelta de la esquina.

—Sinceramente espero que sea Nun's Chase.

—Donde convenientemente hay dos camas y muchas horas aún de esta aventurada noche. Tú viaje no terminará hasta que no estés de vuelta en la casa de tus padres, Cressida. ¿No piensas que sería una pena que te perdieras el mejor de los decorados?

Le tembló la piel y se le tensaron los músculos.

—Es Satanás el que habla.

Se rió.

—¿Crees que estoy poseído por el demonio?

—Creo que es el demonio.

Y lo era. Sabía exactamente cómo jugar con ella. Su mente era tan experta como sus manos y su boca. Por eso no intentaría tocarla ahora y se mantendría en su esquina lo más lejos posible de ella. Sabía que eso lo hacía más deseable.

Y para dejarlo claro, habló.

—Quiero hacerte el amor, Cressida, y puedo hacerlo sin arriesgarme a dejarte embarazada, y sin siquiera romper tu virginidad. Quiero hacerlo por mi propia satisfacción y deleite, pero también por ti. Como dices, este viaje terminará pronto. En mi papel de guía, me duele que dejes mis tierras sin haber experimentado lo mejor, especialmente tras haberte llevado al peor de los lugares. Te ofrezco un placer intenso, con un mínimo de riesgo.

El cuerpo de Cressida se estremeció como respuesta directa y hambrienta a sus palabras. Rogó que no se diera cuenta.

Mínimo de riesgo, se recalcó a sí misma. No había dicho sin riesgo. Lo cual enfatizaba que lo que decía era escrupulosamente honesto, haciéndolo aún más seductor. Valoraba la honestidad y si ella actuara de acuerdo con eso ahora, admitiría que las últimas veinticuatro horas, el tiempo que había pasado con él, habían sido las más honestas que podía recordar. En esta situación, con su exiguo disfraz, se sentía real por primera vez en la vida.

¿Era eso lo que su padre había sentido en la India? ¿Era ésa la razón por la que no había sido capaz de volver a casa, ni siquiera para estar con su mujer y su hija? Arthur Mandeville había encontrado su lugar en la India, pero no era el apropiado para su hija. Era un lugar salvaje, para prostitutas y sus clientes.

—Ojalá pudieses articular tus atormentados pensamientos en palabras —dijo él.

—Entonces intentaría luchar contra ellos.

—Por supuesto. No puedo ver otra objeción racional que no sea el temor de arruinarte.

Ella se rió.

—¿Y le parece poco?

Él encogió los hombros.

—Si se sabe de tu presencia en Stokeley, estarás arruinada. Nada que puedas hacer ahora lo cambiaría y, por supuesto, si llegara a suceder, me casaría contigo.

—Y yo me negaría.

—No voy a dejar que me distraiga una hipótesis. No tienes una opción racional, Cressida, que no sea volver conmigo a Nun's Chase para lo que queda de noche. Lo que hagamos allí, nunca lo sabrá nadie.

—Yo sí.

—¿Pasar la noche juntos sería algo banal y que no está a tu altura?

Eso le dolió.

—¡Hace que la virtud suene como algo vulgar!

—Tal vez lo sea.

—Es un demonio.

—No lo seré hasta que me muera. Y no —le contestó anticipándose—, no intentes salvar mi alma inmortal. No siento que esté en peligro, pero soy lo que soy; aquí el experto soy yo. Lo que arriesgas esta noche, lo único que arriesgas, es que una vez que hayas disfrutado al máximo de tu cuerpo, se te despierte un apetito desmesurado por ese placer. Y eso te puede llevar al desorden.

—Está muy seguro de sus habilidades —le objetó.

—Sí, pero no se te olvide, que ahora te conozco un poco. No eres fría ni difícil de complacer. Hacer el amor será como continuar lo que hemos disfrutado juntos hasta ahora, lo cual, debo admitir, ha sido más que prometedor. ¿Qué quieres, Cressida? ¿Qué es lo que quieres?

—¡No siempre podemos hacer lo que queremos! O por lo menos, nosotros, los simples mortales.

Él agitó la cabeza.

—Antes había leyes que regulaban la vestimenta de la gente de acuerdo con su rango. Bajo esas leyes, habría sido un delito que llevases esos pantalones color violeta. Las leyes, e incluso los pecados, cambian, Cressida. No son inmutables. Lo único que importa en estos tiempos es que no te pillen.

Puso los ojos en blanco.

—Pero existen los Diez Mandamientos.

—Que únicamente prohíben el adulterio.

—¡Oh, usted es realmente imposible!

Sonrió, declarando así su elocuente maldad.

—Eso no lo discuto. Pero lo que ofrezco es honesto y pensé que ya habíamos dejado claro que confiabas en mí. ¿No te he demostrado acaso que soy de confianza?

Cressida se llevó las manos a las sienes, sujetando su cabellera suelta.

—El diablo es de por sí tentador, y hasta convincente.

—Me decepcionas, señorita Mandeville. Eso es un concepto demasiado convencional.

Se agarró a sus palabras.

—Soy una mujer muy convencional.

Sus cejas se arquearon y sonrió con aire incrédulo.

—¡Lo soy! Este viaje es aberrante. Mi hogar, mi verdadero lugar es Dormer Close, en Matlock. ¿No lo ve? —le preguntó, dándose ella misma cuenta de la pura verdad—. Si sucumbo a usted, nunca más me sentiré en casa allí.

Al igual que su padre, que nunca había podido sentirse de vuelta en casa en Inglaterra. ¿Acaso era demasiado tarde ya para ella?

—Pero ¿es Matlock la mejor opción?

Sus palabras resaltaron sus propias dudas y temores.

—Es mi hogar, y lo necesito. Necesito familia, amigos, actividades cotidianas, la comodidad de la rutina. Necesito ser alguien que reconozco y con quien me siento cómoda. No tengo un espíritu salvaje como el suyo, Tris. No soy así.

Suplicó que la hubiese comprendido, que creyera lo que le había dicho.

Tris la estudió por un momento y luego suspiró.

—Como quieras. Pero en ese caso, creo que es mejor que no nos toquemos ni hablemos hasta llegar. Mi fuerza de voluntad, querida Cressida, no es tan fuerte como la tuya.

Capítulo 15

Para cuando llegaron a Nun's Chase, Cressida estaba muy cansada, más que nada de espíritu. No estaba segura de poder conciliar el sueño. Sabía que había tomado la decisión correcta, sana y lógica, pero simultáneamente la sensación de haberse equivocado no la dejaba tranquila.

No era sólo deseo. Era algo más. ¿Instinto? Nunca había creído ser una persona que se dejara guiar por el instinto, que en este momento le decía que había tomado el camino equivocado, a pesar de todas las evidencias expuestas por su lado más racional.

Cuando el carruaje se aproximó a la casa, volvió a colocarse rápidamente la máscara y los velos. Saint Raven bajó por su lado, a pesar de que era el opuesto a la puerta de entrada. Cressida se estaba preguntando si debía hacerlo por su cuenta cuando un mozo abrió la puerta y le ofreció la mano para ayudarla.

El hombre se mantuvo impasible, pero por primera vez sintió la peculiaridad de su vestimenta. ¡Pantalones! ¡Desnudez bajo la fina seda! Al acordarse de los audaces comentarios de Enrique VIII sobre sus posaderas, deseó como nunca llevar la capa que había dejado olvidada.

No sabía la hora que era, pero debían de ser pasadas las dos; esa hora muerta en la que todo parece desolado, incluso cuando no hay motivo alguno. ¡Santo cielo! Tenía buenas razones para sentirse así. No le sorprendía que Saint Raven la hubiese encontrado lo bastante madura para seducirla. Bajo la fría luz de la realidad, se daba cuenta de que se había comportado indecentemente toda la noche.

Tris caminó con ella hacia la puerta, pero no le ofreció el brazo. Lo tarde que era y el aire helado hacían que le doliera todo de frío; pensó en su cuerpo caliente contra el suyo, pero él estaba cumpliendo las condiciones que ella misma había establecido insistentemente. La puerta principal se abrió antes de que llegaran, y Harry se hizo a un lado para dejarlos entrar. ¿Qué diablos pensaría del aspecto que ofrecían?

¿Estaba ya perdida de todas formas? En ese caso…

Saint Raven se volvió hacia ella.

—¿Hay algo que necesite antes de retirarse, señorita Wemworthy?

Pensó que debería hacerle una reverencia, pero con esa vestimenta era ridículo.

—No, gracias, su excelencia.

Debía haber algo relevante que decir al final de su aventura, pero todo lo que consiguió articular fue:

—Buenas noches, su excelencia, y muchas gracias por su dedicación.

Se dio la vuelta y subió las escaleras rogando que los hombres no le estuvieran mirando el trasero. Una vez en sus aposentos, cerró con pestillo, se sentó en la cama y hundió la cara entre sus manos.

Tris la observó un momento al subir, pero enseguida Harry le habló.

—Han llegado algunos papeles por correo, señor. Están en su estudio.

Lo último que necesitaba ahora eran tareas administrativas. Pero si Leatherhulme las había enviado urgentemente, es que lo eran. Además, tal vez le ayudarían a enfriar su deseo. Sin embargo, al mirarlas, se dio cuenta de que no eran tan urgentes. Hacía falta una firma para una inversión. Documentos de una venta en Lancashire. Seguramente eran una manera de reprocharle su larga ausencia de Londres.

Lo que le hacía falta era alguien que pudiese viajar con él y no se asustase fácilmente. Cary lo haría si no fuese porque no le interesaba un trabajo tan monótono, y porque además no le hacía falta el dinero. Dejó los papeles a un lado y los volvió a coger, les echó un vistazo y los firmó. Los lacró con cera, los selló con su anillo, y los puso en el morral de cuero. Al pobre Leatherhulme le daría un ataque si los papeles quedaran a la vista de cualquiera.

Tris se reclinó en la silla y se restregó la cara. Pensamientos, preguntas, dudas y remordimientos le cayeron de pronto encima. Todo relacionado con los últimos eventos, pero aún no podía pensar claramente. Mandaría a Cressida de vuelta a su querida casa y recuperaría la maldita estatuilla. Visitaría a Leatherhulme y se pondría al día con la administración. ¿Y después?

Le hubiera gustado salir del país, pero lo más que podía permitirse era un descanso en Cornwall. O tal vez no. Se había prometido a sí mismo que una vez que fuese duque se casaría para procrear. Ya había pasado un año y había conocido a todas las candidatas en boga. Debía hacerlo de una vez por todas y quitarse el tema de encima.

Cressida quería llorar, pero temía hacer ruido. Si Tris la escuchaba iría a verla y todo volvería a empezar. No soportaba la idea de hacerle daño nuevamente. Se irguió, frunciendo el ceño. ¿Hacerle daño? ¿Al duque de Saint Raven? Era algo absurdo y presuntuoso por su parte. Haberlo rechazado no era para él más que un pequeño inconveniente, no una herida. Seguro que ya se habría olvidado.

Aún así, había percibido algo en él, una especie de dolor. Era, pensó, tal como aparentaba ser: un joven sano y privilegiado que disfrutaba de la vida. Pero, sin embargo, por debajo había una tristeza escondida. Tal vez fuera fruto de la muerte de sus padres. ¿Qué edad tenía? Doce. Sus padres claramente se amaban y debieron haberlo querido mucho. Intentó imaginárselo. Completamente perdido y alterado con un sólo golpe del destino.

Recordó que le había preguntado «¿qué es un hogar?» Aunque fuese una locura deseaba darle un hogar, aunque sólo fuese una casa acogedora como la que tenía en Matlock. Tris tenía muchas casas, pero le faltaba un hogar. Su casa de la infancia, Cornhallows, había pasado a otras manos. Su lugar oficial era Mount Saint Raven en Cornwall, donde había estado muy poco tiempo. ¿Y Nun's Chase? Daba la impresión de que sólo la usaba para sus fiestas lascivas. Debía tener una casa en Londres, además de todas las otras de las que se quejaba y sentía como una carga más. Pobre Tris Tregallows. Pobre niño huérfano…

Se puso de pie, ahuyentando esos pensamientos. Si seguía, le absorberían toda su fuerza de voluntad. Se quitó la máscara y los velos, y lo que le quedaba de esa loca noche. Mañana por la mañana volvería a su realidad y pronto todo aquello le parecería un sueño.

Se bajó de la cama y se dirigió al lavamanos. Al mirarse en el espejo vio la cara de Roxelana, las cejas oscuras y un toque de carmín en los labios. ¿Habían perdido color a lo largo de la noche o debido a esos besos eternos? Se lavó la cara y se la frotó hasta parecerse nuevamente a Cressida Mandeville. Era interesante ver que la convencional señorita había permanecido ahí bajo su disfraz. Abrió la maleta para mirar la pequeña selección de ropa que había llevado para su suplicio con Crofton. Había insistido en que trajera un vestido de noche para el viaje y otro para su estadía, pero había traído dos más y mudas de ropa interior. Ahora podía reírse de sí misma. Nunca se hubiera imaginado a lo que se iba a enfrentar.

Sacó su vestido de fiesta, muy bonito pero sin destino en el entorno de Crofton. Era su vestido de verano de lino fino. Tenía mangas cortas y el escote adornado por un lazo verde. Casi a regañadientes, se sacó sus prendas indecentes y se lo puso. Era raro que vestirse con una sola pieza fuese más decente que ponerse dos. No iba a ir a ningún lado con ese con su vestido de noche. Iba a dormir con él.

Su cabello. Se sentó ante el espejo para cepillárselo. Normalmente se lo trenzaba, más por «decencia» que por necesidad. Lo tenía liso y pesado, por lo que no se le enredaba. Tris tenía razón en cuanto a eso. Había mucho sobre la decencia que era absurdo, como que las mujeres tuvieran que salir siempre con guantes y sombrero. O que al querer referirse a los pantalones o bombachos de un hombre tuvieran que llamarlos los «innombrables». O no poder pasar por Saint James Street, donde estaban los clubes de caballeros. En un momento de rebeldía, decidió dejarse el pelo suelto, se acercó a la cama y permaneció frente a ella. Al pasar un rato aceptó el hecho de que no iba a acostarse en ese lecho. Era extraño como de pronto las cosas se le habían aclarado, como si la niebla se hubiese despejado en un instante.

Tris tenía razón. No podía terminar su viaje de aventura sin explorar lo que le había ofrecido. Su terrible curiosidad la empujaba, pero el mayor ímpetu, la fuerza que la poseía por completo, era la apremiante sensación de que ella era importante para él. No entendía cuáles eran sus necesidades precisas, pero sabía que iban más allá del deseo. Tal vez, más allá de todo, necesitaba su confianza. Y decidió que él se había ganado ese derecho. Por lo tanto, le dio la espalda a la decencia y dejó la habitación, siendo lo bastante cauta como para asomarse y ver que no había nadie por los pasillos. Fue hasta su puerta. ¿Nuevamente abrirla sin más o llamar?

Llamó a la puerta. No hubo respuesta.

Entonces, escuchó muy débilmente su voz en el piso de abajo. Seguramente estaba dando las órdenes para el día siguiente, en que viajaría a Londres. No había nada que hacer; tendría que volver a su cuarto e irse a la cama.

Luego las voces se hicieron más fuertes. Y escuchó:

—Si el señor Lyne regresa pronto, pasadle esto.

Siguieron suaves pasos. ¡Estaba subiendo las escaleras! Cressida tuvo un momento para recapacitar. Tenía suficiente tiempo para correr a su habitación o entrar en la de él. Abrió la puerta y entró, cerrándola con exquisito cuidado y sin hacer ruido. Pero una vez hecho esto, le entraron las dudas.

¿Qué pasará si ya no está de humor?

¿O si ha considerado más juiciosamente los riesgos?

¿Y si es un libertino como había pensado desde un principio y la dejaba abandonada con un niño?

Aunque estuvo tentada de esconderse tras las cortinas, se mantuvo firme. Estaba temblando y tenía las manos fuertemente entrelazadas cuando él abrió la puerta.

Tris se detuvo. Después, lentamente y sin apartar sus ojos de los de Cressida, cerró la puerta y se apoyó en ella. Su mirada, su respiración, le decía que el primero de sus temores no tenía fundamento. No le había cambiado el humor, pero aún así, no se dirigió hacia ella.

—No veo botones que desabrochar —dijo finalmente con una voz profunda, casi áspera.

Sus dedos estaban trenzando el fino algodón.

—No.

—¿Estas aquí para atormentarme?

—No lo sé —tragó saliva—. Usted es el guía experto.

Miró hacia abajo, y rió levemente.

—En este momento no quiero serlo. —Volvió a mirar hacia arriba—. ¿Por qué, Cressida?

Sintió que la seguridad en sí misma se le debilitaba.

—¿Ha cambiado todo? ¿Quiere que me vaya?

Fue hacia ella y le tomó las manos.

—No, Dios mío, en absoluto. Me había dado por vencido. Si tu intención era hacerme perder la cabeza y todo tipo de coherencia, no podías haberlo hecho mejor. ¿Te das cuenta, mujer, que es mucho más devastador tu virginal vestido de noche que tu disfraz de hurí?

Sintió cómo su cuerpo se acaloraba y la invadía una sensación de alivio.

—No, la verdad. No pensaba venir, mi intención era irme a la cama, a mi propia cama.

—Pero cambiaste de idea —le dijo tomándola por las manos, haciendo que tan sólo ese punto de contacto bastara para estremecer la mente de Cressida—. ¿Podrías decirme por qué, Cressida? Detesto dudar de tan precioso regalo, pero no podría vivir conmigo mismo si hiciera algo esta noche que te pudiera hacer daño.

Lo miró con ternura y se rió.

—¡Sólo usted se resiste ahora, Saint Raven! ¿Acaso teme que desaparezca tras intimar de esta manera con usted?

—Si desapareces, desapareces. Primera regla, llámame Tris. Si no puedes hacer eso, no hay motivo para que nos acerquemos una pulgada más.

Debía de serle fácil, pero dudó antes de decirlo.

—Tris es una persona tan sencilla…

—No es verdad.

—Quiero decir, simple. Un hombre, no un duque.

—Cierto.

—Pero Tris es el duque.

—También es verdad. Pero no esta noche. Esta noche seremos Tris y Cressida. Calientes, sudorosos y desnudos. Esta noche tendrás el contacto más íntimo que habrás tenido desde el día en que te deslizaste indecorosamente del vientre de tu madre. De eso estamos hablando, Cressida. ¿Lo deseas?

Lo miró a los ojos.

—¡Maldito! ¡Me conoces tan bien! ¿Cómo puedo resistirme después de eso? Sí, es lo que quiero, Tris.

Él la trajo hacia sus brazos.

—¿No te das cuenta de que mis palabras hubiesen hecho chillar a la mayoría de las señoritas vírgenes?

—¿Por miedo a la falta de decoro?

—Por lo de caliente, sudoroso y desnudo.

Ella ya se sentía caliente, sudorosa y desnuda.

—Tal vez es porque ya he pasado por una orgía.

—Tal vez sea eso.

Sus manos comenzaron a acariciar su espalda. Sentía su piel a través de la fina tela, como si nada se interpusiese entre ellos.

—Espero complacerte también —susurró Cressida.

—Lo harás.

—Quiero decir, hacer algo que te complazca. Deseo..., no sé lo que deseo, pero darte algo a ti.

Inclinó la cabeza para rozarle los labios con los suyos.

—Cállate, ya hemos hecho nuestra tarea. Hemos pensado, hablado e intentado ser sensatos. Ahora podemos simplemente sentir...

Llevó los brazos a su espalda y le cogió las manos, trayéndolas hacia su pecho, dejándolas pasar por el brocado de su chaqueta, haciendo que sus dedos se detuvieran en los botones.

—Si quieres hacer algo por mí, amor, desabróchame.

¿Desvestirlo? Exactamente.

Cressida comenzó a desabrochar los botones uno a uno, consciente en cada segundo de su calor, su olor y la profundidad de sus respiraciones. Cuando terminó le abrió la chaqueta y se la quitó pasando por encima de sus hombros, dejando al descubierto su camisa de seda blanca. Lo miró para saber si tenía más instrucciones para ella, pero él estaba relajado, casi pasivo, dejándola hacer lo que desease.

—Me conoces demasiado bien —le susurró, tirando de la camisa por fuera de los pantalones.

Cuando estuvo suelta deslizó las manos por debajo de ella, apoyándolas en sus ardientes y firmes costados. Ella se sintió ligeramente mareada.

—Puedes seguir tú ahora.

—Continúa, te salvaré si te caes.

La conocía bien. O mejor dicho, conocía bien a las mujeres. O tal vez era este misterioso asunto el que conocía bien. Eso era, según las leyes de la decencia, algo que debería disuadirla de continuar, aunque no podía imaginarse una buena razón por la que hacerlo. Un guía con experiencia le parecía una buena idea para adentrarse en esa selva tórrida y desconocida.

Tal vez debiera sacarle los gemelos de los puños y quitarle la camisa, pero quería descubrirlo primero así, con su tacto. Con los ojos cerrados, dejó que sus dedos recorrieran su piel, sintiendo cada caricia con las palmas de sus manos.

De pronto se le despertaron los sentidos. Su olfato se deleitaba con el olor de él a la vez que sus oídos percibían a través de su piel sedosa, de sus ágiles músculos y su elegante osamenta cada una de sus profundas respiraciones. Se maravilló al pasar de su sólido tórax a su firme abdomen y sonrió al sentir el pequeño orificio del ombligo. Puso sus labios ahí e inhaló su aroma. Luego asomó la lengua para sentir su sabor. En ese momento él la distrajo, tocando suavemente sus hombros, para luego acariciar su cuello. Le pasó los dedos por el cabello y lo recogió en su nuca. Ella se levantó, arqueando el cuello, llevando las manos hacia su espalda para acariciar el firme arco de su columna. Nunca había visto su espalda.

Abrió los ojos y lo miró, sin poder enfocar la vista al principio. En la mirada de él leía deseo, aunque fuese un lenguaje que ella aún no conocía. Le besó la frente, ella se balanceó y luego se concentró en desabrochar los tres botones del puño derecho de su camisa, luego el izquierdo. Después intentó sacarle la camisa, pero le era difícil por su altura.

—Lo tendrás que hacer tú —le dijo a Tris.

Él apoyó una rodilla en el suelo.

Capítulo 16

Se puso detrás de él y le sacó la camisa por la cabeza con mucho cuidado, como si fuese un niño. Apareció su espalda, una obra de arte, toda para ella. Suavemente le acarició sus anchos hombros y la nuca, absorbiendo sus sensaciones con todos los sentidos que conocía y otros que estaba descubriendo. La cabeza le daba vueltas como si la poción aún le hiciera efecto, pero esta intoxicación se debía a él. Sólo a él. No podía enfocar bien la mirada, los latidos de su corazón y su pulso palpitaban con desenfreno. Aturdida, se agarró a sus hombros.

—Me caigo…

Él se levantó lentamente, y dejando que le soltara las manos, se volvió hacia ella y la besó.

—¿Mi nombre?

—Tris. Tristan Tregallows.

—He sido esa persona toda mi vida hasta el año pasado. A veces me temo que el pobre Tris Tregallows está perdido. Encuéntramelo, Cressida.

La besó, primero con dulzura, como si nunca se hubiesen besado, para llevarla luego a lugares más oscuros y peligrosos. Ella se dejó arrastrar por ese remolino de sensaciones, sin darse cuenta de que sus piernas habían cedido hasta que la levantó en sus brazos para llevarla a la cama.

Después se levantó para quitarse el fajín, dejándolo caer delicadamente encima de ella.

—Puedes atarme luego si quieres.

En su estado de ensoñación captó el mensaje sin entenderlo.

—¿Qué?

—Sólo si lo deseas.

Con la mirada puesta en sus ojos, deshizo el nudo de sus pantalones y los dejó caer. Un escalofrío la recorrió de pies a cabeza, en cierta manera era por los nervios, pero más que nada era de deseo. La expresión de Tris era de cautela, como si pensara que se iba a arrepentir. Ella entendía la razón, pero todo lo que sentía era un deseo ardiente y desesperado. Un hombre lujurioso era tan bello a la vista que le sorprendía que los artistas no los pintasen.

—Me siento algo impaciente, mi guía.

Su cautela inicial se había transformado en un burbujeante y travieso deleite.

—La anticipación, muchacha, es la clave de todo.

Tiró de ella para que se pusiese de rodillas y le sacó su vestido por arriba. La desnudó lentamente, con los ojos puestos en la piel que iba surgiendo, haciendo una pausa cuando la tela blanca de su ropa interior dejó sus senos al descubierto. Ella miró cómo sujetaba la tela, y sintió que sus labios pasaban por la parte superior de sus pechos. Pensó en Crofton y en Miranda Coop, y en lo degradada que era su versión de eso mismo.

—Casi todos los hombres adoran el misterio de los pechos de una mujer, Cressida. Dulces y suaves, y a la vez firmes. La naturaleza, que es sabia, ha hecho que el tacto de un hombre dé placer a la mujer, pero como los varones somos así, jugamos con ellos porque nos encanta.

Sus labios se dirigieron a su pezón izquierdo, provocando en ella una sensación nueva y exquisita. Luego comenzó a jugar con la lengua. Ella deseaba más y más, pero él se volvió hacia el otro, dejándolo igualmente insatisfecho. No iba a quejarse ya que sabía que quedaría satisfecha. Estaba allanando el camino que iban a emprender, preparándola. Ahora su vestido estaba a la altura de sus caderas. Él la acarició con la boca a lo largo de su cuerpo, y se dirigió al ombligo, donde se detuvo para jugar con la lengua. Luego se levantó para ponerla en pie y liberarla: de su vestido, de sus pensamientos, de todo aquello que no fuese deseo.

Dio una vuelta con ella en sus brazos. Para no sentir vértigo, puso las piernas alrededor de su cintura. Siguió girando y la besó, llevando cada sensación al lugar donde su deseo estaba abierto a su calor. Las paredes podían caerse o encenderse. Pero a parte de este momento nada le importaba. Interrumpió el beso, con la mirada oscura y aturdida, igual a como se sentía ella, y poco a poco la tendió en la cama, dejándola caer suavemente. Con una rodilla en la cama, recorrió con las manos el interior de sus piernas hacia los muslos, llegando cerca, muy cerca...

De pronto estaba a su lado, tomando su cuerpo con un brazo mientras su mano iba donde ella más deseaba. Se acordó de la orgía, del tormentoso deseo de su entrepierna, de la necesidad de restregarse contra él, pero esto no tenía nada que ver. Tal vez fuera igual de intenso, pero totalmente distinto.

Su boca volvió a sus senos.

—¿Tris?...

—¿Sí? —murmuró él.

—¿Qué hago?

—Yo soy el guía ¿recuerdas? Deja que yo te lleve —le contestó mientras seguía haciendo movimientos circulares en su entrepierna—. Al acercarnos a este desconocido lugar, nos asomamos del alto acantilado para ver la niebla allá abajo. Y aquellos que tienen la valentía de lanzarse al vacío aprenden que merece la pena. Lánzate, Cressida.

Volvió a llevar los labios a su seno y comenzó a chuparlo. Ella sintió que la empujaban a un precipicio, pero se resistió, asustada. Tenía miedo a caerse de la niebla, como si fuera a disolverse, como si le esperase la muerte.

Pero ni su boca ni sus manos le permitían volver atrás. Seguía llevándola hacia ese punto de ruptura mientras ella arqueaba el torso.

Podía romperse o volar.

Confianza.

Se dejó llevar y cayó, chillando en su interior mientras descendía en espiral a través de la niebla hacia un lugar oscuro y muy profundo. Con él, aferrada a su cuerpo, besándolo, con la rodilla sobre su cadera. Lo estaba llamando, lo necesitaba.

—No podemos ¿verdad?

Su respiración era entrecortada.

—No lo haremos.

Besó su cabello y la acarició, tenía las manos temblorosas.

—Tris…

—Shh.

Bajó de la cama, llevándola con él, echó la colcha hacia atrás y la colocó entre las sábanas. Luego la tapó.

—Vengo enseguida.

Cressida, aturdida, lo vio salir del cuarto y pensó que su magnífico cuerpo era digno de una estatua de mármol.

Un guerrero.

No, un atleta.

Se tapó más, sintiéndose de pronto fría y perdida. Pero era sólo el aire de la noche sobre su sudor. «Esta noche tendrás el contacto más íntimo que hayas tenido desde el día que te deslizaste indecorosamente del vientre de tu madre.»

¡Oh, sí! Pero no lo había completado y ahora él no estaba allí. Debía haber hecho algo mal. ¿Se habría ido para el resto de la noche? ¿Tendría otra oportunidad? Aunque le parecieron siglos, él apenas tardó. Volvió con una sonrisa perversa y un frasco rojo en la mano. No parecía enfadado ni decepcionado. Pero no tenía el mismo aspecto… rampante, que tenía antes cuando salió de la habitación con el miembro duro como una barra.

Ella iba a preguntarle algo, pero él agitó la cabeza.

—Siempre curiosa. No me fiaba de mí mismo y… me deshice del problema.

—¿Te deshiciste de qué?

—Maldita sea, Cressida. ¿Tienes que saberlo todo?

Se había sonrojado. El duque de Saint Raven se había sonrojado.

Aunque tenía ganas de reírse con gusto se fijó en el frasco que llevaba.

—¿Qué es eso?

—Aceite. Para dar masajes.

La piel de Cressida le cosquilleó sólo de pensarlo, pero luego añadió:

—Esperaba que me lo esparcieras por la piel.

Oh. ¡Oh, sí!

Le había dado tanto placer y ahora se lo podía dar a él. Sonrió, sabiendo que tal vez parecía demasiado tierna y que dejaba ver emociones que prefería ocultar, pero era inevitable. Salió de la cama y cogió el frasco de su mano.

—Tumbaos, mi sultán.

—Él retiró la colcha hasta los pies de la cama y se detuvo, mirándola.

—Cuando un hombre desea a una mujer, su pene se agranda y se pone duro para poder entrar en ella. Es placentero, pero también se acerca un poco al dolor. Ese estado hace difícil el control. El alivio ideal es el cuerpo de una mujer, pero la mano también sirve. —Sonrió travieso—. A veces se le llama tener un encuentro con la señorita Palma y sus cinco deliciosas hijas.

Cressida se mordió los labios, pero se le escapó una risotada.

—Gracias. Por contármelo…

Él le sonrió con una leve sombra de ironía, pero también con ternura.

—Ya no tenemos que proteger tu pureza, así que es mejor que estés informada.

Ella recordó algo que había visto en la fiesta.

—¿O una boca?

Hizo una mueca de dolor y ella lo miró.

—Ah, como antes con el pepino…

—Exactamente. ¿Ahora podríamos continuar?

Se recostó sobre las sábanas, con la cabeza apoyada en la almohada y los brazos por detrás.

Esta vez aguantó la risa. Le vinieron varias ideas, pero no sabía si sería lo bastante valiente para llevarlas acabo, aunque le intrigaban. Por el momento tenía aceite y el deseo de regalarle algo por lo menos tan maravilloso como lo que él le había dado a ella. Sacó la tapa del frasco y lo olió. Un olor sutil que no era de flores ni el de sándalo tan familiar.

—¿Qué es? —le preguntó echando un poco de aceite en la palma de la mano.

—Varias especias orientales.

—¿Con efectos interesantes?

Él se limitó a sonreír.

Dejó el frasco a un lado, se frotó las manos y se las llevó a la nariz. No la volvió loca de deseo al instante, pero el olor penetró dulcemente en su cabeza. Subió a la cama y comenzó a mover las manos en movimientos circulares sobre su espalda. Su deseo era darle placer a él, pero al deslizarse por sus seductoras curvas y ángulos comenzó a dejarse llevar por su propio deleite. Cerró los ojos y comenzó a vivir sólo de sensaciones, apretando un poco más fuerte para sentir la resiliencia de sus músculos, el tacto de sus huesos. Luego más suave, sólo rozándolo. ¿Demasiado suave? Lo miró y lo encontró tal como quería verlo, gozando, con los ojos cerrados y la boca relajada. Luego Tris le pidió algo.

—Escribe tu nombre en mi espalda.

—¿Cómo?

—Con tu uña, suavemente.

Comenzó a escribir Cressida a lo largo de su columna, de abajo arriba. Luego escribió Elizabeth y también Mandeville, mientras él contorneaba su espalda como un gato.

—¿Tanto te gusta?

—Luego te toca ti.

Se le secó la boca y se le erizó la piel sólo de pensarlo, segura de que habría más cosas que le pudiese hacer para complacerlo. Tomó el frasco y volvió a untarse las manos de aceite.

—¿Tenéis alguna otra sugerencia, mi Sultán?

—Sólo recordarte que somos Tris y Cressida. Estamos sanamente desnudos.

Se frotó las manos, sintiéndose inundada por el aroma sensual del aceite mientras se aguantaba las ganas de echarse a llorar de emoción.

—¿Qué más puedo hacer para complacerte, Tris?

—Hay partes de mi piel donde aún no has puesto aceite.

Pensó en sus piernas largas y fuertes, se colocó cerca de sus tobillos y comenzó a masajearlo con aceite subiendo por sus pantorrillas y luego sus muslos, consciente de que se acercaba a su trasero. Su grupa, como hubiese dicho Enrique VIII. Se mordió el labio inferior al ascender por la curva de sus firmes y redondos glúteos, y sintió cómo él se tensaba al sentir sus manos. Eso hizo que parara.

—Si te duele no tienes más que…

—Creo que puedo soportarlo —le contestó conteniendo la risa.

Este masaje la había excitado tanto como a él y la tentación volvía a invadirla, deseaba entregarse a él para aliviarlo de su carga y sentir juntos ese momento. Pero sabía que los llevaría al desastre, porque aunque estuvieran compartiendo unos momentos mágicos, debían tener cuidado. Ninguno de los dos quería que esa noche los uniera de verdad. Sentía que así era. O tal vez no tanto.

Sin embargo, había prácticas deliciosas que eran seguras, y ésta era una de ellas, pensaba con lágrimas en los ojos mientras amasaba su piel firme. En fin, quizá no estuviesen garantizadas del todo. Caminaban por el filo de la navaja y el mayor peligro era su débil voluntad. Era una injusticia del destino haberla traído hasta este hombre en ese lugar, y hacer que el matrimonio fuera un sueño imposible.

Un calambre en la pierna la trajo de vuelta a la realidad; llevaba mucho rato en la misma postura por lo que se montó encima de sus muslos y se sintió mucho más cómoda. Desde ahí podía rozar su piel o presionar sus músculos, aplicando además su propio peso. Eso es lo que hizo al llegar a los hombros, cada vez con más fuerza, y como veía que él no se rompía ni se quejaba, aprovechó para descargar parte de su frustración antes de volver a sentarse sobre sus muslos para concentrarse nuevamente en los glúteos y la parte baja de la espalda.

Sabía que no volvería a hacer nada parecido, ni siquiera si se casaba, porque la gente decente no hacía ese tipo de cosas.

Por lo tanto, esa noche iba a experimentar todo lo que fuese posible, se dijo a sí misma, mientras acercaba la boca al final de su espalda para sentir el sabor del aceite, de Tris y su magia.

Lentamente se empezó a girar hacia ella, y al volver a sentarse vio que eso estaba duro otra vez. Primero apartó la vista, pero luego volvió a mirar para estudiar su miembro; era como una columna venosa coronada con una cabeza que se dividía. Imaginó que por allí salía la semilla. Encontró valor y la tocó con la punta de los dedos.

—Está muy dura. ¿Por qué?

La pregunta le provocó risa.

—Si me preguntas sobre fisiología, en este caso no soy el guía —le contestó cubriéndole la mano con la suya, envolviéndole los dedos a su alrededor—, pero si hablamos de otras cosas, es por ti que está así, Cressida, sólo por ti.

Sensiblerías. Decidió no creerse una palabra.

—¿Eso implica que nunca antes de conocerme la habías tenido dura?

—Los hombres somos hombres, animales. Pero esto, aquí y ahora, es por ti.

—O el masaje.

—Me han dado masajes profesionales, amor, y nunca había reaccionado así.

Amor. Sus miradas se cruzaron por un momento. Seguramente a todas las mujeres que se llevaba a la cama las llamaba así. Los hombres llaman a las mujeres «querida señorita» sin apenas conocerlas o les decían ser «sus humildes servidores» sin tampoco serlo. Pero prefirió pensar en lo que era verdad en esos momentos. De hecho, era evidente que la deseaba y la prueba de ello estaba en su mano. Comenzó a moverla hacia arriba y hacia abajo, observando si había una reacción. Ésta no se hizo esperar; sus labios volvieron a entreabrirse, eso es lo que quería ver aunque era consciente del peligro de mirarlo. Se veía tan guapo así, excitado, con los ojos casi cerrados, el pelo revuelto, que le rompía el corazón.

Podía ver el peligro de los dragones, las serpientes y los cocodrilos de las historias de su antepasado, el explorador señor John Mandeville. Ahora sentía los riesgos que no había considerado al comenzar este viaje. Había estado dispuesta a perder su virtud, pero nunca su corazón. Menos aún por la belleza y encanto de un hombre, ni por su riqueza y su rango. Ni siquiera por su experiencia en asuntos sexuales. Aunque sí era capaz de perderlo por un hombre que le encantaba, que compartía sus dolores con ella y respondía libremente a sus caricias.

De pronto Tris abrió los ojos y vio en ellos una señal de alerta. Ella le sonrió y siguió moviendo la mano aún sin estar muy segura de qué debía hacer aunque sabía que si hacía algo mal se lo haría saber. Lo que le pareció natural era usar ambas manos, subiendo una primero y luego la otra, con un ritmo lento y suave hasta que decidió cautelosamente continuar sólo con una, cubriendo el extremo, la zona que parecía más sensible.

Tal vez tan sensible como se sentía ella entre las piernas, queriendo frotarse contra él. De pronto escuchó un gemido y sintió un brusco movimiento.

—Eres muy lista, Cressida —murmuró—. Pero ¿no te importará si ensucio un poco?

Sabía a qué se refería ya que una gota de fluido relucía en la punta de su miembro.

—No, no me importará.

—Tírame el fajín por encima.

Sintió que se ruborizaba, pero no le pareció una situación incómoda ni le dieron ganas de echarse atrás, sino que se excitó enormemente con este nuevo misterio. Con el corazón latiendo fuerte, alcanzó la faja de seda negra, pero en vez de echársela por encima, la arrastró suavemente por su cuerpo.

Él se rió, tembloroso.

—¡Qué viajera más intrépida eres! Pero lo que quiero son tus manos.

Era una petición muy clara y le encantó que se lo pidiera. Dejó caer la seda sobre él y por debajo continuó tocándolo como antes, intentando sentir cada reacción y atreviéndose esta vez a mirarlo a la cara. Después de un rato, cerró los ojos como si frunciera el ceño. Eso la hizo vacilar, pero recordó que él no dudaría en decírselo en caso de que sin querer le hiciera daño. Sus caderas comenzaron a moverse al ritmo de sus manos y su cara cobró una expresión de dolor y vio la misma desesperación que había sentido ella justo antes de caer.

Sin saber por qué comenzó a ir más rápido, al ritmo de su propio pulso y la agitada respiración de él, incitándolo al clímax. ¿Acaso era siempre así? De pronto Tris se puso rígido y gimió sofocado, mientras ella sintió que el fluido de su semilla brotaba de su miembro. Lo cubrió con la tela de seda y no lo soltó, viendo cómo todo su cuerpo se tensaba una y otra vez.

Después, todo había terminado. Ella también respiraba agitadamente, satisfecha de saber cómo se sentía él en ese momento y con ganas de más, atormentada por aquello que no podían hacer.

Abrió los ojos y sonrió.

—Gracias.

—Ha sido realmente un placer, pero…

Se sentó, tomó la faja de sus manos y la dejó caer al suelo.

—Pero ¿hemos acabado ya?

Él se echó a reír.

—¡Oh, no! Mientras estemos los dos despiertos, no habremos acabado. Me toca a mí cubrirte de aceite ahora. Volvemos a empezar…

Capítulo 17

Cressida se despertó preguntándose a qué hora se había dormido y qué hora sería en ese momento, pero tampoco se sentía muy preocupada al respecto. Las cortinas estaban cerradas y la habitación en penumbra, aunque entraba suficiente luz como para ver a Tris, su amante, dormido boca abajo y con la cabeza girada hacia ella.

Deseó acariciarle el cabello que le caía sobre la frente, mientras dormía. Durante la noche tocarlo había sido lo más natural del mundo, por todas partes y como ella había querido; también dejarse tocar. Sonrió recordando sus manos aceitosas recorriendo su cuerpo, dibujando suaves formas sobre su espalda extasiada. Luego ella había insistido en volver a masajearlo, esta vez tumbado boca arriba, aliviándolo nuevamente. Él la había besado y acariciado hasta llegar al éxtasis al menos dos veces más.

Suspiró con el delicioso recuerdo; en el fondo sentía cierta tristeza. Le daba pena que la salvaje aventura hubiese concluido, aunque estuviera incompleta. Pensó que nunca más volvería allí. Estaba destinada a vivir en Matlock, y él a un gran matrimonio. Tenía que aceptar que iba a ser un amante tan experto con la señorita de alta cuna con la que contrajese matrimonio como lo había sido con ella. Aunque sólo lo hiciera por gentileza y honor. Sin duda alguna, su duquesa aprendería a complacerlo también, a masajearlo con aceites exóticos. Y la pobre Cressida Mandeville se quedaría fuera del paraíso de las delicias.

Se quitó ese pensamiento de la cabeza. Sería una ingrata si mostrara su tristeza y todavía les quedaban cosas por hacer. Aún tenían que recuperar la estatuilla, o al menos las joyas, de las manos de Miranda Coop.

Él abrió los ojos.

—¡Buenos días! ¿O buenas tardes? No me sorprendería.

Rodó para ponerse de espaldas y se estiró. La ropa de cama descendió hasta su cintura, instigando en ella toda clase de pensamientos insensatos.

—No tienes reloj.

—No me gusta oír el tic-tac, pero tengo un montón de sirvientes que se aseguran que me levante a la hora.

Ella no pudo contenerse de pasarle los dedos por el abdomen.

—Pues no ha aparecido ninguno.

—Les dije que no nos molestaran hasta que llamásemos. —La miró a los ojos—. No es que esperase una noche así, amor, sólo que tal vez nos haría falta un poco más de sueño.

Dejó la mano quieta.

—¿Lo sabrán? ¿Sabrán que he estado aquí?

—Sabrán que pasé la noche en esta cama contigo.

El aceite. Los olores. Calor, sudor, desorden.

La invadió una inquietud y por primera vez no se sintió bien, incluso mancillada. ¿A cuántas mujeres habrá masajeado en esa cama? ¿Cuántas habría después de ella? Un desfile eterno. Estiró la espalda, como para alejarse de su consternación. Sabía quien era; nunca lo había escondido ni sentía vergüenza alguna. Ésa era la razón, incluso aunque fuese posible, por la cual no podía casarse con él.

—Pero ¿sabrá alguien que era yo, Cressida Mandeville?

Le tomó la mano y la besó.

—No imagino cómo. Nadie, excepto Cary, conoce tu nombre. Harry y su madre son los únicos que te vieron sin disfraz. Confío en su discreción y en cualquier caso, dudo que te vuelvan a ver alguna vez.

Tan honesto. Tan directo. Tan brutalmente franco.

—Estarás a salvo si consigues regresar a casa sin levantar sospechas. Volverás antes de lo planeado.

Ella retiró su mano.

—Le contaré a mi madre que había un enfermo en la casa y que yo estorbaba. Pero ¿cómo vuelvo? No me parece oportuno hacerlo en tu carruaje.

—No tiene nada que lo distinga de otro. No pasará nada.

Tris se sentó como mirando hacia el futuro sin un asomo de pesadumbre por lo sucedido esa noche; el muy insensible. Pero apartó ese pensamiento, pues en el fondo estaba contenta y lo último que deseaba para él era que tuviera el corazón roto como el suyo.

—¿Y qué hay de la estatuilla?

—Déjamela a mí. A Miranda le encantará recibirme. Con un poco de suerte, podré vaciarla sin que se de cuenta.

Un corte limpio, entonces. Una vez que se subiera al carruaje, todo habría terminado. A no ser qué…

—¿Cómo me devolverás las joyas?

Tris frunció el entrecejo.

—¿Te preocupa que no lo haga? Esperaba más confianza por tu parte.

Pensó que él le leía la mente.

—Claro que confío en ti. Sólo que siempre me han preocupado los detalles, eso es todo.

La tomó por la nuca y la besó.

—Pronto tu familia y tú estaréis de nuevo a salvo. Volveréis a la vida de antes. Te lo prometo.

Cressida quiso golpearlo con un objeto pesado, pero en vez de eso, contestó a sus palabras.

—Gracias —dijo bajándose de la cama con una sonrisa y recogiendo su vestido—. Necesito ayuda para vestirme.

—Será para mí un privilegio.

Pensó en alguna posible objeción, pero al mirarlo se dio cuenta de que tendría que luchar contra él. No deseaba hacerlo. Él nunca le había mentido. Esto había sido un viaje de una noche y nada más.

—Te ayudo en cuanto me haya vestido.

Bajó de la cama y se puso los arrugados pantalones de seda. Al verlo acercarse a la puerta y asomarse al corredor ella volvió a desearlo.

—Ni un alma.

La noche no había concluido aún…

Abrió más la puerta. Ella dejó sus locos pensamientos de lado y cruzó la estancia. Tal vez debería decir algo significativo en ese momento, pero en cambio cruzó silenciosa la estancia para dirigirse a la seguridad de su propia habitación.

La sentía fría y vacía, con la colcha estirada. Aunque sabía que era inútil, echó las mantas hacia atrás y las desordenó, dejando también una cavidad en la almohada. En la palangana seguía el agua fría de la noche anterior. Al menos nadie había entrado para encontrarse con la cama vacía. Pero de hecho era incluso peor. Nadie había entrado allí porque sabían, o sospechaban al menos, lo que estaba ocurriendo.

Se tocó las mejillas y sintió el tenue olor que quedaba del aceite. Se lavó rápidamente, quitándose cualquier resto del aroma; aun así, se sintió invadida por el perfume de flores. El mismo que seguro habían sentido docenas o cientos de mujeres antes que ella en esa misma casa. Se aclaró el jabón de las manos, pero se dio cuenta de que necesitaba lavarse todo el cuerpo. Debía oler a aceite, a sudor. A él.

Cerró con llave y se quitó la ropa. ¿Por qué ahora se sentía desnuda y no se había sentido así la noche anterior? ¿Por qué volvía a la decencia con la misma velocidad que una barca desciende un caudaloso río hasta llegar a su puerto, el estanque de Dormer Close en Matlock, un lugar pequeño y tranquilo?... Y estancado, pensó por un instante, pero lo dejó pasar.

Con un trapo, agua fría y jabón, lavó cada pulgada de su cuerpo, intentando no recordar la manera en que él la había tocado, aquí, ahí, allí...

Había terminado y estaba lista para ponerse sus sencillas enaguas, las medias y la ropa interior. Su bata de seda seguía sobre la cómoda, pero no soportaba la idea de ponérsela. Se pondría el vestido, así sólo tendría que abotonárselo, aunque necesitaba llevar un corsé por debajo. Lo cogió de la silla donde lo había dejado hacía tanto tiempo, soltó los lazos un poco y se metió en él contoneándose. Lo dejó bien colocado alrededor de su torso, firme y seguro, aunque si lo soltaba se le caería de la manera más ridícula.

Pero ¿acaso no era todo aquello muy ridículo? Con la prenda de barbas colgando de ella, se sentó en el tocador para peinarse. Cada cepillado le recordaba cómo había jugado con su pelo, pasándole los dedos, levantándolo y luego dejándolo caer. Apartándolo de su piel sudorosa y cubierta de aceite. Recordó cómo había retorcido su cabello para inmovilizarla mientras la besaba profundamente. Se le cayó el cepillo de las manos y cerró los ojos. ¡No era justo!

Unos golpes en la puerta.

Inspiró con fuerza mirándose en el espejo para asegurarse de que no estaba llorando. Agarró su corsé y se dirigió sonriendo hacia la puerta.

Tris entró completamente vestido, la miró y cerró la puerta.

—Estoy seguro de que no hay otra alternativa, pero esa prenda no está diseñada para estimular la sensatez ¿Lo sabes?

La mente de Cressida reaccionó a sus palabras con gran anticipación. También podían usar esa cama, su madre no la esperaba hasta dentro de unos días. Pero sería incapaz de sobrevivir a ello. Esto tenía que parar o se terminaría volviendo loca como lady Caroline lo había hecho por el poeta lord Byron. Por primera vez sintió algo de empatía por esa dama. Se imaginaba a sí misma enviando a Saint Raven cartas ridículas, apareciendo en su puerta disfrazada de paje. Le dio la espalda.

—En ese caso lo mejor es que me vista.

El primer apretón de los lazos fue como el primer paso de vuelta a la decencia. Se lo colocó bien y lo mantuvo en su sitio.

—Pónmelo bien firme.

—Creo que sé cómo ponerle el corsé a una señorita.

¿Estaba acaso recordándole deliberadamente lo que era? ¡Oh, lo único que deseaba era acabar con aquello antes de echarse a llorar!

—¿Qué hora es? —le preguntó en el tono más normal que pudo.

—Casi las doce.

Cressida ya tenía las copas alrededor de sus pechos bien ajustadas y pudo soltar la prenda.

—Deberíamos haber seguido a la señora Coop anoche.

—Ni hablar, lo último que queremos es despertar su curiosidad y visitarla en mitad de la noche no hubiese sido una buena idea; tampoco por la mañana temprano. Durante la temporada, la gente no conoce la mañana en Londres.

Cressida percibió aspereza en su tono. Se dio cuenta, demasiado tarde, de que lo que le había dicho podía sonar como si la noche anterior hubiera sido una pérdida de tiempo. Pero era mejor así.

Él continuaba apretando los lazos con un hábil tirón en cada par de ojales, descendiendo por su columna y devolviéndola a la decencia. Ella ajustó la columna, enderezó los hombros, convirtiéndose nuevamente en una señorita, tirón a tirón. Al llegar a la cintura tiró más fuerte y sintió cómo le ataba el nudo. Si esa noche cortaba el corsé para quitárselo podría preservar ese nudo…

¡Qué locura!

—Gracias.

Se dirigió a su maleta y sacó uno de sus sencillos vestidos. Se lo puso pasándolo por encima de la cabeza y se miró en el espejo para asegurarse de llevar correctamente el corpiño plisado de cuello alto. Vio cómo la miraba desde atrás.

¿Qué decía su expresión? ¿Arrepentimiento?

Se le contrajo el corazón con dolor. Era nuevamente Cressida Mandeville, la mujer en la que nunca se había fijado en Londres. Por supuesto que se arrepentía de haberse liado con ella. O tal vez le preo-cupaba que se entrometiera en su vida, o que intentara incluso obligarlo a casarse con ella. Deseó dejarle claro que no haría nada de eso y quedarse así tranquila, pero sólo el tiempo se lo podría demostrar. Le sonrió desde el espejo.

—Ahora sólo quedan los botones.

Recogió su cabello y lo dejó caer sobre un hombro para despejar el camino. Ahora no veía ninguna señal de aflicción en su reflejo, en realidad no veía ninguna señal de nada. Podía ser que ella se hubiese equivocado, o que él ocultara lo que sentía por no ser maleducado. Bastaba con la buena educación, los buenos modos disimulaban cualquier cosa, incluso sus manos acariciando su espalda mientras le cerraba los botones. Abrochó el último y apretó la pequeña gorguera que adornaba el cuello. Nunca la había sentido tan apretada, pero decidió no transmitirle su percepción.

—¿Y tu cabello? —le preguntó.

—Lo trenzaré. —Se alejó de él, se sentó frente al espejo y cogió el cepillo.

Él se lo quitó de las manos.

—Estoy seguro de que es más fácil si lo hace otra persona.

Como era una mujer débil, no se resistió. Pero tuvo la fortaleza suficiente para no mirar en el espejo mientras él le cepillaba el pelo hacia atrás y comenzaba a trenzarlo. ¿Quién hubiese pensado lo delicioso que podía resultar que un hombre te peinara? A ella siempre le había encantado que le cepillaran el cabello y le hicieran peinados; la hacía sentirse como un gato mimado. Pero nunca tanto. Nunca como con él.

Se dio cuenta demasiado tarde de que se lo había trenzado para que cayera sobre su espalda, no para recoger la trenza en lo alto de su cabeza. Pero no podría soportar que se la volviera a hacer, así que cogió unas horquillas y se hizo un moño con la trenza.

—No tiene un aspecto muy correcto —le dijo.

—No se verá debajo de mi sombrero. Ya puedes marcharte, yo haré el resto.

Tris no le hizo caso y ella no tuvo fuerzas para ordenarle que saliera. No quería que la viera ponerse sus falsos tirabuzones, pero quizá lo mejor es que la viera en el más ridículo de sus momentos. Su sirvienta generalmente se cambiaba los mismos tirabuzones de tocado en tocado, pero ella tenía varios. Además de su turbante, había traído un sombrerito de encaje con rizos a cada lado. Se lo puso y se lo ajustó frente al espejo. Los brillantes tirabuzones cambiaban notablemente su rostro. Incluso sus mejillas parecían más redondas.

—Eso es absurdo.

—Es la moda, lo cual quiere decir que seguramente tenga razón.

—Si quieres llevar rizos, córtate el pelo.

—No quiero cortármelo.

—Entonces, ¡defiende con valentía tus convicciones!

Sacó el turbante de seda de su caja y se lo enseñó.

—Mi convicción es que mientras esté en Londres, llevaré tirabuzones si no quiero que alguien me reconozca como la hurí de Saint Raven.

Tris hizo un gesto de desaprobación y se frotó la cara con una mano.

—Tienes razón, lo siento. Mientras no se te olvide que no te hacen falta esos rizos para ser hermosa...

Sintió cómo se le ablandaba el corazón pero se contuvo.

—Nunca lo había pensado. Comencé a usarlos sólo porque es lo que se lleva y porque mi padre quería que fuese a la moda...

Después de haber sido capaz de controlar las lágrimas en peores momentos, curiosamente fue entonces cuando sintió la amenaza de ponerse a llorar. Se volvió hacia el espejo y se puso el sombrero de seda blanco. Era una de pulgada de alto y tenía un alero ancho que se ataba con lazos celestes a juego con los encajes del vestido. Ató los lazos a un lado de la cabeza, tal como dictaba la moda. Volvió a la maleta para ponerse el complemento que le faltaba a su conjunto: una chaquetita corta color azul. Guardó el vestido de noche y de pronto recordó los zapatos y los sacó de una bolsa. Se sentó para ponérselos, pero él se arrodilló ante ella. Los pies. Otra zona de extraordinaria sensualidad que había explorado durante la noche.

—Qué lástima que nunca podré contarle a mis nietos que una vez tuve al duque de Saint Raven a mis pies.

Miró hacia arriba, sonriendo.

—Sí podrás. Para entonces, dudo que a nadie le choque, pero, eso sí, no les cuentes lo demás…

Se dio cuenta de que nunca podría contarle a nadie el resto. Aún con la rodilla en el suelo, le tomó las manos.

—¿Remordimientos?

Muchísimos, pero los recompensaba el tesoro que había vivido.

—No ¿y tú?

Se puso de pie y la ayudó a levantarse.

—Cuando una dama ofrece a un hombre una noche como la nuestra, la palabra remordimiento no existe. —Cogió sus manos y se las besó—. Estos días han sido un regalo maravilloso para mí, Cressida. No hace falta que te diga que puedes contar con mis servicios en cualquier momento.

Parte de ella se entusiasmó ante tan erótica promesa, pero sabía que se refería a algo más mundano.

—Guantes —dijo buscando una escapatoria.

Se dio la vuelta y buscó de nuevo en su maleta, tardando más de lo necesario en encontrar sus guantes de encaje. Se los puso mientras se giraba hacia él, manteniendo la cabeza baja hasta estar segura de poder sonreír.

—Y en el poco probable caso de que le hagan falta mis servicios, mi señor duque, siempre estaré a su disposición.

—Entonces creo que te visitaré una vez al año para escucharte llamarme Tris Tregallows.

Cressida rogó para que su sensatez la frenara.

—Entonces, Tris Tregallows, llévame de vuelta a casa, por favor.

Le ofreció el brazo y, como una señorita, colocó su mano enguantada sobre él.

—Has olvidado algo.

Cressida se dio la vuelta.

—¡Oh, mi maleta!

Volvió a colocar la mano de ella en su brazo.

—El desayuno. Aún no es el final.

Ante la oferta su estómago se rebeló abruptamente. No podía sentarse a desayunar con él.

—¿No?

—No tengo hambre.

Después de un momento, Tris reaccionó.

—Haré que te preparen algo para el viaje. Pero en ese caso, debo llamar para que preparen el carruaje.

La miró queriendo decirle algo más, pero finalmente se dio la vuelta y salió de la habitación. Ella se quedó de pie mirando la puerta de caoba, como si le fuera a revelar algo, y luego se dirigió decididamente hacia la ventana. Si Nun's Chase fuese la casa de un hombre común y corriente y pudiesen vivir ahí juntos para siempre... Sería tan perfecto.

Pero el propietario de todo eso no era un hombre normal. Vivía regido por su rango, tan inconscientemente que ni se daba cuenta. Le había dicho que ser duque era un trabajo, pero a ella no le parecía que fuese una labor tan ardua. Su abuelo lo había sido y Tris había pasado muchos años viviendo en la casa del duque de Arran. A decir verdad, pensó sonriendo tiernamente, el duque de Saint Raven sabía tanto de la vida cotidiana como el regente, y se notaba en todo lo que hacía. Al entrar en una tienda era atendido inmediatamente y de manera sumisa.

Nun's Chase era un lugar de recreo tan artificial como la granja de María Antonieta, Le Petit Trianon. Tan falsa como el infierno de Crofton. Y aquí, no debía olvidar, Saint Raven organizaba orgías. Aunque fueran más ordenadas y sutiles que las fiestas de Crofton, se basaban en lo mismo.

Se había enamorado de Tris Tregallows, aunque él ya le había anunciado que eso quedaría en el pasado y que su futuro era ser duque de Saint Raven, un gran señor, un gran seductor. Se concentró en los aspectos prácticos de su futuro y decidió que pensaría en él solo como un duque que había conocido un día.

¿Cuánto dinero representaban las joyas? Eran grandes, pero la calidad también contaba. Seguro que garantizarían una vida decente y cómoda.

Entonces...

¿Entonces?

Entonces su madre y su padre, si estaba en condiciones, tendrían que elegir donde vivir, en qué casa. Imaginaba que sería Dormer Close y que ella volvería allí con ellos. La necesitaban y, además, ¿en qué otro lugar podía querer estar? ¿En Londres, donde podría encontrarse inesperadamente con Saint Raven? Le dio un escalofrío. ¿Tal vez coincidir en algún lugar de moda? La idea hizo que se volviera a estremecer.

No, Matlock era un lugar seguro, a no ser que la siguiera hasta allí. ¿Intentaría acaso persuadirla para que fuera su amante? Se humedeció los labios rogando para que no lo intentase, porque no estaba segura de poder resistirse. A lo mejor podía esconderse bajo otro nombre...

Se alejó de la ventana moviendo la cabeza. No tenía sentido esconderse a no ser que siguiera los pasos de sir John Mandeville y viajara a los confines de la tierra. Si el duque de Saint Raven quería encontrarla, lo haría. Sonrió agriamente al sentir esa ínfima y dolorosa esperanza.

Su disfraz seguía colgado de una silla cuidadosamente doblado. Sin poder resistirse, agarró el largo velo azul que había cubierto su pelo y lo metió en el fondo de su maleta. La noche anterior no había sido muy sensata, pero no se la hubiese perdido ni por todas las joyas de la India.

Harry, el lacayo, le avisó que su carruaje estaba preparado. Cressida lo siguió, pensando que Saint Raven querría despedirse de ella en el vestíbulo. Mejor así; era un sitio menos tentador que el dormitorio. Sin embargo, al bajar, vio que el recibidor estaba vacío y la puerta de calle abierta. Un carruaje de cuatro caballos la estaba esperando. Salió de la casa con la cabeza muy erguida, luchando por no llorar. ¿Había sido ése el adiós, tan desconsideradamente pobre? ¿Tan poco había significado para él el tiempo que habían pasado juntos?

Levantó el mentón y cruzó el patio de gravilla hasta donde el mozo le sostenía la puerta del coche abierta, repentinamente ávida por partir de allí. Apoyó la mano en la del mozo para subir los peldaños, le miró la cara y se quedó de piedra. El duque de Saint Raven llevaba una chaqueta común y corriente, pantalones de montar y un viejo sombrero de copa baja. Le guiñó un ojo.

—Quería asegurarme de que llegas a salvo al final de tu viaje. Acabo de saber que Le Corbeau anduvo por ahí anoche.

—¿Qué? ¿No estaba en la cárcel?

—Mi aventura dio sus resultados. Los magistrados lo dejaron partir y el muy desagradecido volvió inmediatamente a las suyas. Nunca actúa durante el día, pero por si hubiera cualquier conexión conmigo, prefiero no arriesgarme. No te preocupes, no creo que nadie me reconozca.

—Es cierto, sólo te he reconocido por el tacto.

Él sonrió, le besó la mano y la empujó suavemente para subir al carruaje. Cressida se acomodó y comenzaron a avanzar por el camino de entrada a Nun's Chase, el cual estaba mantenido en perfectas condiciones. Rodaban como por un río que inexorablemente la llevaba a casa.

Eso había sido el adiós, un adiós tranquilo. La confortaba saber que él estaba en la cabina aunque no volvieran a hablar. Notó también que había una cesta en el suelo, que seguro contenía la comida que le había prometido. Se le despertó el apetito, la abrió y encontró unos panecillos cubiertos de azúcar color rosa, fruta, una jarra con tapa, una taza y un platillo. La jarra de cerámica tenía café con leche aún caliente. Llenó la taza hasta la mitad para no derramar nada y luego cogió un panecillo y le dio un gran mordisco.

Evidentemente, no era una señorita refinada. Después de todo lo que había pasado, una dama joven se hubiese mareado sólo de pensar en comer. Sin embargo, ella lo encontraba reconfortante, aunque tuviese su mente colapsada por Tristan Tregallows, el encantador, devastador, querido y desconcertante duque de Saint Raven.

No comprendía a los hombres en absoluto. ¿Cómo podía aguantar pasar noches como la anterior con una mujer distinta cada vez? ¿Cómo podía olvidarse de cada una y pasar a la siguiente? No lo entendía. ¿Era un santo o un pecador? Se habían conocido cuando él se estaba haciendo pasar por bandolero, pero era por una buena causa. Se la había llevado a la fuerza, pero también fue por motivos nobles. Acudió en su ayuda sin pensárselo y sin conocerla. Se habían hecho amigos, pero hubiese hecho lo mismo por cualquier mujer en su situación. Aún así, admitía que organizaba orgías en su casa y no tenía ningún pudor en ofrecerse como guía de una repelente bacanal. Además, había estado con muchas mujeres.

Miró su panecillo a medio comer. ¿Era acaso otra inocente enamorada hasta la médula de un libertino seductor? Al fin y al cabo, él se había involucrado en su misión llevado por el ocio y las ganas de hacer una travesura.

Habiendo crecido en una casa sin hombres, en la que incluso el servicio eran sólo mujeres, no había tenido mucho contacto con ellos, y menos aún en circunstancias informales.

¡Circunstancias informales...! Dio otro mordisco. ¡El clásico eufemismo!

Sabía que su falta de experiencia la había llevado a toda esta locura, pero aún así sentía que ahora eran amigos. Cada vez que se escuchaba la corneta imperial anunciando un carruaje importante en la siguiente barrera de peaje, se imaginaba cómo estaría disfrutando Tris de jugar a ser un mozo de cuadra. Pero ¿eso no sería para él otra mancha oscura más? Un hombre de su edad y rango debería ser más sobrio y responsable.

Pero luego recordó que le había dicho que pronto atendería sus obligaciones como duque. Se había pasado gran parte del verano visitando sus propiedades y se había aplicado en aprender sobre Newfoundland y la cochinilla. Miró el azúcar cristalizado color rosa que cubría su panecillo, encogió los hombros y se lo metió en la boca. Definitivamente no era una señorita de sensibilidad refinada.

Al acercarse a Londres comenzó a lloviznar y se preguntó si Saint Raven no se estaría arrepintiendo de su quijotesco viaje, especialmente cuando la lluvia empezó a caer con fuerza. Pero, de hecho, les era útil una tormenta, ya que no habría nadie por las calles para verla llegar y a ella le daría una excusa para entrar corriendo en su casa.

Al llegar, la lluvia se había transformado en torrente, que caía como una cortina a través de las ventanas y dejaba burbujas en los charcos. ¡Oh, pobre Tris!

Esperó a que abriera el maletero y le llevara su equipaje hasta la puerta, chapoteando por los charcos. Al menos llevaba botas y una capa, aunque le caían chorros de agua del alero de su sombrero. Cressida tuvo que contener la risa. Sally entreabrió la puerta primero y luego del todo para agarrar la maleta. Después se giró para coger el gran paraguas negro de su padre. Tris lo abrió y se dirigió a la puerta del carruaje. Le ofreció la mano y mientras descendía la protegió de la lluvia. Sus miradas se encontraron por un momento bajo la intimidad del paraguas.

—Gracias —le dijo, refiriéndose a todo.

—Dame las gracias después, cuando tenga las joyas. Iré a secarme y cambiarme de ropa y luego a ver a Miranda. Si necesito mandarle un mensaje, enviaré a Cary.

No tuvieron tiempo para decirse nada más. Fueron corriendo hasta la puerta, donde Sally los esperaba, evitando hablar. Pero antes de partir se inclinó ligeramente para decirle:

—*Bon voyage*.

Cressida entró en la casa y luego se dio la vuelta para ver cómo el duque de Saint Raven se subía a la cabina y echaba a los caballos a andar para sacarlo de este mundo y devolverlo al suyo.

«Buen viaje», le dijo con el pensamiento, refiriéndose, igual que él, al resto de sus vidas.

Bon voyage, mi amor.

Capítulo 18

Sally cerró la puerta y volvió a colocar el paraguas en el paragüero con forma de pata de elefante.

—Feo tiempo, señorita. Qué pena que haya tenido que viajar en un día así.

—Deprimente. ¿Está mi madre con mi padre?

—Sí, señorita.

Como ya sólo tenían una doncella, Cressida llevó ella misma su maleta y su sombrero hasta su habitación, intentando no pensar en que el asa todavía conservaba el calor de la mano de Saint Raven. En la habitación se sacó los guantes, la gorra y el sombrero con rizos, y después fue a visitar a sus padres.

Su padre estaba dormido y su madre estaba tejiendo. Louisa Mandeville siempre había afirmado que tejer era relajante, y desde el ataque de su marido debía haber tejido suficientes chales y bufandas como para todos los pobres de Londres.

Miró hacia arriba, y sus ojos grises y cansados se iluminaron.

—¡Cressida querida! No te esperaba hasta dentro de unos días. ¿Verdad?

Su pobre madre siempre había sido muy rápida y segura, pero esta debacle la había hecho flaquear.

—Se suponía que iba a estar fuera una semana. Varicela —explicó besando a su madre en la mejilla—. Afortunadamente un vecino regresaba de Londres y se ofreció a traerme a casa. ¿Cómo está papá?

—Igual. Los médicos dicen que no tiene nada todavía, pero que pronto empezará a mostrar problemas si permanece tanto tiempo en cama.

Miró la figura inmóvil que yacía en la cama. Cressida también lo observó buscando alguna señal de que se hubiera producido algún cambio. Su padre resoplaba con cada respiración porque tenía la boca fláccida. Mientras dormía parecía bastante normal, pero cuando no lo hacía estaba muy extraño, miraba al vacío y se comportaba como si fuera sordomudo. Su madre tenía razón sobre los efectos de su estado. Su gran cabeza con el cabello gris seguía igual, pero su piel bronceada por el sol no estaba aguantando bien, y era una lucha darle cualquier tipo de alimento.

Su madre suspiró.

—Le he dicho una y otra vez que le he perdonado por haber perdido todo nuestro dinero. No sé qué otra cosa hacer.

Cressida estaba convencida de que estaba en ese estado por haber perdido las joyas. ¿Devolvérselas podría ser la clave de su recuperación? ¿Cuándo tendría noticias? Seguro que Tris no habia llegado a su casa todavía; tampoco se habría podido arreglar, y, menos aún, haber ido a casa de Miranda Coop.

Los hombros de su madre se enderezaron, se levantó y se dirigió a la puerta de la habitación para cerrarla.

—Hay momentos en que lo abofetearía —dijo pareciéndose más a como era antes—. ¡Perder una fortuna con esa locura de juego! —Se puso la mano en la boca y respiró hondo.

Bajó la mano.

—He estado pensando mientras estabas fuera, Cressida. Ya es hora de que hagamos planes. El contrato de esta casa va a terminar pronto, y no tenemos dinero para renovarlo. Ya he vendido la mayor parte de mis joyas para pagar las cuentas del médico, comprar comida y pagar a Sally. Podemos vivir más barato en Matlock, pero necesitamos dinero para trasladarnos allí. Ni siquiera estoy segura de que tu padre pueda viajar... Oh, Cressy, ¿qué vamos a hacer?

Maldiciendo a su padre, Cressida apretó la mano de su madre. No quería despertar en ella esperanzas.

—Un inventario —sugirió—. No necesitamos todas estas cosas elegantes, así que las podemos vender.

Y, además, eso podría explicar el descubrimiento de un alijo de joyas.

—Dudo que podamos sacar algo. La mayoría de los objetos que hay aquí, venían con la casa. Cuando pienso en todas las cosas de la India que tu padre desparramó por Stokeley Manor. ¡Y la casa! —Se puso la mano en la cabeza—. No soporto pensar en ello.

Cressida la abrazó.

—Entonces no lo hagas, mamá. Déjamelo a mí.

Se sintió incómoda al ver que en los ojos de su madre aparecían unas lágrimas.

—¿Qué haría sin ti, querida? Pero todo esto es tan injusto. Tienes que divertirte en las fiestas y buscar un marido.

—No en Londres, ni en agosto, mamá. Y la verdad es que aunque sea una aventura, me gustará volver a Matlock.

—Si por lo menos pudiéramos permitirnos mantener esa casa.

Vaya por Dios, su madre debía haberle estado dando vueltas a eso desde hacía mucho tiempo.

—Lo conseguiremos —dijo Cressida con toda la confianza que pudo expresar.

Su madre se apartó sonriendo tristemente.

—Tienes una naturaleza tan práctica y emprendedora, querida. Evidentemente la sacaste de tu padre. O como era antes. Quiero decir que solía ser tan práctico... —Asintió con la cabeza—. Tengo que volver a él. De todos modos hay que hacer un inventario de la casa en cuanto te recuperes de tu viaje.

Cressida observó cómo su madre volvía a su vigilia, y entonces decidió regresar a su habitación, desechando de su cabeza varios pensamientos sobre la naturaleza del amor y la responsabilidad amorosa. Siempre había asumido que un matrimonio feliz necesitaba una aprobación completa.

¿Amaba su madre a su padre, incluso en estas circunstancias espantosas, o su unión era simplemente una obligación? Louisa Mandeville no había mostrado señales de haber echado de menos a su marido durante veintidós años, pero había aceptado su regreso, y el último año parecían haber sido una pareja feliz. Y aunque ahora estaba enfadada con él porque había sido muy imprudente, aún así siempre le era leal. Cressida suspiró. Era una situación demasiado compleja para su mente atribulada.

Deshizo su maleta y en el fondo encontró el velo azul de Roxelana. No lamentaba haberlo traído, pero mientras se lo amarraba distraídamente en una mano, reconoció una coincidencia inquietante. Era como si hubieran desgarrado una cinta tirando de los dos extremos, cuando hubiera sido mucho más fácil un corte limpio.

Había terminado. Terminaría una vez que Tris... Una vez que el duque de Saint Raven recuperara las joyas que tenía Miranda Coop. ¿Podría abrir la estatuilla rápidamente en cuanto tuviera una oportunidad?

¡Oh! Si lo hubiera pensado, podría haberle hecho venir a casa para practicar con la que había allí...

No. El duque de Saint Raven nunca podría venir a su casa. Los sirvientes especularían. Tampoco hubiera estado bien meter a un amante completamente mojado en el estudio de su padre. Pero le podría haber dado la estatuilla. ¿Por qué no había pensado en eso en su momento?

Su vida reciente parecía un desfile de especulaciones, y ninguna valía verdaderamente la pena. El pasado no se podía cambiar. El futuro, sin embargo, sí. Se la podía enviar, pero suspiró de frustración pues le venían a la mente los mismos problemas. ¿Cómo explicaría que tenía que enviar algo al duque de Saint Raven mientras llovía a cántaros? Nada, nada podía relacionarlos.

De pronto se dio cuenta de lo cierto que era. Nadie de Stokeley Manor debería preguntarse nunca si la hurí de Saint Raven podía haber sido la aburrida señorita Mandeville, la hija del mercader. Ni siquiera cambiaba nada el hecho de que Stokeley hubiera sido la casa de su padre, y esas estatuillas suyas.

Sin embargo, si a alguien se le ocurría llegar a pensarlo, eso era un asunto completamente diferente. Su manera de protegerse contra la ruina sería hacer que esto fuera del todo imposible, y que nunca se pudiera establecer ninguna relación entre ella y el duque. Reconocía el terrible dolor que le producía ese panorama, pero no había ninguna diferencia real, pues de todos modos sus mundos no tenían nada que los relacionara.

Pensó de manera práctica. En esos momentos él debía estar ya con un nuevo traje de camino a casa de Miranda Coop. Miró hacia afuera y comprobó que llovía menos. Había sido una tormenta de verano. No se mojaría demasiado. ¿Tal vez una hora?

Se estaba volviendo loca esperando, así que se dispuso a comenzar la tarea que se había asignado hacer: el inventario de los objetos vendibles. Comenzó por el comedor. El centro de mesa de plata con tigres le dio alguna esperanza. Eso les pertenecía, también la porcelana. Tal vez sería suficiente para sobrevivir mínimamente, incluso sin las joyas...

Tris se dirigió a la casa de Miranda Coop con desgana, incluso resentido. Maldita Cressida Mandeville por obligarle a hacer eso. Maldita mujer por todo lo ocurrido; por obligarlo a ir a casa de Crofton, por ponerse ella misma en peligro, por sus risueños ojos grises, sus curvas seductoras, su insensata curiosidad, su espíritu y su voluntad...

«Oh, diablos.»

La lluvia le había obligado a viajar en el carruaje, de manera que un auténtico mozo de cuadra salió a abrirle la puerta.

Bajó y se quedó mirando la puerta pintada de verde. Entonces relajó la expresión y llamó a la puerta. Le entregó una nota a Miranda solicitando que lo recibiera; no dudaba que aceptaría. Obtuvo su previsible respuesta enseguida, y aunque venía en un elegante papel color crema, éste no estaba perfumado.

La casa era mejor de lo que esperaba. Al margen de la moda, pero en una nueva zona de casas adosadas, tranquilas y bien mantenidas. Miranda era una de las cortesanas más famosas de Londres, pero parecía saber cómo ser discreta. Era una amante muy demandada que se negaba a establecerse como querida de un solo hombre, por más que pagase cifras exorbitantes por sus favores. Él se preguntaba cuánto habría pagado Crofton para hacer que atendiera sus asuntos. También se preguntaba por qué había usado a Crofton para conseguir una estatuilla que probablemente no valía ni cincuenta guineas en una subasta. Demasiados interrogantes e improbabilidades para sentirse cómodo.

Una doncella de mediana edad con cara imperturbable abrió la puerta, y en un momento estuvo ante La Coop. Le hizo una reverencia de cortesía.

—Qué placer haberme encontrado con usted la otra noche, Miranda.

Ella inclinó la cabeza.

—Por favor, su excelencia, siéntese.

Ella se acomodó elegantemente en el sofá, dejándole a él la opción de sentarse.

Él eligió una silla frente a ella mientras hacía rápidos análisis. Miranda Coop tenía un buen número de máscaras. En fiestas desenfrenadas podía ser salvaje; pero en la ópera y otros espectáculos parecía una dama, aunque fuera un disfraz. En su casa, al parecer, le gustaba mostrarse somo una digna propietaria. Su vestido verde oliva era a la última moda y dejaba ver sus exuberantes encantos, y sin embargo lo podía haber llevado la propia princesa Charlotte. Iba maquillada, aunque discretamente, y su único fallo es que hablaba con un deje de acento *cockney*.

—Qué sorpresa encontrarle en casa de Crofton, Saint Raven. Pensaba que estaban enfadados. Me pagó muy bien…

Él sonrió ante la sutil pregunta.

—Mi pequeña hurí insistió en ir.

—Ah, entonces espero que le pague bien. Perdóneme, pero me pareció un poco… inexperta.

—Creo que la palabra es inocente.

Los ojos de ella brillaron.

—Qué novedad para usted. Supongo que ya no lo sigue siendo.

Esa verdad le dolió y tuvo que hacer un esfuerzo para mantener la sonrisa.

—No, ya no, claro. —Tuvo que confesarlo, aunque se sintió repugnante por hablar de Cressida con esa mujer. Pero tenía que hacerlo. Por Cressida.

—Es la razón de esta visita, Miranda. Mi querida turca se encaprichó de una de las estatuillas de Crofton. Cuando fui a comprársela parece que usted ya se la había… ganado.

—Pagué por ella —lo corrigió—. Y bastante dinero.

Eso decía algo sobre Crofton proviniendo de una puta, e hizo que a Tris le preocupara la razón por la que quería la estatuilla. Pero era imposible que ella lo supiera.

—Ya veo. Por supuesto estoy dispuesto a pagarle, dentro de lo razonable, lo que crea que vale el objeto. Usted mejor que nadie sabe cómo somos los hombres cuando estamos en el primer arrebato del amor. Mi hurí quiere ese pequeño regalo, y haré lo que pueda por conseguirlo.

Ella ladeó la cabeza.

—No tengo gran necesidad de dinero, su excelencia.

—Entonces es una puta muy poco corriente.

Fue deliberadamente rudo, pero no vio manera de retroceder.

—Sí, lo soy. No soy propiedad de ningún hombre porque mi apetito es demasiado grande para uno sólo. Y además —añadió mientras lo miraba de arriba abajo—, me gusta la variedad.

Aunque algunas partes del cuerpo de Tris reaccionaron al mensaje que le enviaron los ojos cómplices de ella, sabía que no quería acostarse con esa mujer. No, la reacción no era lo suficientemente fuerte. Le repugnaba la idea de estar con esa mujer en la cama, cosa que le sorprendió. Pero hizo un gran esfuerzo de autocontrol para no demostrárselo.

—Eso es lo que la hace ser una puta —señaló.

—¿Y qué es lo que le hace ser a usted un duque, su excelencia?

Se puso de pie por un acto reflejo.

—Es una impertinente.

Ella lo miró hacia arriba sonriendo con los ojos encendidos. Lo deseaba. Él lo percibía, y le hormigueaba la piel.

—Usted no cobra —dijo ella—. Es verdad, pero también es promiscuo.

Maldición. La insolencia de la mujer lo estaba acorralando. Si no reaccionaba adecuadamente, se daría cuenta de que la estatuilla era importante para él.

—Imagino que no me está sugiriendo que me prostituya con una prostituta. ¿Quiere que venda mi cuerpo por una talla de marfil?

La expresión de ella era vigilante.

—Usted solicitó este encuentro, su excelencia.

—Para complacer el capricho de una muchacha.

Se dio la vuelta y dio unos pasos.

—Ya está bien. Buenos días.

—¡Su excelencia!

Se detuvo en la puerta y se volvió hacia ella evitando mostrar la menor señal de esperanza. Ella estaba de pie y no parecía nerviosa sino expectante.

—Me he equivocado, su excelencia. Asumí que sabía lo que buscaba en mí. Casi todos los hombres invariablemente —dijo con ironía— me desean. Cualquier intercambio previo es mero divertimento.

El corazón de Tris latía como si estuviera ante una jugada de dados crucial.

—Entonces, ¿tal vez podamos acordar un pago en dinero?

Ella lo consideró.

—Realmente no necesito dinero, su excelencia. Estoy en Londres en agosto, cuando la *haute volée* se ha marchado, sólo para descansar. El asunto de Crofton —dijo encogiéndose de hombros— fue una diversión. Siempre me ha gustado ser directa y quería saber hasta dónde llegaría.

—A menos que acepte una cantidad razonable de dinero, señora, está haciéndome perder el tiempo.

—¿Y si el precio es que me acompañe la semana que viene a la fiesta de sir James Finsbury en Richmond?

—¿No tiene acompañante? —preguntó, evaluando esta nueva jugada. Tenía que confesar que aunque no quería hacer nada en la cama con Miranda Coop, era una oponente interesante. Finsbury era un amigo, y tenía una invitación para asistir a la fiesta. Aparentemente iba a ser medianamente respetable, pero en realidad se trataba de una combinación subida de tono de parejas de caballeros acompañados de sus putas.

—Claro que no, su excelencia —dijo inclinando la cabeza—. Me parece que no comprende la esencia de mi negocio. Todo, todo es la reputación. En el aspecto físico —hizo un gesto de descartar algo con la mano suelta— mi reputación está bien establecida. En otros tengo que hacer esfuerzos continuamente.

»Usted, mi duque, es el mejor premio que se puede tener. Todas las señoritas virtuosas desean casarse con usted, y a cualquier mujer le gusta ser objeto de su admiración. Si llego a casa de sir James cogida de su brazo, mi caché subirá varios peldaños.

—Pensaba que ya se encontraba en lo más alto.

—Qué amable. Pero en este negocio no existe la cumbre. Y siempre hay muchas empujando con fuerza desde abajo.

—Estoy seguro de que usted sabe cómo taponarlas.

Ella se rió pareciendo realmente divertida.

—La mayoría son unas imprudentes, ¿no cree? Incluso Miranda Coop sobrevivirá un día a sus encantos. Pero pretendo tener mucho dinero para cuando me retire, su excelencia, aunque los amigos también podrán ser útiles. Entonces, ¿le ofende mi proposición? Doy por supuesto que asistirá, y no hace falta que le diga que mi cuerpo no está incluido en esta ganga. Para eso, su excelencia, tendrá que pagar, y mucho. Yo nunca llegaré a pagar por un hombre.

Él se rió ante la clara insolencia de la mujer.

—¿Por qué le compró esa figurilla a Crofton?

Ella lo miró, y después se rió.

—Porque usted intentó comprarla, lo que demostraba que su pequeña hurí se había prendado de ella. Sé cómo son los hombres al principio de estar enamorados, y yo deseaba que usted me visitara. Sencillamente ésta es la verdad.

Y probablemente lo era. Él maldijo en silencio la razón que le había llevado a eso, pero no era tan terrible. No le gustaba estar atado de manos, pero acompañar a Miranda a la fiesta de Finsbury era soportable. El peligro era que sospechara la verdadera importancia de la estatuilla. ¿Cómo hubiera reaccionado él si su historia hubiera sido cierta?

—Quería llevar a Roxelana a la fiesta de Finsbury.

Ella se limitó a esperar. Y si pretendía jugar, sin duda era excelente.

—Muy bien. Le enseñaré a la muchacha a no ser demasiado exigente, así que el fin de semana descansaré de ella. Sin embargo, no le prometo más que llegar juntos, y si así lo deseo, me podré marchar después.

—No creo que eso sea nada bueno para mi reputación, su excelencia.

Él se obligó a sonreír.

—Su audacia es divertida Miranda, pero no ponga a prueba mi tolerancia. Muy bien. Me quedaré por lo menos una noche.

¿Cómo se tenía que comportar? ¿Cómo? Pidiendo más.

Dejó que sus ojos examinaran los encantos de Miranda.

—Valdrá la pena si me enseña sus habilidades gratis. Me enamorará y ésa será su coronación como reina.

Ella bajó los párpados aunque no dejó de observarlo, y a pesar de él mismo, su cuerpo reaccionó a la mirada.

—Muy considerado —dijo mientras sonreía moviendo la lengua por el borde de su labio superior—. Ya veremos qué hacemos, su excelencia.

Estaba jugando con él como con un pez, maldición, pero respondió con otra sonrisa.

—Aparentemente lo haremos. Ahora, la estatuilla.

Los ojos de ella se abrieron ¿sorprendidos?

—Se la daré el fin de semana, su excelencia.

—¿Se atreve a dudar de mi palabra?

No pudo saber si la había impresionado, y si así fue lo disimuló enseguida. Entonces ella lo miró duramente mostrando su verdadera edad.

—Soy una puta, su excelencia. Los hombres no parecen considerar que su palabra los obligue conmigo.

Tris recordó la estupefacción de Cressida y el placer que sintió al haberle pedido su palabra y por haberla creído. Lo conmovió cuando tenía que ser inconmovible. ¿Y ahora qué? Podía pujar por la estatuilla, pero no debía parecer que le importaba demasiado.

Se encogió de hombros.

—Como quiera. A la muchacha no le pasará nada si tiene que esperar. ¿El viernes a las cinco?

Ella respondió con una reverencia de cortesía.

—Es usted muy amable, su excelencia.

Tris se inclinó y se marchó sin permitirse resoplar ni respirar hondo hasta que no volvió al carruaje. ¡Maldita fuera esa mujer tan insolente! ¿Tendría que haberla mandado al diablo? ¿La habría convencido de que su petición no era más que un capricho y no una necesidad? Errores, errores. Había cometido una cadena de errores. ¿Sería éste uno más? Pero su orgullo se rebelaba por estar siendo utilizado de esa manera.

¡Comprado!

Casi tan malo como ser una puta. Tal vez, pensó estirando las piernas, ya era hora de llevar a cabo un pequeño hurto.

Miranda Coop suspiró. ¿Por qué había hecho eso?

Porque quería la gloria de aparecer con el duque de Saint Raven del brazo delante de sus rivales. Se contaba que los indios americanos colgaban en sus lanzas las cabelleras de sus enemigos derrotados para demostrar su valor. Ella quería colgar en su lanza ir acompañada de Saint Raven. Con eso sería suficiente, pero ante tamaña oportunidad, tal vez también podría tenerlo a sus pies. O si no, en su cama.

—Uno de estos días —dijo en la habitación vacía— tus impulsos te meterán en un problema, Miranda.

¡Y ese día podría estar próximo si no devolvía esa maldita estatuilla!

Podía ir a ver a Crofton y conseguir alguna otra. Pero probablemente las habría regalado como premios tal como había planeado. De modo que tendría que descubrir quiénes las habían ganado, y quiénes tenían las que eran iguales a la suya.

Le tomaría demasiado tiempo, y ella no podía estar segura de que Saint Raven y la tipeja turca no advirtieran la diferencia. Soltó un resoplido y se paseó por la habitación. Sólo había una manera segura. Tendría que encontrar a Le Corbeau y pedirle la estatuilla. Conseguirla no le sería difícil si lo encontraba, aunque medio Londres estaba intentando atraparlo.

Entonces se detuvo. Conocía a alguien que le podría ser útil. Peter Spike de Saint Albans. Aparentemente era un próspero mercader, pero por detrás vendía objetos robados. Se sentó para escribirle una carta, y después se la entregó a Mary para que la llevara a la oficina de correos. Peter le prometió que podía encontrar a Le Corbeau. Ella se rió fríamente. Con lo que le ofreció, le encontraría hasta al mismo diablo.

Capítulo 19

—¡Hola Tris!

Tris se estremeció. La lluvia había parado, así que se había bajado del carruaje para llegar a su casa caminando. Ahora tendría que pagar su excentricidad con un encuentro con lord Uffham, el heredero del duque de Arran.

Uffham era bien parecido y fuerte, pero también un tipo cada vez más pesado. Tris tuvo que contenerse para no volver a estremecerse cuando vio que su hermano de crianza llevaba un chaleco color verde virulento, y tantos relojes de bolsillo, que iba haciendo tal ruido metálico mientras caminaba, que le recordaba las angustiosas campanillas de GilchriSaint.

Tris se lo había pasado bien con Uffham en su juventud, pero cada vez más era más obvio que eran muy diferentes en gustos y en naturaleza. Además, a Uffham parecía molestarle que Tris ya fuera duque, pues él, para serlo, aún tenía que esperar a que su rico padre muriera.

Pensaba que Uffham debía tener en cuenta las ventajas que tenía y disfrutar de su libertad. Por otro lado, admiraba al duque de Arran y no creía que Uffham estuviera preparado para administrar unas propiedades tan importantes. Consideraba que sus responsabilidades eran agotadoras, y sabía que había avanzado mucho más de lo que su viejo amigo Uffham lo haría nunca.

—No sabía que estabas en la ciudad —dijo Uffham— ¿Te has peleado?

Tris se había olvidado de sus magulladuras.

—Un desacuerdo menor.

—¿Mientras ibas a White?

—Mientras iba a mi casa. —No tenía manera de evitarlo—. ¿Quieres venir? He llegado esta mañana a la ciudad y apenas he comido nada. Quisiera cenar.

—Me apunto —dijo Uffham acompasando su paso balanceando un bastón con empuñadura de oro—. ¿Una urgencia?

—Papeleos. ¿Y qué haces aquí en verano?

—Una invitación a una fiesta picante en casa de Crofton. Me equivoqué. Aunque fuese en su casa de Londres, los amigos deben avisar de manera más clara cuando hay cosas como ésas.

Tris no recordaba que la invitación fuese especialmente oscura.

—No fue un asunto bien llevado.

—¿No? ¿Cuándo vas a hacer otra fiesta como ésa en Nun's Chase?

No le asombró que tuviera el impulso de decir *nunca*.

—De momento no. —Doblaron por Upper Jasper Street—. Al fin y al cabo es verano.

—El verano es un momento perfecto para hacer fiestas. Todo el mundo anda por ahí sin tener nada que hacer.

—Habla por ti mismo. O agradece que todavía no tengas que llevar un ducado —dijo, dejando caer esa indirecta deliberadamente.

Uffham se encogió de hombros y siguió a Tris por el vestíbulo de la casa de la ciudad de Saint Raven, que estaba decorado con paneles oscuros.

—Esto está muy lúgubre. Deberías pintarlo.

Tris entregó su sombrero y sus guantes a un sirviente estudiadamente impasible.

—¿Decoración interior? Lo siguiente es que caigas en la trampa del clérigo.

Eso fue suficiente para que los ojos de Uffham se abrieran como platos ante el pánico.

—¡Ni se te ocurra decir eso! Las zorrillas de los bailes están aún peor este año. Creo que has hecho que salieran todas. Eso y que Arden se casara con esa maldita institutriz. ¡Ahora todas creen que pueden tener una oportunidad!

—¿Arden se ha casado con una institutriz?

Tris lo asimiló mientras daba instrucciones para que les trajeran una comida simple pero contundente. El marqués de Arden era heredero del duque de Belcraven, y si se había casado con una mujer de baja cuna sin que se produjera un desastre...

Tris hizo que se dirigieran al pequeño salón que usaba para él.

—Fue la comidilla de la ciudad hace un año más o menos —dijo Uffham—. Supongo que fue en la época en que heredaste y te fuiste al extranjero. Acaban de tener un hijo, lo que demuestra la fuerza de la sangre de los campesinos.

—¿Campesinos? —le preguntó Tris mientras entraban en la habitación que estaba llena de libros y amueblada con sillas cómodas. Arden era un cabrón arrogante lleno de ínfulas aristocráticas como el que más.

Uffham tuvo la elegancia suficiente como para ruborizarse.

—No exactamente. Es la hija de un capitán o algo así, pero sin dinero. ¡Una empleada del seminario de Cheltenham! Tampoco había mucho donde elegir. Y por ella dejó a la cachorra Swinamer.

—Eso, por lo menos, demuestra cierta sensatez.

Como Uffham se quedó impasible, Tris decidió intentar plantar otra semilla. Phoebe Swinamer era exquisitamente hermosa si a uno le gustaban las muñecas de porcelana. Además, tenía tan poco corazón como ellas. Si Uffham se casara con ella se acabaría la paz en la familia Peckworth.

—La señorita Swinamer es una reina de hielo detrás de una corona, especialmente la de un ducado. Cualquier hombre que se case con ella sentirá sus garras toda la vida. Ha coqueteado conmigo, pero tengo la seguridad de que si fuese simplemente el señor Tregallows ni siquiera me sonreiría. Tampoco se fijaría en ti si fueras simplemente George Peckworth.

Uffham hizo un puchero y se puso como un niño al que le han prohibido comerse un caramelo, aunque tal vez eso quería decir que lo que decía le estaba calando hondo. Tris decidió añadir:

—Los hombres como nosotros —dijo acomodándose en su silla favorita— tenemos que elegir con mucho cuidado a nuestras esposas. Ser una duquesa es un trabajo muy exigente, por ello debe ser estar educada para ello, y ser fuerte e inteligente.

—Como un buen cazador.

Tris intentó no cerrar los ojos.

—Muy parecido. Y por otro lado, ocupar un rango elevado es una tentación para ser cruel y arrogante. Le debemos a nuestra familia y a las personas que están a nuestro cargo elegir una duquesa con un buen corazón. Y, por supuesto, con Devonshire como ejemplo, alguien con la que se pueda contar para no poner en juego nuestra fortuna.

Uffham se dejó caer en la silla de enfrente completamente despatarrado.

—Te estás poniendo demasiado prosaico y aburrido, Tris. Supongo que siempre habrá alguna querida atractiva para nosotros.

—Exacto.

Si ésa era la manera de hacer que Uffham eligiera una esposa adecuada para la familia Peckworth, bienvenida fuera.

—Es lo que hizo mi padre en su juventud. Mi madre no armó ningún lío. Supongo que te refieres a eso cuando hablas de una duquesa educada para ello.

—Mi tío tuvo tres que yo conociera. Una en Cornwall, otra en Londres, y otra en Francia, antes de la revolución.

Uffham se rió.

—Como un marinero travieso, ¡con una puta en cada puerto! No es mala idea.

Tris de pronto lamentó haber mantenido esa conversación. ¿Sería eso mejor para los Peckworth que Phoebe Swinamer como duquesa? Sí, desgraciadamente lo era. La infidelidad era preferible a que lo mandara una mujer fría y sin corazón. Él no tenía intención de casarse con una mujer así, pero siempre había asumido que se casaría con la mujer apropiada y no por placer. Era la educación que había recibido para ser duque.

El duque de Arran había comenzado con ese sistema y su tío lo había continuado fríamente. Le habían enseñado a beber sin perder la cabeza, a jugar sin dejarse desplumar y a acostarse con mujeres sin contraer la sífilis o tener desagradables bastardos. Y a hacerlo sin necesidad de avergonzar a una mujer decente. Y, por supuesto, a recordar que un duque está unos peldaños por debajo de Dios, y que lo mejor es que todo el mundo lo sepa. Esperaba que su tío se estuviera revolviendo en su ornamentado panteón.

El sirviente llegó con una bandeja con cerveza, pan, queso, fiambres y empanadas. Tris le dio las gracias. Uffham cogió un trozo de pastel de cerdo y una jarra de cerveza que quedó a la mitad tras el primer trago.

—Quiero tener una casa propia y que me traigan comida así, en vez de los elaborados platos que nos prepara el cocinero de mi madre.

—Pide lo que quieras.

—Para ti está bien…

Tris se sirvió un trozo de pan crujiente y queso en su punto y dejó que Uffham siguiera quejándose. Así estaba siempre en aquellos días: repitiendo constantemente que la vida había sido muy dura con él.

—¿Y por qué has venido? —le preguntó Uffham limpiándose cuidadosamente la boca con una servilleta; después eructó.

—Algunos asuntos rutinarios. Mi secretario está aquí.

—No debe haber mucho que hacer en verano.

—El trabajo nunca se acaba, te lo aseguro. ¿Dónde irás después?

—Pensaba pasarme por Lea Park. Hace tiempo que no veo a mis parientes. Después me acercaré a Brighton. Caroline y Anne están allí, ya lo sabes.

Tris bebió más cerveza para ocultar su expresión. En realidad, lady Anne, la hermana de Uffham, no estaba en Brighton. Ayudada por él se estaba dirigiendo a Gretna Green con un advenedizo que su familia no consideraría adecuado para ella. Podría terminar rompiendo con ellos para siempre, pero en el momento de tomar la decisión, mientras el amor brillaba entre ambos, parecía que valía la pena correr el riesgo. Pero si ése era el caso ¿por qué no había luchado para conseguir a Cressida?

—¿Por qué no vienes? —le preguntó Uffham.

Tris tuvo que recuperar el hilo de la conversación.

—No me interesa Brighton.

—Puedes venir a Lea Park.

—Mis asuntos me retendrán aquí unos días. Tal vez más adelante.

Anne estaba preparada para perder muchas cosas y hasta para que hubiera un escándalo, y aún así le había valido la pena. ¿Podía ocurrir lo mismo con Cressida y él? No. A diferencia de Anne y Race, él y su duquesa nunca podrían quitarse de encima la atención de todo el mundo.

—Volveré el fin de semana —dijo Uffham—. Ven a casa de Finsbury en Richmond. Debes de haber recibido una invitación.

—No lo he mirado. Pero ya me habré marchado.

Uffham volvió a llenar su jarra.

—Voy a cenar con Berresford esta noche; después iremos a casa de Violet Vane. Dicen que tiene carne tierna. ¿No te gustaría venir?

Tris casi se estremeció. *Poudre de Violettes* y muchachas risueñas. Siempre había evitado el salón de esa mujer, pero ahora se preguntaba sobre su negocio. Se especializaba en prostitutas de aspecto muy joven, pero ¿cuán jóvenes eran? Santo cielo, Londres estaba inundado de niños abandonados medio salvajes dispuestos a hacer cualquier cosa por unas monedas. Si no robaban o se prostituían, morían de hambre. Intentar cambiar eso sería como hacer que el Támesis fluyese a contracorriente.

Tris se levantó deseando que Uffham entendiese la indirecta.

—Estuve en casa de Crofton hasta la madrugada. Esta noche necesito dormir.

—¡Estuviste, caray! Y ¿cómo fue?

Su anterior comentario pareció no haber afectado en absoluto a Uffham. Se había preocupado sinceramente por el ducado de Arran, para después verse obligado a regodearse en una descripción lasciva que había dejado a Uffham babeando. Por supuesto no mencionó a Cressida. ¿Cómo estaría? ¿Habrían aceptado su regreso sin sospechas? Maldición. Estaría esperando noticias, ¡y él ahí charlando !

—Estatuillas atrevidas ¿eh? —bromeó Uffham—. Me pregunto quienes las ganarían, y si no les importaría enseñarlas.

—Estoy seguro de que si preguntas por ahí, los encontrarás. Estaban Pugh, y Tiverton. También Hopewell, Gilchrist, Bayne... —Tris se acercó a la puerta—. Ahora debo ir a ver a mi tirano. Leatherhulme insiste en que debería leer unos documentos antes de firmarlos.

—¡Dios mío! Despídelo.

—Lo he pensado. —Tris acompañó a su hermano de crianza por las escaleras, y hasta la puerta de la casa. Sin embargo, su mente enseguida volvió al asunto de Cressida. Le dijo a su amigo que estaba agotado. Pero al pensar en ella se excitó pensando en sus suaves y dulces curvas, su largo y sedoso cabello, sus grandes ojos grises, sus labios abundantes y seductores, sus hábiles manos y su franco entusiasmo. Nada más habían comenzado a explorarse...

Entonces se dio cuenta de que ahí, ante la puerta, el sirviente lo miraba con suspicacia.

«Cressida. ¡Espera noticias!»

—Vaya a buscar al señor Lyne y dígale que venga a mi estudio.

Qué rabia le daba no poder dirigirse a ella directamente. Y mientras subía las escaleras, a cada peldaño que pisaba, se iba dando más cuenta de lo imposible que había hecho mantener cualquier tipo de relación con ella en el futuro. Crofton era estúpido en algunos aspectos, pero no de esa manera. La señorita Mandeville había sido secuestrada por Le Corbeau. Crofton no podía permitir que se hablase de ello porque revelaría el repugnante chantaje que le había hecho. No obstante, probablemente suponía que la habrían violado.

Por eso, si se hacían comentarios sobre el duque de Saint Raven y la señorita Mandeville, especularía, y probablemente asumiría, equivocadamente, que Tris era Le Corbeau. También se daría cuenta de que ella era la hurí. El disfraz había sido muy bueno, pero no lo suficiente. Todo era un lío tremendo que ni siquiera se podía solucionar con un buen matrimonio. Era terrible dejar a una mujer como ella expuesta en el cruel pináculo de la sociedad. Imposible con un escándalo como ése.

Estaba mirando al vacío cuando apareció Cary.

—¿Problemas?

Tris se rió.

—Un montón. Me acabo de dar cuenta del difícil trabajo que tenemos que hacer, ya que ahora la señorita Mandeville está en peligro.

—¿Han comenzado los chismorreos?

—No, pero…

Tris ordenó sus pensamientos. Le hubiera gustado haber tenido más analizado el problema, pero comprobó que Cary lo aceptaba todo con tanta seriedad como él.

—Si se descubriera ella nunca tendría la oportunidad de llevar una vida decente —dijo Cary—. No es…

—Tienes razón. Maldición. Lo sé. Yo mismo podría haber ido por la figurilla. —Tris se pasó una mano por el pelo—. Lo hecho, hecho está. Ahora tenemos que cuidar de ella. No me pueden ver cerca de ella, pero a ti sí. Y no me puedo arriesgar a enviar una nota.

Le contó lo de su visita a la casa de La Coop.

Cary se rió.

—Es una mujer llamativa, perfecta para ti.

—Si la quieres, quédatela.

—No, gracias. No vamos a dejar que se salga con la suya, ¿verdad?

Tris respondió a su sonrisa con otra.

—Claro que no. Espero que tengas habilidad en eso de allanar casas.

—No, pero estoy dispuesto a aprender. De todos modos, nos puede traer más problemas.

—Maldita sea, ya lo sé. Creo que ya es hora de que me tranquilice. Tal vez me esté haciendo viejo.

—Muérdete la lengua. ¡Si eres un año más joven que yo! La vida te regala un saco lleno de años salvajes, pero al final se vacía.

—Entonces, ¿qué sabemos? ¿Muertos de hambre en medio de un desierto? —Tris negó con la cabeza a su pregunta—. Pronto estaré comiendo pan amargo y langostas. Que son tan malas como las cochinillas.

—¿Qué?

Tris se rió.

—Ve a ver a la señorita Mandeville. Asegúrale que tendrá sus joyas esta misma semana. Lo prometo.

Cary se despidió irónicamente y se marchó.

Tris sabía que podía contar con Leatherhulme, pero después de que su amigo se fue, se quedó meditando un rato. Había llegado a la conclusión de que nunca más la vería. Esperaba que fuera así ¿O no? Entonces, ¿por qué la frase que había dicho le parecía ahora tan deprimente?

«Qué pena que nunca le pueda contar a mis nietos que una vez tuve al duque de Saint Raven a mis pies».

Nietos. Eso significaría que se casaría con otro hombre. Otro hombre que le proporcionaría mucho placer, y ella lo llevaría al éxtasis. Se metió la mano al bolsillo y sacó el trozo de velo blanco manchado de rojo por sus labios. Cuando se lo llevó a la cara sintió un suave perfume. Lo apretó y se empezó a llenar de pensamientos enloquecedores. Pero, Dios, ¿estarían condenados a pasar el resto de sus vidas separados?

Condenados no. Ella por lo menos, no. Pronto volvería al mundo en el que se sentía cómoda, y seguramente tendría la inteligencia de casarse con el hombre adecuado. Podría llevar una vida cómoda como esposa de un profesional próspero, tal vez de un caballero con una propiedad pequeña pero agradable. Podría llegar a ser una esposa y una madre alegre y enérgica, una bendición para su comunidad...

En cuanto a él... Volvió a meterse el trozo de seda en el bolsillo. Como dijo la duquesa de Arran, hay que proponerse establecer vínculos con la persona adecuada.

Cressida apuntó con esmero cada libro de la biblioteca de su padre. No era un gran lector, así que la mayoría de ellos hablaban de negocios. Directorios de ciudades, comerciantes, bancos, almacenes, puertos, barcos... Sabía que no serviría de mucho, pero anotar mecánicamente le adormecía la mente. Libros de viajes. Algunos sobre la India, pero la mayoría de otros lugares. China, Japón, Mongolia, Rusia... ¿todavía soñaba su padre con viajar a lugares aún más exóticos?

No tenía ninguna copia de los viajes de sir John Mandeville, aunque le había enviado una en su décimo cumpleaños. Siempre le enviaba cartas y ocasionalmente regalos y, claro, el dinero con el que vivían. Pero para ella era tan real como la reina de las hadas. ¿Por qué había vuelto para estropearlo todo? Entonces llegó al mismo libro sobre Arabia que le había prestado Saint Raven, y no pudo evitar sacarlo y hojear sus páginas.

¿Dónde estaría ahora? ¿Ya habría regresado a su casa después de ir a ver a Miranda Coop? ¿Cuándo lo sabría? La parte más razonable de su mente estaban nerviosa ante este hecho, pero la parte más profunda no se preocupaba porque sabía que él no podría traerle noticias. ¿Qué problema por un puñado de joyas, si no...?

«¡Qué locura!» Cerró el libro de golpe y lo volvió a poner en la estantería. Pero el siguiente era el directorio de Londres. Debía aparecer la dirección de Saint Raven. Le parecía raro desconocer su dirección... Casi contra su voluntad, sacó el libro sencillamente encuadernado. ¿Saldrían listas de casas con el nombre de sus propietarios? No, por dirección y ocupación. Se rió. Era difícil que hubiera una lista de «pares del reino» ¿O no? Revisó el índice, pero evidentemente no la había. ¿Entre «pasteleros» y «mercaderes de pimienta y especias?

Pero mientras hojeaba el libro se dio cuenta de que comenzaba con una sección sobre las mansiones de los grandes del reino. La primera página, por supuesto, la ocupaba la del rey. Su majestad, el rey Jorge. La lista continuaba con toda la familia real y los miembros del gabinete. Siguió leyendo y enseguida lo encontró. Su excelencia el duque de Saint Raven, calle Upper Jasper número 5. Bastó con eso para que su corazón se acelerara.

Otro libro. Un libro de planos con hojas que se desplegaban mostrando detalladamente los distintos barrios de Londres. Lo extendió en el escritorio y consultó el índice. Calle Upper Jasper. Ahí estaba, muy cerca de Saint James. Cada casa aparecía circundada por una línea con un número inscrito en su interior. El meticuloso dibujante de mapas incluso había dibujado los jardines traseros de las casas, dando a entender que tenían un macizo central de flores, aunque no se imaginaba cómo lo pudo haber sabido. La casa tenía una extensión de terreno por detrás que sólo medía la mitad de la zona principal. Debajo había una cocina, pero ¿qué había encima? ¿Un pequeño dormitorio? ¿Una salita?

Mientras se concentraba en esos detalles, le pareció que si encontraba una lupa, podría llegar a ver cómo era la casa en realidad. Y con una lo suficientemente grande, tal vez pudiera mirar por las ventanas, e incluso llegar a verlo...

Se apartó y enseguida volvió a doblar el mapa de cualquier manera y lo devolvió a la estantería. Ahí no había más que líneas de tinta.

Capítulo 20

Tris bajó las escaleras y se dirigió a la parte trasera de la casa donde se encontraban las oficinas. En la primera habitación tres secretarios se levantaron de sus escritorios para hacerle una reverencia.

—Su excelencia.

Tris sonrió y se dirigió al secretario de más edad.

—Buenas tardes, Bigelow. Supongo que todo va bien en el ducado.

El hombre, que era muy alegre cuando bajaba la guardia, le hizo un guiño

—Eso creo, su excelencia.

Tris asintió y se dirigió a la zona privada interior, desde donde gobernaba el señor Nigel Leatherhulme. Era pálido, escuálido y llevaba unos gruesos anteojos. Creía que debía tener unos setenta años, pero su mente seguía tan lúcida como la del propio Tristan, y sus conocimientos y experiencia eran mucho mayores. Le había aterrorizado la primera vez que se reunieron. Pero ahora mantenía el tipo, aunque a duras penas.

—Su excelencia.

Leatherhulme se dispuso a levantarse, pero Tris le hizo un gesto para que volviera a su asiento. Mantenía firme la cabeza, pero no el cuerpo, y por esa razón vivía con ellos en la casa. Su esposa había fallecido hacía unos veinte años, o más, y sus hijos eran casi pensionistas, por lo que pensó que era ridículo que Leatherhulme viajara una milla cada día para llegar a la oficina cuando había un montón de habitaciones vacías disponibles.

En principio no lo aceptó del todo, pero finalmente accedió cuando Tris le concedió deducir de su salario la habitación y la comida. Al hacerle la oferta, Tris no pensó en lo difícil que iba a ser reemplazarlo si vivía en la casa, pero era algo que tenía que hacer para que las cosas pudieran empezar a cambiar. Otro imprudente error.

Acercó una silla a un lado del escritorio y miró por encima el paquete de documentos.

—Aquí estoy. Dígame dónde tengo que firmar.

Los delgados labios de Leatherhulme se endurecieron casi hasta desaparecer.

—O lee los documentos, su excelencia, o llamaré a Bigelow para que se los lea.

Tris era consciente de que era algo parecido a un juego. Como dos perros que se pelean por un hueso.

—Si me siento aquí y los miro ¿cómo sabrá que los estoy leyendo?

—Usted es lo suficientemente inteligente, su excelencia, como para no desperdiciar su tiempo de esa manera. En realidad —dijo Leatherhulme mirando por encima de sus anteojos—, estoy empezando a sospechar que si intento impedir que lea lo que tiene que firmar, me meteré en un problema.

Tris se apoyó en el respaldo de su silla.

—Como ve, está haciendo suposiciones.

—Su tío no tenía una opinión demasiado buena de usted, señor.

—¿Y usted piensa mejor de mí ahora?

—Tendría mejor opinión de usted si no llegara disfrazado de mozo de cuadra.

—¿Cotilleando, Leatherhulme?

El hombre se estiró todo lo que le permitió su columna.

—Algunas veces uno no puede evitar escuchar ciertas cosas, señor, especialmente cuando todos los sirvientes hacen comentarios.

—Por el honor de los Tregallows, prometo que estoy haciendo una buena obra.

El anciano suspiró.

—Usted se parece mucho a su padre, señor.

Era la primera vez que Leatherhulme mencionaba a su padre, y Tris tuvo la tentación de seguir preguntando. Sin embargo, era demasiado sensato como para precipitarse.

—¿Otro punto en mi contra? —dijo ligeramente—. Muy bien, páseme el primer documento.

Tris comenzó con las cuentas de varias de sus propiedades, firmando o poniendo su inicial en cuanto entendía a qué se referían, y preguntando cuando no era así. Por primera sintió una especie de compañerismo, y pensó que era una pena que Leatherhulme tuviera que irse. Aunque tendría que hacerlo.

El hombre permanecía preparado para poner el sello y el lacre en los documentos que lo requiriesen. El arrugado anciano olía al penetrante olor del lacre caliente mezclado con el polvo de los documentos antiguos y un débil aroma a lavanda vieja. Había algo desafortunadamente sepulcral en esa habitación.

Tris continuó consultando las mejoras que se habían producido en una propiedad de Northumberland, y revisó los gastos y los ingresos, actuales y futuros, siempre teniendo en cuenta las rentas completas del ducado en esos tiempos difíciles.

—¿Lo podemos vender?

—Forma parte de las propiedades originales de su familia, su excelencia.

Era un tema espinoso.

—Pero está muy alejada de las demás propiedades. No tiene sentido que nos aferremos al pasado cuando podemos usar el dinero para invertirlo en otra cosa.

—Siempre se puede economizar, su excelencia.

—Maldición, Leatherhulme, ¿cuánto más quiere que nos apretemos el cinturón? No voy a deshacerme de personal cuando es tan difícil encontrar empleo en estos tiempos. Y no voy a vender —añadió— ninguno de mis caballos. Me merezco disfrutar de algunos placeres.

—Sin duda, señor. —Leatherhulme cogió el documento—. Haré saber que la propiedad va a estar disponible. Pero sería una tontería venderla por debajo de su precio.

—Por supuesto.

El anciano no había mencionado Nun's Chase y las mujeres, que eran un gasto, aunque no lo bastante grande como para hacer que quebrara un ducado, a diferencia de la avidez de su tío por coleccionar pintura italiana que, por desgracia, ahora valía sólo una parte de lo que había pagado.

Cogió el siguiente documento pensando que sin duda una esposa rica podría ser una bendición. Pensó en Phoebe Swinamer, que tenía una enorme dote así como una belleza fría, y se estremeció. Lady Trent le había presentado esa temporada a Mary Begbie, que era poco agraciada y aburrida, pero heredera de un rico mercader de las Indias Occidentales. Había pensado vagamente en ella siempre con la idea de tener una amante que le hiciera la vida soportable.

Se preguntaba por qué no se había fijado en Cressida Mandeville, hija de un mercader de las Indias Orientales. Su padre probablemente no era tan rico como Begbie, y quizás eran demasiado refinados, o ignorantes, como para contratar a un aristócrata necesitado o avaro para que la mostrara ante de las narices más aristocráticas. Le sorprendía saber que había estado muchas veces en el mismo salón que Cressida y que no había sido consciente de ello.

Leatherhulme se aclaró la garganta, y Tris se dio cuenta de que llevaba demasiado tiempo mirando la misma página y la puso sobre la mesa.

—¿Por qué tenemos un pleito con un convento? Parece sacrílego.

—Un convento también puede ser un terrateniente, señor. Nos pleiteamos porque su propiedad ha invadido sus tierras en Berresby Studely. Alegan que se han de establecer los límites que había antes de la Reforma, pero es un convento católico trasladado aquí por culpa de los desmanes de Francia, así que ni siquiera tienen la historia de su parte.

—¿Monjas mentirosas?

—Es un error asumir virtud simplemente porque se hayan hecho votos religiosos.

—Así es ¿verdad? —preguntó Tris con una sonrisa—. Hagamos salir a las monjas, entonces.

—Su excelencia…

¿Había observado un cierto brillo en sus ojos apagados?

—¿Está seguro de que no lo puedo tentar con irse a pasar una temporada a Nun's Chase, Leatherhulme? Puedo organizar placeres especiales para usted. Una madre superior madura…

—¡Su excelencia!

Las bromas animaron a Tris y dejó a un lado los documentos.

—Leatherhulme, debo hablar con usted sobre su trabajo. —Como creyó ver una señal de alarma levantó la mano—. Por mi honor, usted tendrá un lugar aquí todo el tiempo que quiera, y también es su casa. Con todos mis agradecimientos. Pero creo que ya es hora de que le contrate un ayudante personal.

—No me hace falta, excelencia, más que los secretarios de que disponemos.

—Entonces tendré que ser egoísta. Necesito que tenga un ayudante personal por dos motivos. El primero, es que quiero a alguien que pueda viajar por las propiedades y que lo pueda hacer con rapidez cuando haya una urgencia. No deseo dejar las cosas totalmente en manos de empleados locales que no estén bien supervisados. Y el segundo, es que cuando usted decida descansar, quiero que alguien esté preparado para asumir su trabajo y que conozca de primera mano mis asuntos.

Durante un instante la expresión que puso Leatherhulme fue como la de Uffham unos instantes antes, pero después se quedó mirando a Tris.

—Me sorprende, su excelencia.

—¿Esperaba que fuera un frívolo cabeza hueca?

—No, frívolo no... —Leatherhulme se sacó los anteojos y se restregó la marca que le dejaban a cada lado de la nariz—. Su tío me entregó todo el control, y debo confesarle que me había acostumbrado. Sin embargo, lo que dice es sensato e inteligente. Si me he aferrado a llevarlo todo, es porque, perdóneme, no tenía una opinión demasiado alta de la moral y de la cordura de sus predecesores.

—Dios mío. ¿También sirvió a mi abuelo?

—Y a su bisabuelo, aunque falleció poco después de que entrara a su servicio como ayudante de su anciano secretario.

Tris se rió.

—Por lo menos tuvieron la inteligencia de contratar y mantener a buenos servidores.

Leatherhulme asintió en reconocimiento al cumplido.

—Supongo que querrá contratar a mi ayudante usted mismo.

—Sí, pero le daré a usted derecho a veto. No servirá si no se llevan bien.

—Muy bien, señor.

Sesenta años al servicio de la familia. ¡Caramba!

Tris volvió a mirar el caso del duque de Saint Raven contra las Hermanas de la Divina Pureza. Al final lo autorizó sintiendo que en cualquier momento un rayo podría acabar con él. Puso el último papel sobre la mesa y aceptó llevarse el pesado libro de cuentas para examinarlo en sus ratos libres. Nunca había tenido un tutor tan exigente como Leatherhulme. Lo que le hacía tener pensamientos traviesos.

—Me pregunto si me puede dar algún consejo sobre novias, Leatherhulme.

—Sinceramente espero que esté hablando en singular, su excelencia.

Tris sonrió.

—Así será en su momento. Y si me caso, espero no desear nunca la muerte de mi esposa.

—En mi opinión, señor, en la frase sobra el *si*. Usted es el último de un linaje antiguo y noble.

—Del que no tiene muy buena opinión.

Los delgados labios del anciano se apretaron como si estuviera evitando sonreír.

—Tengo esperanzas ante el futuro, señor. Como consejo, le recomiendo que elija a una mujer sensible que pueda ser una buena compañía y un apoyo. Eso a un hombre joven sin duda le parecerá aburrido, pero los fuegos del amor a menudo se apagan, y los de la..., perdóneme señor, de la lujuria siempre se acaban.

—Le prometo que no me casaré por lujuria. Uno de los beneficios de mi vida de libertino es que no lo necesito.

No sabía qué reacción esperar, pero no un simple movimiento de cabeza.

—Un punto de vista excelente. He visto caer a algunos caballeros jóvenes en esa trampa.

Tris no se podía creer que estuviera manteniendo esa conversación, pero se echó hacia atrás y se apoyó en el respaldo de la silla.

—¿Tiene alguna sugerencia?

—No estudio los registros sociales, señor.

—Pero ¿cuál debe ser mi prioridad, el origen, la riqueza o la buena compañía?

—Las tres cosas.

—¡Por Dios! Ciruelas así no cuelgan de cualquier árbol.

—Pero cuelgan de los ciruelos cuando es la estación, señor. ¿Ha estado mirando en los jardines correctos?

Tris se rió y se levantó.

—Maldita sea, hombre, tiene razón. Tal vez deba ir a Brighton para observar con más atención la fruta madura. Pero primero tengo asuntos que resolver aquí.

—¿Asuntos? —preguntó Leatherhulme evidentemente alarmado.

—Nada que sea de su competencia. Asuntos como el de Nun's Chase.

—Ya veo. —Leatherhulme se volvió a poner los anteojos y nuevamente se convirtió en el viejo mustio y seco al que Tris estaba acostumbrado—. ¿Eso será todo, su excelencia?

A pesar de que era una pregunta, parecía más como si lo autorizase a retirarse.

—Así es. —Pero él añadió—: Gracias.

Se marchó sintiéndose extrañamente aligerado, a pesar de que el consejo de Leatherhulme iba en contra de una novia sin dinero de origen y formación normal. Pero el anciano no tenía necesidad de preocuparse. Nunca sería así.

¿Había regresado Cary? Preguntó pero nadie sabía nada. Tris dejó el libro de contabilidad en una silla y se paseó por la habitación. Londres, incluso en agosto, estaba lleno de divertimentos destinados a saciar las locuras de la mente de un joven. Sin embargo, hizo un repaso y no encontró nada que le atrajese. Volvió con el libro y se sentó a estudiarlo. En cuanto a la noche, no le apetecía más que tomar una cena sencilla y acostarse temprano.

No es que se estuviese volviendo aburrido, se aseguró a sí mismo. Simplemente necesitaba despejar la cabeza si iba a tener que conseguir que Miranda Coop le diera la estatuilla sin tener que obedecerle como si fuera un perro atado a una correa.

Un ruido en el estómago avisó a Cressida de que había pasado mucho tiempo desde que se tomara la merienda, y que su cuerpo necesitaba comer. Se dirigió a la cocina a pedirle algo al cocinero, quien con gran alegría le cortó un trozo de pastel y le ofreció un poco de fruta en una bandeja.

—Le ruego que me perdone, señorita, pero ¿por qué no se queda aquí con Sally, Sam y conmigo, y se toma una taza de té? Estábamos a punto de prepararnos una, y arriba va a estar muy sola.

Cressida aceptó, aunque le preocupó que los sirvientes quisieran preguntarle por su futuro. Sin embargo, charlaron sobre sus familias y otros sirvientes. Cressida se relajó tomándose una sencilla taza de té en ese mundo tan vulgar. Ni siquiera en Matlock se habría tomado un té en la cocina.

Entonces le comentaron el último escándalo. Según la doncella de los Onslow, a la que habían conocido esa mañana en la lechería mientras llenaban unas jarras, su señorita estaba engordando. Por eso tenía que casarse a toda prisa con el teniente Brassingham, que no era el novio que deseaba la familia cuando decidió traer a la joven a la ciudad. Y aún más, según la doncella, probablemente él no sea el responsable de la situación...

Pobre señorita Onslow. Cressida se bebió su té y no le fue difícil imaginar la escandalosa historia que debía estar corriendo por todo Londres entre jarras de leche y cestos de pan.

Dice el rumor que esa señorita Mandeville estaba en una fiesta de caballeros con un traje subido de tono. Y según la doncella de la cocina no llegó a su casa esa noche. Se quedó con un amigo... Algo así dijo...

¿Cómo pudo haber sido tan loca? Pero claro, al principio no tuvo otra elección. Y como había dicho Tris, no importaba lo que hicieran de noche. Excepto para sus sentimientos de culpa.

Alguien golpeó la puerta con la aldaba, y Cressida se asustó imaginando que en el mismo umbral de la entrada se podía producir un escándalo.

Sally se levantó enseguida.

—¿Quién podrá ser? —Corrió a ver y regresó en un instante—. Es para usted, señorita Mandeville. Un tal señor Lyne.

¡El mensajero de Saint Raven! Por lo menos algo estaba saliendo bien.

—Tiene que ver con los asuntos de mi padre. Lo mejor será que vaya a verlo.

Se apresuró en llegar al recibidor, e inmediatamente comprendió su expresión.

—No trae las joyas.

—Me temo que no. Pero no se asuste.

Cressida cerró la puerta y se sentó.

—Todavía no estoy asustada. ¿Qué ha ocurrido?

Él se sentó cerca de ella.

—Saint Raven fue a la casa como estaba planeado, pero la mujer no le entregó la estatuilla.

—¿Por qué? ¿Qué podría querer?

Cary hizo una mueca.

—Que Saint Raven la acompañara en público. Él aceptó, señorita Mandeville, pero no tenga miedo. No ocurrirá hasta el fin de semana.

¿Aceptó qué? Apartó esa idea de su cabeza.

—¿No le extrañó que aceptara hacer eso simplemente a cambio de una estatuilla que no tiene un gran valor?

—A él le preocupaba lo mismo, pero piensa que jugó bien sus cartas. Le contó que la quería su pequeña hurí, es decir, usted, perdóneme la expresión. Él se quedó helado ante la idea de degradarse para complacer a una puta, si me disculpa usar ese término. —Lyne estaba comenzando a sonrojarse—. Se dejó convencer para servirle exclusivamente de acompañante, y sólo por un día.

No se lo podía creer. Había todo un submundo por debajo de los bailes y los paseos. ¡Por eso muchas veces faltaban caballeros en los eventos respetables!

—El sábado. Me gustaría que no tuviéramos que esperar tanto.

—Por favor, no se preocupe, señorita Mandeville. Saint Raven me pidió que le asegurara que en una semana recuperaría las joyas. Como fuera.

¿No le importaba lo que tuviera que hacer para conseguirlas? ¿Y qué derecho tenía de desaprobar su conducta si lo hacía por ella?

Se levantó y le ofreció la mano.

—Gracias, y por favor exprese al duque mi agradecimiento. Esto no es asunto suyo, ni de él, y aprecio mucho la ayuda que me están prestando.

Él le estrechó la mano un momento.

—Hará todo lo que pueda para que usted sea feliz, señorita Mandeville.

Cressida observó cómo se marchaba pensando en lo que le había dicho. Por el momento la felicidad parecía muy lejos de su alcance. De todos modos era una persona práctica, y sabía que esos sentimientos pasaban. Mientras tanto seguiría haciendo ese aburrido inventario para tranquilizarse. Aunque ya no la calmaba. Y cuanto más perseveraba en la tarea, más se empezó a impacientar. Su estatuilla estaba tan cerca. ¿Sería imposible entrar en la casa… y reponerla? No sería como robar, especialmente si sólo se llevaba las joyas.

Aunque su mente le daba vueltas a esa posible aventura, sabía que era una fantasía. Ni siquiera sabía dónde vivía Miranda Coop. Tenía el *Directorio de Londres,* pero igual que no tenía una sección de «Pares del reino», tampoco tendría una de «Prostitutas». Aun así, no pensaba abandonar. El libro señalaba cada calle y los nombres de los propietarios de las casas. ¿Dónde podría vivir una mujer como Miranda Coop? Seguramente no en las zonas más selectas, aunque no debía estar completamente apartada de ellas. Una prostituta de moda debería querer estar cerca de su clientela.

En el centro de negocios no podía ser, pues allí sólo había mercaderes y empresarios, y no hubiera sido demasiado racional. Pero el asunto la obsesionaba, y tal vez distraía su mente ansiosa. Le parecía que estaba haciendo *algo*. Desplegó el plano y se puso a revisar en el directorio cada calle que rodeaba a Mayfair. Sus ojos estaban cansados, pero no podía dejar de revisarlo. Y entonces la encontró. Miranda Coop, Tavistock Terrace, número 16. De hecho, no estaba demasiado lejos de su casa. Sentía que se había producido un milagro, pero no sabía qué hacer con esa información. No podía visitar a una mujer así. Sería impropio y podría dar lugar a peligrosas especulaciones.

Pero no pasaría nada si al día siguiente se paseaba por delante de su casa. Al fin y al cabo, era una calle respetable, y así estaría haciendo algo en vez de esperar, esperar y esperar.

Capítulo 21

A la mañana siguiente, Cressida se vistió con uno de sus vestidos de Matlock. Aunque era de buena calidad, la tela tenía un estampado de azul sobre gris, que nunca llamaría la atención, y, por supuesto, tenía el cuello alto y las mangas largas. Añadió al conjunto su sombrero con ala más ancha que le tapaba los rizos. Cuando se miró en el espejo, estaba segura de que aunque se encontrara cara a cara con Miranda, nunca se imaginaría que era la hurí de Saint Raven.

Por la noche, como si fuera una tortura, una y otra vez le había venido la imagen de él abrazando y besando el pecho de Coop. «Eso es lo que él es», se recordó a sí misma, y se dio la vuelta para marcharse. «Agradece que te evitarás todo el sufrimiento que ese hombre podría haberte provocado».

Fue a ver a sus padres y le dijo a su madre que iba a la biblioteca pública.

—Llévate a Sally, querida.

—Tiene que quedarse aquí, mamá. Además voy muy cerca.

Su madre suspiró.

—Muy bien, querida.

Tavistock Terrace resultó ser exactamente como Cressida suponía que era: una hilera de casas nuevas estucadas de color blanco brillante con ventanas relucientes. Delante de la fachada unas barandillas conducían a los sótanos que usaban los sirvientes. Estas casas pertenecían o eran alquiladas por personas que estaban en los márgenes de los círculos sociales más elevados, o por mercaderes u otros profesionales que aspiraban a escalar socialmente. Como su padre.

Apartó ese pensamiento y se entretuvo preguntándose si los respetables residentes de Tavistock Terrace conocían la profesión de la mujer que vivía en el número 16. Dudaba que la señora y su hija que charlaban ante el número 5, o el sobrio hombre que salía dando grandes zancadas del número 8 para subirse a un carruaje de alquiler lo supieran, Cressida se paseó por la calle con decisión, pero no demasiado rápido, aunque al final no le sirvió de nada. ¿Qué esperaba encontrar?

La casa de Miranda Coop era igual a las demás. Echó un vistazo a la ventana salediza mientras pasaba y no vio más que un salón común donde no se veía la figurilla. Giró a la izquierda al final de la calle y siguió caminando mientras pensaba. Podía volver y bajar por la escalera de la zona de los sirvientes y... ¿qué? ¿Hacer como si buscara trabajo? Para eso se tenía que haber vestido con mayor sencillez aún. ¿Hacer como si estuviera perdida? ¿Fingir que buscaba a un antiguo sirviente? Podía hacerlo, pero era un riesgo innecesario porque no obtendría nada. La estatuilla no debía estar en el sótano, e iba a ser muy difícil que los sirvientes la dejasen moverse libremente por la casa.

De todos modos, no podía volverse a su casa con las manos vacías. Entonces vio una indicación que decía CABALLERIZAS TAVISTOCK, y se dio cuenta de que el estrecho camino de acceso debía circundar las casas por detrás. Entró en el callejón y aunque era muy extraño que anduviera por ahí, no estaba cometiendo ningún delito.

El camino estaba rodeado a cada lado de grandes muros de piedra que ocultaban los jardines traseros de las casas. A su izquierda podía ver por encima del muro los tejados de Tavistock Terrace interrumpidos por las ventanas con forma de mansarda de las habitaciones de la servidumbre. A su derecha las casas eran muy parecidas. Los muros de vez en cuando se interrumpían con grandes puertas de madera. Quiso abrir una, pero tenía echado el cerrojo por el otro lado.

Llegó a una zona más abierta y se detuvo. Era un patio rodeado de edificios con puertas de madera, todas cerradas. Algunos servían de cocheras y otros de establos. Pobres caballos de ciudad, pues te-nían que vivir casi todo el tiempo sin que apenas hubiera nada verde a su alrededor. Debía de ser una cuadra para carruajes y caballos de alquiler. Al fin y al cabo, sólo los muy ricos podían mantener sus propios caballos y carruajes en Londres. Sin duda alguna, su padre no podía, incluso antes de la gran calamidad. Otro aspecto fascinante de Londres que nunca había explorado: cómo se trasladaba la gente y los cientos de caballos que había que suministrar y atender.

Se abrió una puerta y apareció un mozo de cuadra anciano y patizambo que llevaba un caballo gris ensillado. Se tocó el sombrero.

—¿Busca algo señorita?

—Querría saber cómo se cuidan los caballos en la ciudad.

El mozo estrechó los ojos.

—Aquí nadie es reformista ¿y usted?

Su reacción le dio a entender que había algo que debía ser reformado.

—Simplemente quiero saber cómo funcionan las cosas.

Él la miró como si le faltaran varios tornillos, pero se volvió a tocar el tricornio.

—Tengo que llevar a Hannibal a ver al señor Greeves, señora.

Se subió con agilidad sobre la montura y se marchó acompañado del repiqueteo de los cascos. Entonces apareció otro hombre mucho más joven y alto, con unos gruesos brazos que dejaban a la vista sus mangas arremangadas. La nariz de Cressida reaccionó, consciente de su masculinidad, como no le había pasado jamás. No era un hombre especialmente atractivo y ella no le atraía, ¡pero Dios mío, lo había sentido intensamente!

—¿En qué la puedo ayudar, señorita? —preguntó con una pizca de impertinencia.

Aunque no había hecho ningún movimiento amenazante, Cressida quiso retroceder, pero enderezó la espalda.

—Tengo curiosidad por saber cómo funcionan unas caballerizas como éstas.

—Quienes tienen que saberlo lo saben, señorita.

—¿Ha pensado qué pasaría en el mundo si todos tuvieran su actitud, señor? La curiosidad estimula la invención. ¡Crea riqueza y avance!

Los ojos de él se abrieron un poco al decir la palabra *riqueza*, y Cressida se aprovechó de su posición.

—Como sabe, sin duda la curiosidad de alguien condujo a la invención de —intentó pensar en algo relacionado con caballos— ¡las herraduras!

Él levantó sus pobladas cejas.

—Eso fue hace mucho tiempo, señorita.

Parecía entretenido, y la sensación de amenaza disminuyó.

—Muy bien, dígame algo que haya mejorado recientemente.

—Los bocados. Y los muelles de los carruajes. Y he oído decir que el collar de los caballos hace años significó una transformación enorme. A los caballos no se les puede llevar con un yugo como a los bueyes.

—Fascinante —dijo Cressida y lo era—. Mi padre me dijo que los carruajes ahora son mucho más cómodos que cuando se marchó a la India el siglo pasado.

—¿A la India? —Los ojos del joven se iluminaron—. Siempre he soñado con viajar.

—Entonces debería hacerlo. Puede encontrar un empleo acompañando a algún caballero que vaya a la India. Tal vez mi padre le podría ayudar…

Cressida se dio cuenta de que su entusiasmo la estaba metiendo en aguas peligrosas. El paso lógico era decirle el nombre y la dirección de su padre. Oh, vaya, no tenía manera de echarse atrás, y el joven la miraba con los ojos tan resplandecientes que ella deseó que pudiera tener una oportunidad de conocer mundo.

—Sir Arthur Mandeville, Otley Street número 22. En este momento mi padre no se encuentra bien, pero si me deja su nombre, veré si lo puedo poner en contacto con algún caballero apropiado.

El hombre se rascaba la barbilla con aspecto de estar un poco confundido.

—Bueno, no sé, señorita. Es un gran paso…

—Claro que lo es, y no tiene por qué darlo si no quiere. La India tiene un clima muy poco saludable para los ingleses, aunque mi padre prosperó mucho allí.

—Sir Arthur Mandeville —repitió el hombre para memorizar el nombre—. Otley Street, 22.

—¿Y cómo se llama usted? Tengo que saber a quién dejo entrar en casa.

—Isaac Benson, señorita. ¿Quiere que le enseñe cómo es esto?

Cressida no pretendía tanto, lo que era una prueba de que la virtud no siempre obtiene recompensa.

—Me encantaría, señor Benson.

Gracias a su curiosidad natural se quedó encantada de poder dar una vuelta por los establos y las cocheras, y conoció a un joven que estaba muy ocupado limpiando una cuadra. Era consciente de que se estaba entreteniendo sin ningún propósito real, a menos que descubriera algo sobre Miranda Coop. Como sospechaba, el lugar era como una cuadra de alquiler que albergaba los caballos de algunos residentes, otros de alquiler, y tres carruajes. Isaac Benson todo el tiempo le hablaba de caballeros.

—¿Y no vienen damas? No he visto monturas de mujer.

—No nos las piden mucho, señorita Mandeville. Si lo hacen, hay una gran cuadra en King Street que nos las puede enviar. Algunas veces tenemos que hacer eso precisamente: conseguir algo de otro lado para nuestros clientes.

—Y las damas no viajan solas.

Cressida se preguntaba si Miranda Coop mantenía las apariencias. Seguramente sí.

—Bueno, depende. Hay una dama muy bella que vive en Tavistock que es independiente. Pide un carruaje y va donde quiera. Es una viuda. La señora Coop.

—Ah. —Pero si La Coop pedía uno de esos carruajes, ¿contaría el cochero adónde la había llevado? ¡Sin mencionar su atuendo! —Debe de sentirse muy segura con el cochero que le proporcione.

—Tiene el suyo propio, señorita. Un sirviente que hace de lacayo o de cochero si le hace falta. Al principio no me gustaba, pero el señor Jarvis conoce su oficio. —Se tocó el cabello—. Es mejor que siga con mi trabajo, señorita, pero puede mirar por ahí si le apetece.

Cressida le indicó que sí le gustaría, pero cuando salió de la sala de monturas, hizo un gesto con la cara. Estaba siendo una mañana más interesante de lo que esperaba, y aprender siempre era útil, aunque no estaba más cerca de recuperar la figurilla.

Se paseó por el almacén de alimentos y los establos, agradecida de que los enormes caballos estuvieran todos metidos en sus pesebres y encerrados por altos muros. Al final de la estancia se detuvo en la puerta abierta del patio. Desde ese punto había una buena vista de la parte de atrás de Tavistock Terrace. Los números de las casas estaban pintados en las puertas traseras, pero no le servía de nada. La estatuilla no estaba convenientemente colocada en el alféizar de la ventana del número 16. Y si lo hubiera estado ¿qué hubiera podido hacer? ¿Entrar subrepticiamente? No tenía suficiente valor para hacerlo.

Mientras observaba se abrió la puerta y salió un corpulento anciano con ropa de montar. Cressida dio un paso atrás para que no la viera.

—Buenos días, señor Jarvis —escuchó decir a Isaac Benson.

—Buenos días, Isaac. La señora Coop quiere la silla de viaje si está disponible. Si no lo está, necesita que le consigan alguna.

—Está libre, señor. ¿Cuándo la quiere?

—Lo antes posible.

—¿Un par o dos? Tendré que hacer que traigan la segunda.

—Una es suficiente. Es sólo una excursión para ir a ver a un amigo en Saint Albans.

—Muy bien. ¡Jimmy! —Benson llamó al muchacho para que lo ayudara y se dirigió a la sala de carruajes. Jarvis se encaminó al establo.

Cressida casi se puso a correr, pero no podía salir antes de que él entrara, y no quería parecer que hacía algo de manera furtiva. Él entró y se detuvo. Después se tocó su alto sombrero y se la quedó mirando divertido. Ella se dio cuenta de que pensaba que era una amiguita de Benson. Sin embargo, no quiso aclararlo y le hizo una pequeña reverencia. Él le guiñó un ojo y pasó a ver los caballos.

Cressida se estrujó el cerebro pensando qué le podía preguntar para sonsacarle información.

—Tengo una tía en Saint Albans —mintió.

—¿A sí, guapa? Si quieres que te llevemos allí, olvídalo. Mi señora no lo consideraría siquiera.

—¡No, no quiero! Simplemente charlaba. —Cressida se escuchó a sí misma escapando de una conversación como hacía Sally y le hizo mucha gracia.

—¿No tienes nada que hacer?

—Hoy no. Mi señora ha salido.

—Tienes suerte —dijo él y se volvió a examinar los caballos.

—El señor Benson dice que usted conduce el carruaje de su señora.

Entró en un establo para inspeccionar un gran caballo color marrón.

—El señor Benson no debería hacer comentarios.

Cressida rezó para no estar comprometiendo al joven.

—Me lo ha dicho porque le admira, señor, porque es capaz de hacer tantas cosas.

—Es muy cierto. Anteanoche fui asaltado por un salteador de caminos. Tenía mi pistola y me lo pude cargar, o dejarle una marca.

Cressida no tuvo que fingir sorpresa.

—¡No sería Le Corbeau!

—El mismo. —Se la quedó mirando—. ¿No serás otra cabeza hueca admiradora de ese granuja?

—No, pero es emocionante.

¿Qué clase de giro loco era ése? ¿Miranda Coop fue asaltada por el verdadero Le Corbeau mientras volvía a su casa después de la orgía?

—Pensaba que estaba detenido —dijo.

—Aparentemente se equivocaron de hombre. —Salió de un establo y entró en otro—. Pero para su rabia no consiguió demasiado. Mi señora sólo llevaba una estatuilla que le habían regalado.

Cressida agradeció al cielo que estuviera examinando los cascos del caballo y no la estuviera mirando.

—Seguro que no se la llevó.

—Dijo que le hubiera estropeado la reputación no llevarse nada.

Benson entró entonces y se sorprendió de que Cressida todavía estuviera allí.

—Lo siento, señor Jarvis…

—No importa. Su amiga es una muchacha encantadora. Me llevaré éste y aquel —dijo señalando los caballos—. Le estaba contando que nos asaltó el Cuervo.

Benson miró a Cressida desconcertado, pero no le explicó a Jarvis que se equivocaba.

—Al menos no corre peligro de que aparezca durante el día, señor Jarvis.

—Muy cierto.

Jarvis se dirigió al carruaje y dejó a Benson para que se encargara de los caballos. Enseguida llegó el joven Jimmy para ayudar.

Benson la miró interrogante.

—Lo siento. Supuso que yo era una doncella que había venido de visita, y no pude evitar seguirle el juego.

Él movió la cabeza.

—Es usted muy traviesa.

—En realidad no. Normalmente soy un ejemplo de corrección. Le dejaré trabajar ahora. Si desea hacer un viaje, por favor, acepte mi oferta.

—Aprecio su amabilidad, señorita Mandeville.

Cressida fue hasta la puerta, pero antes de llegar se detuvo un momento.

—¿Es verdad que la señora Coop fue asaltada por Le Corbeau?

—A menos que Jarvis esté contando un cuento.

—Y sólo perdió una pequeña estatuilla.

—Sí, pero por algo que dijo, parece que ella se enfadó mucho.

«No me sorprende», pensó Cressida mientras cruzaba las caballerizas y se dirigía a calles más amplias sin dejar de pensar. La Coop estaba usando la estatuilla que ya no tenía para obligar a Saint Raven a que la acompañara a una orgía. Tendría que estar desesperada por recuperarla. Y estaba yendo a Saint Albans a esas horas. Una prostituta que desconocía lo que eran las horas del día. ¿Sabía Miranda Coop dónde estaba la guarida de Le Corbeau?

Cressida se detuvo en la calle, respiró hondo, e intentó decidir qué hacer. Podía volver a caminar por Tavistock Terrace, pero no iba a servir de nada. Tenía que seguir a Miranda Coop, pero no podía desaparecer sin más. Debía decírselo a Saint Raven. Aunque, ¿cuál sería la manera más rápida...? En ese momento no miraba a nada en especial, pero de pronto sus ojos se centraron en algo. ¿Estaba soñando o era él el hombre que caminaba por el otro lado de la calle con su traje de mozo de cuadra?

¡Era! E iba con el señor Lyne vestido de manera similar. Iban a cruzar la calle para dirigirse a Tavistock Terrace. Tuvo que contenerse para no llamarlos con un grito, pero se puso a caminar a toda prisa para interceptarlos. Tris, en cuanto llegó a la esquina, se volvió y la vio.

Cressida creyó ver que él contenía el aliento igual que hacía ella.

—¡Cressida...!

—No tiene la estatuilla.

—¿Qué? —preguntó Tris como si esa frase le hubiera golpeado en la cabeza.

—Miranda Coop no tiene la figura —repitió mirando a su alrededor para comprobar que no hubiera nadie observando ese extraño encuentro.

—No te preocupes. —El señor Lyne parecía estar entretenido—. Estoy vigilando. Cuenta tu historia.

—Sí —dijo Tris—, empieza a decirnos qué diablos has estado haciendo.

—Cuide su lenguaje, señor.

—Soy un rudo mozo de cuadra. De los que no saben decir nada mejor. Suéltalo.

Cressida lo miró, pero no era un buen momento para discutir.

—Miranda Coop fue asaltada cuando volvía de casa de Crofton, y Le Corbeau le robó la estatuilla. Le ha pedido a su cochero que la lleve a Saint Albans, y tiene que ser para intentar recuperar la estatuilla.

—No *tiene que ser*, sino que es una posibilidad. ¿Cómo lo descubriste?

—Estaba en las caballerizas cuando llegó su sirviente para organizarlo todo.

—¿En las caballerizas…? —Se asustó—. ¿No te ha visto nadie?

—Claro que sí. Estuve hablando con ellos. Así…

—Entonces salgamos de aquí. En cuanto ese cochero llegue a la calle te verán.

—¿Y eso qué importa?

—Pues que te verán hablando con dos personajes de mala reputación —dijo Lyne.

—¡Oh! —exclamó ella mirando a su alrededor—. ¿Qué vamos a hacer?

—Tú no vas a hacer nada. —Tris hizo que se volviera hacia la calle—. Vas a irte a tu casa y te comportarás como una dama.

Cressida se volvió hacia él.

—¡Sólo cuando tú te vayas a tu casa y te comportes como un duque!

Ella sintió cómo su amigo contenía la risa.

—¿Por qué no nos salimos todos de la primera línea de fuego? Aquí no tenemos nada que hacer.

—Muy bien.

Tris cogió a Cressida del brazo para alejarla de Tavistock Terrace. Entonces escucharon el sonido de los cascos de los caballos. Él se giró para ponerse delante de Cressida, y su amigo se puso a su lado formando una sólida barrera. Con el corazón en la boca, Cressida se desató el sombrero, que era demasiado visible, y se lo sacó.

No le gustaba nada no poder ver más que su ancha espalda. Su ancha espalda... Y sabía cómo era sin ropa. Su cuerpo se ablandó al recordar su aspecto desnudo, y deslizó una mano dentro de la chaqueta de él hasta llegar a la tosca camisa que cubría su hermosa espalda.

—Deja de hacer eso.

Ella tuvo que controlarse para no reírse, y dejó de hacerlo al momento; pero sólo literalmente, pues mantuvo la mano donde estaba y algo mágico se dibujó en ese cálido contacto mientras el ruido de los cascos y el traqueteo de las ruedas se alejaba hacia Tavistock Terrace para recoger a Miranda Coop.

En cuanto él se volvió, ella escondió la mano.

—¿Qué vamos a hacer?

Él parecía enfadado, o algo así.

—Tú te irás a casa y yo me voy a buscar a Le Corbeau.

—Está en Saint Albans.

—¿Cómo puede Miranda saber dónde está? Seguramente vaya a ver alguien que podría saberlo, pero yo ya tengo un par de ideas.

—Por otro lado —dijo Lyne—, estaría bien seguirla por si nos lleva a algo que nos interese. Puedo conseguir un caballo.

—Buena idea.

Lyne se alejó a grandes pasos, y Cressida empezó a hacer preguntas.

—¿Qué hacíais aquí? —Pero entonces lo adivinó—. ¡Ibais a intentar entrar en la casa a robar la estatuilla?

—Cierto —dijo él.

—¡Estás loco! Pensaba que había prometido dártela si la acompañabas.

—No me gusta que me obliguen. ¿Y qué estabas haciendo tú exactamente fisgando en las caballerizas?

—No estaba fisgando. No pude evitar venir a ver la casa. Por si había algo...

Él cerró y abrió los ojos.

—Eres la señorita Mandeville de Matlock ¿recuerdas? La que siempre se comporta de manera impecable.

—Sí, desaliñada y desagradecida excelencia.

Él movió la cabeza pero se rió.

—Muy bien. Tu desaconsejable aventura ha sido fructífera, pero por favor, no vuelvas a hacer nada igual. No soportaría que te hicieran daño.

Los labios de ella temblaron.

—No he corrido ningún peligro.

—¿Cómo lo sabes? Vete a casa, amor, y déjame el resto a mí.

«Amor.»

La palabra minó su espíritu de lucha dejando tan sólo tristeza. Se dispuso a despedirse, pero de pronto se rebeló.

—No quiero irme a casa. Quiero formar parte de todo esto.

—¿Cómo? Y, perdóname, pero ¿en qué nos podrías servir?

Nuevamente el ruido de cascos y de traqueteo de ruedas hizo que se pusieran alerta.

—¡Demonios!

Le quitó el sombrero de la mano y lo dejó caer en una escalera próxima, y después la abrazó. La empujó contra la barandilla como si la estuviera besando. Desgraciadamente no lo hacía.

—Podríamos hacerlo —murmuró ella.

—Necesito mantener la cordura.

Ella le besó su marcada mandíbula.

—Pero la locura es tan atractiva.

—Sólo si aspiras a ir a Bedlam.

—Sería el cielo si también estuvieras tú...

La apartó de él.

—¡Cressida! Se supone que la mujer ha de ser fuerte por los dos.

El carruaje pasó.

—Qué injusto. Y si fuera verdad, deberíamos estar gobernando el mundo, no a los hombres. —Ella leyó en sus ojos—. No quieres separarte de mí, igual que yo.

—Claro que no, pero aún así soy un hombre frágil, e intento ser lo suficientemente fuerte por los dos.

Ella le puso una mano en el hombro.

—Lo sé. Tenemos que ser sensatos y lo seré, lo prometo. Pero sólo cuando recupere las joyas. Hasta entonces, quiero ser una criatura salvaje un poco más.

Cressida le tocó la mejilla. Estaba áspera. No se había afeitado por su disfraz.

—Llévame contigo a cazar al Cuervo, Tris. ¡No soportaría quedarme en casa esperando!

Tris le cogió la mano.

—¿Cómo podrías volverte a ir sin que pasase nada?

No había dicho que no, y de pronto Cressida lo vio todo claro.

—Le diré a mi madre una parte de la verdad. Le explicaré que conozco una manera de recuperar nuestra fortuna, pero que es necesario que me vaya sin dama de compañía durante unos días. Tendrá que confiar en que haré lo correcto.

—¿Lo permitirá?

—Está muy realista desde que ha recuperado la sensatez. Sabe que nos enfrentamos a un desastre.

—Esto nos puede *llevar* al desastre.

—Sólo si nosotros… No creo que… —Le faltaban las palabras.

Él volvió la cabeza y le besó la palma de la mano.

—Piensas que tengo una fuerza hercúlea.

—Sí, lo creo. ¿Será una tortura insoportable?

Tris se apartó.

—Maldita mujer. Sabes que no te puedo negar nada cuando me miras de esa manera.

Cressida parpadeó.

—¿No puedes?

Tris hizo que se acercara y le dio un breve beso.

—No puedo.

La soltó y bajó las estrechas escaleras para recoger el sombrero, entonces regresó y se lo puso elegantemente en la cabeza.

—Vete a casa —le dijo mientras le ataba los lazos—. Si puedes venir sin que ocurra un desastre, nos veremos en la esquina de Rathbury y Hays. No queda lejos de tu casa, pero en ese lugar es muy improbable que te vea nadie de clase alta. Iré conduciendo mi cabriolé.

Cressida le ofreció a conciencia una gran y brillante sonrisa.

—¡Gracias!

—Agradécemelo cuando estés tranquila en tu casa en Matlock. Vamos. Tenemos que adelantarnos a Miranda.

Se dio la vuelta y se alejó.

Capítulo 22

Cressida se quedó mirándolo un momento complacida, después partió a toda prisa en dirección contraria, llena de emoción. Esta aventura era una locura perversa que podría hacer aún más deprimente el resto de su vida, pero no podía dejarla pasar.

En realidad, pensó, mientras entraba en Otley Street, tenía pervertido el corazón. Si no fuera por sus padres, si estuviera sola en el mundo, se convertiría en la querida abiertamente reconocida del duque de Saint Raven, ¡y al infierno con el decoro y el sufrimiento!

Sin embargo, cuando llegó a su casa, las cuestiones prácticas la abrumaron. ¿Cómo iba a hacerlo? Odiaba mentir. Antes lo odiaba, pero ir a ver a Crofton había sido esencial. Esta excursión podría ser para darse el gusto de hacer una travesura. Necesitaba tiempo para pensar, y no lo tenía. Pero debía ir a buscar esa estatuilla. Tris podría abrirla, o tal vez tuvieran la oportunidad de cambiarla. Estaba en el estudio recogiendo la figurilla cuando entró su madre.

—Ah, creía que todavía estabas fuera, querida. He pensado que podría ser bueno para tu padre que le lea. ¿Qué libro le podría interesar?

—Buena idea, mamá —dijo Cressida sintiendo que llevaba inscrita la culpa por todas partes, y sacó el libro sobre Arabia.

—Pruebe con éste.

Su madre lo cogió, pero suspiró.

—Si se recupera se encontrará con todo el peso del desastre.

Cressida se pasó la lengua por los labios.

—En cuanto a eso, mamá... Puede haber una solución.

—¿Qué?

Cressida presionó con el dedo gordo un punto de la parte trasera de la figura, y ésta se abrió suavemente.

—Hay otra figura igual a ésta, mamá, pero está llena de joyas.

Su madre la miró con atención.

—Pero... ¡todas las demás están en Stokeley? ¡Ay, qué rabia que ese hombre tenga aún más riquezas!

—Pero he sabido que no las tiene. —¿Qué más decir? Pero entonces Cressida se dio cuenta de que estaba tratando a su madre como si fuera una niña—. Lord Crofton le entregó la estatuilla con las joyas a alguien, y después el salteador de caminos, Le Corbeau, se la robó. Una persona que conozco está dispuesta a ayudarme a intentar recuperarla. Tengo que hacerlo, mamá.

Su madre la miraba fijamente.

—¿Cómo sabes todo eso?

Cressida sintió que la cara le ardía.

—No te lo puedo contar.

—¿Estuviste con Cecilia todos estos días?

Cressida se atragantó.

—No.

—¡Cressida!

—Por favor, mamá, no pienses de mí lo peor. Papá me enseñó esas joyas en Stokeley Manor, y he intentado recuperarlas. Tenemos que hacerlo si pretendemos vivir de algo. Podremos regresar a Matlock, volver a nuestra cómoda vida allí…

Sintió que el futuro serpenteaba delante de ella obligándola a hacer muchas cosas, pero apartó ese pensamiento.

—Dios mío. Qué ciega he estado ante tantos tejemanejes. ¿Y crees que puedes encontrar esas joyas?

Cressida expresó más seguridad de la que tenía.

—¡Sí!

—¿Quién es esa persona? ¿Es… un hombre?

Quiso mentirle pero no pudo.

—Sí, pero no ocurrirá nada incorrecto.

Al hablar en tiempo futuro, decía la verdad, aunque no había sido demasiado decoroso haber acariciado la espalda de un hombre en una calle pública, y haberlo besado.

—¿Un *joven*?

—Sí, mamá.

—¿Estás segura de que puedes confiar en él, querida? Los hombres pueden saltarse las buenas maneras con mucha facilidad si una dama no se comporta con absoluta propiedad.

Cressida sintió que una risa salvaje podría atragantarla.

—Seré lo bastante fuerte por los dos, mamá. Por favor. ¿Confías en que puedo arreglar esto?

Su madre se mordió un labio, se acercó a ella y le cogió las manos.

—Me recuerdas mucho a tu padre, querida. Confiesa que en parte lo haces para vivir una aventura ¿no es así?

—Sí.

—¿Y te contentarás con regresar a Matlock cuanto esto acabe?

Cressida suspiró y se puso a mirar el muro de libros.

—No creo que tenga posibilidades más emocionantes.

Su madre le acarició la mejilla.

—Soy una mujer convencional, pero por un momento he sospechado que tú no. Le di libertad a tu padre. Hubiera vuelto a Inglaterra con nosotras, pero yo sabía que no era su lugar. Me amaba, pero aún amaba más sus aventuras, así que le di libertad. Ahora te la doy a ti también. Vive tu aventura, Cressida, pero que sepas que siempre tendrás un hogar al que regresar. Mañana o dentro de veinte años.

Cressida miró a su madre con los ojos empañados de lágrimas, comprendiéndola, aunque no del todo. Ahora, sin embargo, sentía que tenía que contarle más.

—Es el duque de Saint Raven, mamá. Mi amigo. Nos conocimos... accidentalmente. Para él es una diversión. Una investigación. Pero...

—Te has enamorado de él. No me sorprende nada. —Su madre suspiró—. Pobre Cressy. Parece que has sacado los rasgos más peligrosos del carácter de tus padres. Mi corazón tierno y el espíritu audaz de tu padre. El duque es increíblemente guapo.

—No lo amo por eso.

—No, claro que no. Si te lo pide, ¿te convertirás en su querida?

Esa pregunta tan directa dejó las cosas claras.

—No. A la larga no sería justo para nosotros, y las heridas durarían toda la vida. Y como se tiene que casar, cosa que para él tiene que ser muy duro… —Suspiró profundamente—. Si voy a ir tengo que partir ahora. ¡Gracias!

—Recuerda que yo siempre estaré aquí, esperando el regreso de los trotamundos. Así por lo menos me podré ocupar de las pequeñas heridas. Un poco de ungüento de albahaca, leche caliente relajante…

Cressida le dio un fuerte abrazo a su madre, y después corrió al piso de arriba a recoger un poco de ropa para cambiarse y sus cosas de aseo. ¿Cómo llevar todo eso? Se vería extraño que saliese a la calle llevando una maleta. Así que sacó la sombrerera de su sombrero alto y metió allí sus cosas junto con la estatuilla. De todos modos no se iba a poner ese sombrero, sino uno pequeño de sus tiempos en Matlock. ¿Todavía la podían reconocer? Volarían las murmuraciones si alguien viera a la señorita Mandeville fuera de la ciudad con el duque de Saint Raven.

No debía ir. Pero no podía perder esa oportunidad.

Miró el reloj y cogió el delgado velo azul de Roxelana. Se lo ató por encima del ala del sombreo y se lo pasó por delante de la cara. Las damas algunas veces se ponían velos cuando tenían que ir en carruajes abiertos. Sin embargo, todo se volvió azul y borroso, y le costaba mucho ver. Eso le hizo recordar algo. Se subió el velo, pero se puso anteojos. Nunca se los había puesto en Londres en público, así que sería como llevar otro disfraz.

Después de echar una última mirada a su alrededor, recogió la sombrerera, corrió por las escaleras, y salió de la casa. Sabía que pasara lo que pasara, su vida ya no volvería a ser la misma.

Cressida se obligó a caminar muy rápido para llegar al lugar de su encuentro, rezando para no encontrarse con nadie que conociera; y especialmente porque nadie la retrasase por tener ganas de charlar.

Dobló por la calle Hays y lo vio. Bueno vio su espalda y su espléndido cabriolé. Ella vaciló un segundo y después corrió hacia él. Sus suaves botines no hacían ruido y él se sobresaltó cuando le dijo:

—Aquí estoy.

Debió de dar un tirón brusco a las riendas, pues sus caballos se pusieron nerviosos y le costó calmarlos. Después le extendió su mano enguantada para ayudarla a subirse al asiento.

Ella no sabía si se sentía sorprendida, halagada o reacia.

—¿Una sombrerera? —le preguntó.

—Pensé que tendría que traer algunas cosas. Entre otras, la estatuilla. Tendremos que intercambiarlas.

—Ah, bien pensado. ¿Lista?

¡No lo sé! Cressida se bajó el velo y sintió alivio al poder esconder sus expresiones.

—Lista —dijo.

Hizo un movimiento fuerte con su larga fusta por encima de los caballos y se pusieron en movimiento. Mientras giraban hacia una calle más amplia, ella quiso decir algo desesperadamente.

—Sé que debería hacer algún comentario de admiración por tus caballos, pero lo único que me sale es decir que parecen buenos.

—Sí, lo son.

Creyó ver una insinuación de sonrisa en él, pero con el velo no estaba segura. Aprovechó para mirarlo cuando los detuvo un enorme carro cargado de fardos de algo que circulaba a la velocidad de los transeúntes y que ocupaba casi toda la calle. Los vehículos que ocasionalmente pasaban por el otro lado les impedían adelantarlo, y ella sintió que quería ponerse a gritar. No tenían demasiada prisa, supuso, pero no soportaba perder el tiempo. Entonces él le dijo:

—Agárrate.

Cressida se dio cuenta un poco tarde de que era una afirmación literal, y tuvo que sujetarse como pudo a la baranda, pues el cabriolé adelantó al carro a toda velocidad en cuanto se abrió un pequeño hueco en el tráfico. Una vez que lo adelantaron, vio que el camino por delante estaba despejado, y pasaron como un torbellino junto a la gente y los edificios.

—¿Vas bien?

Cressida no despegaba la vista de los edificios que aparecían fugazmente a su lado.

—¿Podemos ir un poco más lento? —preguntó extrañada.

—Vamos —dijo él rodeando un agujero del camino con alarmante despreocupación—. ¿Ésta es mi intrépida Roxeana?

—No, ésta es tu aterrorizada señorita Mandeville de Matlock, ¡que no quiere morir todavía!

—No te pasará nada. Confía en mí.

Confiar, confiar. Obligó a sus dedos a soltar la barra. Entonces él añadió:

—No he volcado desde hace seis años.

—¿Volcar? —chilló y se volvió a sujetar.

—Cuando era joven y loco, y hacía carreras con Uffham.

—¿Uffham? —Hablar era una distracción, y ella rezó para que no se distrajese.

—El heredero del duque de Arran. Una especie de hermano adoptivo.

—Oh, sí. —Recordó que había casi tanta excitación entre las jóvenes aspirantes por lord Uffham como por Saint Raven—. ¿Conoces a alguien que no tenga una familia ducal?

—No seas ridícula. ¿Te sientes mejor?

Cressida se dio cuenta de que estaba un poco mejor y dejó de apretar con tanta fuerza la barra de hierro, aunque no la soltó del todo.

—Es una manera muy imprudente de viajar.

—Es la mejor manera de viajar si hace buen tiempo. También es la más rápida.

—Es a lo que me refiero.

—Tenemos que ir rápido para adelantarnos a La Coop. ¿Y por qué vas tapada como una plañidera?

—Por si alguien que conozco me ve. Así no me reconocerá. No podrán saber que voy contigo.

Su cerebro debía ir volando con el viento por la velocidad que llevaban.

—Ah. Ideas rápidas, como siempre. De todos modos, ya te lo puedes quitar. Estamos pasando entre viveros y no hay vehículos a la vista. No hay nadie de la alta sociedad paseándose por aquí.

Cressida se levantó el velo como pudo con una mano. Todavía no se sentía segura como para soltar la baranda. Ver mejor, así como la relajada confianza de Tris, calmó sus nervios.

Él, al fin y al cabo, no estaba sujeto a nada salvo a las riendas, que no impedirían que se cayese. En cambio se adaptaba a los movimientos del cabriolé con una pierna apoyada en el tablero que tenía delante. Desgraciadamente, los pies de ella no llegaban hasta allí.

Cressida dejó de sujetarse e intentó seguir el balanceo del carruaje. El camino era bastante llano, pues se conservaba en buenas condiciones gracias a los peajes. Aunque pasaban a gran velocidad junto a la gente que iba en burro y plácidos jamelgos, el ligero vehículo no la lanzaba hacia afuera, y ya casi estaba comenzando a disfrutarlo.

Pero entonces él le dijo:

—Un carruaje por delante. Correo o transporte público, y viene por este camino.

Cressida se bajó el velo, y en un instante pasó el carruaje que se dirigía a Londres envuelto en una nube de polvo. Menos mal que iban muy rápido, porque el carruaje rodaba lenta y ruidosamente por su vía.

—Vas mejor aquí que viajando en la parte de afuera de un coche como ése —dijo Tris.

—No lo dudo. —Siempre había pensado que viajar en la parte de afuera era incómodo y peligroso. La señorita Mandeville nunca se había planteado tal posibilidad, pero si no conseguía las joyas, podía terminar viajando de esa manera. Un gran miedo mezclado con tensión contenida hicieron que le entraran ganas de echarse a llorar. Pero fijó su mente en su objetivo. Iban a conseguir las joyas y eso resolvería la mayoría de sus problemas. Ella y sus padres podrían vivir decente y dignamente. Y nunca más tendría que viajar en cabriolé.

Sabía que eso significaba que no podría volver a viajar con Tris Tregallows, pero eso ya era una vieja herida.

—¿Cuál es nuestro plan? ¿Adónde vamos?

—A Hatfield, donde vive un tal Jean-Marie Bourreau, que fue arrestado por error, al ser confundido con Le Corbeau.

—Ah, claro. ¡Qué listo! Pero ¿seguirá allí?

—Como se demostró que era inocente, espero que se haya quedado. Cualquier otra cosa podría hacerlo aparecer como sospechoso. Además, allí tiene alojamiento y empleo.

—¿Empleo?

—Hace retratos a pastel, y es bastante bueno.

Eso sorprendió a Cressida pues era algo muy peculiar.

—¿Un artista? ¿Estás seguro de que es Le Corbeau?

—¿La capacidad artística garantiza la virtud?

Una barrera de peaje bloqueaba el camino más adelante, y Tris disminuyó la velocidad para darle una moneda al encargado, cuyo hijo enseguida corrió a abrir la gran puerta. En unos segundos Cressida volvió a sentir la presión de la velocidad, y Tris centró toda su atención en el camino.

—Entonces está en Hatfield —dijo ella para concentrarse en eso y no en la velocidad—. Y tiene la estatuilla. ¿No había dicho que tenía una granja?

—Pero sabe que su tapadera ha sido descubierta. Antes de irnos de Nun's Chase revisé el lugar. Se había llevado todas sus posesiones de valor.

—Así que si tiene la estatuilla, es muy probable que la guarde con él en Hatfield.

—Eso es lo que espero. Si ha encontrado un nuevo escondrijo, haré que confiese dónde está.

—¿Y cómo lo harás sin hacerle ver que es muy importante?

Tris le lanzó una mirada.

—Descubriré la manera. ¿Realmente piensas que soy tan loco como para olvidar la necesidad de ser discreto?

¿Las palabras desconsideradas de Cressida lo habían herido?

—No, claro que no. Eres muy sensato. Es que estoy preocupada.

—Confía en mí, Cressida. Ésta es la última etapa. Pronto tendremos tus joyas.

La última etapa. No lo podía acusar de edulcorar las cosas.

—¿Cómo haremos que nos la dé sin que se de cuenta de su verdadero valor? —Después de un rato ella misma se respondió—: Tal vez yo pueda ocuparme de eso. No parece que vaya a estar muy dispuesto a complacerte.

—Estoy dispuesto a romperle la cabeza si es necesario, aunque cuanto menos alboroto mejor.

Disminuyeron la velocidad para atravesar una pequeña aldea llamada Finchley. Y como él ya no dijo nada más, los labios de Cressida se movieron nerviosamente.

—¿No tienes algún plan menos violento?

Ella se dio cuenta de que él le empezaba a seguir la corriente.

—Robarla puede seguir siendo una posibilidad.

—A menos que nos cojan.

—Soy duque.

—Pero eso no te hace inmune a que te detengan.

—Pero lo hace improbable. Es injusto, lo sé, pero tienen que haber algunas compensaciones. Vive en una posada llamada Cockleshell. Podemos coger habitaciones y tomar la iniciativa.

Ella sólo registró una palabra.

—¿Habitaciones?

—Habitaciones. —Tris disminuyó el paso y la miró—. No podemos hacer como si estuviéramos casados, Cressida, aunque usemos un nombre falso. Hay muchas posibilidades de que me pueda ver alguien que me conozca. Y de todos modos, ese traje y ese sombrerito que llevas son de alguien sin recursos. Quedaría como si yo fuera un rico marido muy bien vestido y con un buen vehículo que lleva a su esposa vestida de sirvienta.

—Pensé que así no llamaría la atención —murmuró, sin decirle que era la ropa que usaba habitualmente en Matlock. También podía defenderse diciendo que el vestido estaba hecho de una tela muy duradera, y que además lo habían cosido muy bien, pero no venía al caso.

—Un penique por tus pensamientos.

Cressida se puso alerta.

—Estoy todo el rato atenta a no caerme de este ridículo vehículo.

—Ahora, voy más lento.

—Pues todavía vamos demasiado rápido.

—Sé valiente y fuerte. Estabas muy lejos, ¿verdad? ¿Te preocupa la noche? Puedes confiar en mí.

—Eso es lo que temo —dijo antes de pensarlo.

—Que te lleve el diablo, Cressida. Me vas a volver loco. No podemos. Es demasiado peligroso y no facilitará las cosas.

La inevitable separación.

—Sin duda estaremos demasiado ocupados por la noche. Intercambiando las figuras —añadió por si no quedaba claro.

—Sí —dijo Tris, pero los caballos rompieron el paso como si les hubiera hecho una señal contradictoria.

Ella se divirtió con eso. El noble duque de Saint Raven quería otra noche más, tal vez tanto como ella. Y lo mejor de todo, pensaba que él quería algo más que su cuerpo. Y eso la hacía sentirse sombríamente cómoda.

Siguieron un rato en silencio, y gracias a la velocidad menos suicida que llevaban ahora, ella pudo pensar con mayor claridad. Advirtió que aunque fueran a paso lento, adelantaron a tres carruajes muy inferiores que avanzaban pesadamente hacia el norte por ese ajetreado camino. Una vez más, agradeció llevar el velo.

—Tal vez —dijo Cressida— deberíamos llegar por separado.

—¿Por qué?

—Evitaría cualquier posibilidad de que nos relacionaran y se produjese un escándalo, y nos permitiría tener más opciones… —Antes de que él la interrumpiera, añadió—: La siguiente parte del camino la puedo hacer en el transporte público que va a Hatfield. Parece que pasa muy a menudo.

—¡Imposible! No puedes terminar el viaje viajando a la intemperie.

—Si no me sale bien esta aventura, ¡terminaré viajando así el resto de mi vida!

Tris detuvo los caballos y se quedó mirándola.

—No vamos a fallar.

—Porque puedes modelar el destino a tu elección.

—Por lo menos sabré cómo llevar esto. Estamos tratando con un insignificante delincuente extranjero que no sabe lo que tiene. No hace falta que te arriesgues.

—Aunque en esta historia nada parece normal, ¿lo recuerdas? —Como él no estuvo en desacuerdo, dijo—: No me puedes dar órdenes. Mi plan tiene más sentido.

—¿Ah, sí? ¿Y en qué se diferencia salvo en que viajarás incómoda?

—¿Llamas comodidad a ir a toda velocidad en esta cosa?

Cressida pensaba que Tris no podía tensar más la mandíbula, pero lo hizo.

—El plan, Cressida.

Ella se contuvo de replicar otra cosa.

—Cuando llegues solicitas reunirte con Bourreau. Yo llegaré por separado y rebuscaré en sus habitaciones mientras él esté contigo.

—Imposible. En cuanto entres en su habitación ya estarás cometiendo un delito.

—Seguro que mi señor duque me podrá sacar de la cárcel.

—¡Si me vuelves a llamar «mi señor duque» te dejo aquí mismo!

La desesperada violencia de sus palabras la dejaron muda. Se subió el velo para poder mirarlo con mayor claridad.

—Lo siento, pero me estás intimidando. No me educaron para ser la que le pone las bridas al macho. Tus opiniones no son mi ley.

—Entonces intentaré casarme contigo para oírte prometer que me obedecerás.

—¡Un argumento fundamental contra el matrimonio!

Estaba moviéndose muy cerca de una barrera imposible, pero Cressida vio en sus ojos que él lo sabía, además de un montón de otras cosas dolorosas.

—Puedes distraer tú a Bourreau —dijo Tris—, mientras yo busco en las habitaciones.

—¿Y cómo quieres que haga eso si voy vestida como una sirvienta?

Tris movió las cejas.

—¿Te has ofendido? Por el amor de Dios, Cressida, no puedes negar...

—Este vestido forma parte de mi ropa de diario en Matlock, señor, y me gusta.

—Entonces espero que lo disfrutes. Pero... —añadió relajando la expresión—, para mí no eres menos atractiva vestida así.

—No creo que lo sea... Pero ¡no seas sinvergüenza cambiando de tema de esa manera! No te puedo garantizar que pueda distraer a Bourreau el tiempo suficiente. Tú sí, y yo entraré en las habitaciones. Se me ha ocurrido una historia.

—¿Qué?

Cressida lo escuchó suspirar incrédulo.

—Soy una amante abandonada que viene a rogarle que regrese conmigo. Eso me da un excelente motivo para hurgar en sus habitaciones, y no es probable que me metan en la cárcel por eso.

Él pareció enfadarse por lo razonable que era la idea.

—No si te pillan con las manos en la masa.

—¿Y cómo podrían hacerlo? Tengo una estatuilla igual a la suya en mi sombrerera. Necesito un momento para intercambiarlas, y sólo un minuto más para sacar las joyas de una de ellas.

—Maldición, Cressida. ¡No me gusta!

—A mí tampoco si vuelves a decir tacos delante de mí.

—Escucharás cosas peores antes de que todo esto acabe.

Cressida contuvo la risa y tocó su tensa mano enguantada.

—No es un plan tan extraño, Tris. Viajar a la intemperie unas cuantas millas y después fisgar en las habitaciones de un hombre.

Las cejas levantadas de Tris eran suficiente comentario.

—Por lo menos no es tan extravagante para los simples mortales, mi señor duque.

—Arpía.

—Con alas y garras.

—La prueba es que haces que sangre. —Volvió su mano para coger la de ella—. Cressida, tengo que mantenerte a salvo.

Ay, eso le rompía el corazón.

—En realidad el riesgo no es tan grande en relación a las ventajas. Especialmente una. Piensa. No nos podrán relacionar. Incluso si nos encontramos con alguien que conozcamos, no habrá ninguna conexión y evitaremos un escándalo.

Puso en palabras lo que todavía no había dicho.

—Después de lo de Stokeley, no nos podemos permitir ninguna situación escandalosa.

Él acarició su mano con el dedo pulgar.

—Me casaría contigo, Cressida, pero eso sólo empeoraría las cosas.

Ella sabía a qué se refería.

—Me pondría en el foco de atención de las miradas de todo el mundo, y cualquiera que sumara dos más dos se daría cuenta de que yo era la hurí que llevaste a Stokeley. Y Crofton podría darse cuenta de la relación que había entre Le Corbeau y tú...

—Eso no importa. Podríamos controlar el escándalo...

—¡No! No, no quiero eso, Tris. De verdad que no. Es difícil ser el centro de atención de los comentarios de la gente, pero ¿escuchar cosas desagradables toda la vida? ¡No, no, no! —Enseguida se controló—. Pero de todos modos seguiremos adelante con esto. ¿Verdad? Ambos sabemos que no estoy hecha para ser una duquesa, así que no tenemos ningún futuro. Esto es una locura fugaz. Cuando acabe todo nos olvidaremos el uno al otro a medida que pasen los días.

—Sin duda tienes razón —dijo arrastrando las palabras de una manera tan artificial como los rizos de la melena de ella—. Y como las cosas son así, tu plan tiene cierto mérito. Pero Bourreau puede tener la estatuilla escondida, junto a cualquier otro botín que posea.

Ella apartó su mano de la de él.

—Entonces tendrás que intentar distraerlo un buen rato para que yo pueda rebuscar. ¿Sabemos si tiene sirvientes?

—Dudo que tenga servicio personal en la posada, aunque cuando actúa como Le Corbeau tiene cómplices. Es demasiado peligroso...

—No, no lo es. Siempre que los cómplices no estén en sus habitaciones. Y si aparecen, tengo preparada mi historia.

—¿Y qué pasará cuando declare que nunca antes te había visto?

Ella levantó las cejas.

—Bueno, podría, pero ¿le creerán?

—Cressida...

—Me tienes que dejar hacerlo, Tris. Es el único plan racional. Por el amor de Dios, casi acabo haciendo de prostituta para recuperar las joyas. Arriesgarme a que me encarcelen me parece un mal menor.

Tris nuevamente tensó la mandíbula.

—Bueno, pararemos en Barnet para preguntar si hay algún vehículo que vaya al norte dentro de poco. No nos podemos retrasar demasiado. No nos interesa que Miranda se nos adelante.

—Puedes ir por delante para verificarlo.

—¿Y dejarte sin compañía?

A Cressida se le escapó una risa.

—¿Vas a ir con este vehículo ridículamente caro junto al carruaje público para protegerme?

Tris se agarró la barbilla.

—¿Te parece gracioso? Te he sacado de tu casa, Cressida Mandeville. Soy responsable de tu seguridad. ¿Cómo quieres que me despida de ti, te deje en un transporte público y te saque de mi mente?

Ella movió su mano enguantada.

—¿Alguna vez has viajado en transporte público, Tris?

—No me desprecies por mi vida lujosa.

—No lo hago, pero... entre tanta gente es muy difícil que te violen o te roben, ya sabes.

—Pero darte apretones y sobarte no lo es.

—Montaré un escándalo, y los demás pasajeros expulsarán al malhechor.

—Dime la verdad. ¿Has viajado antes en un carro así?

Cressida pudo haber mentido, pero sabía que se estaba sonrojando.

—No, pero he viajado en diligencia con mi madre. Y no fue demasiado peligroso. Sólo serán unas pocas millas. Es lo más sensato que podemos hacer, Tris.

—Sensato. Por supuesto que seremos sensatos.

Se inclinó hacia ella y la besó en los labios, pero las alas de sus sombreros chocaron y se tuvieron que apartar riendo.

—Nuestros sombreros son más sensatos que nosotros —dijo Tris.

Esos sentimientos tan tiernos la conmovían tanto que prefirió no hablar para no ponerse a llorar.

Él cogió algo de debajo del asiento y sacó un objeto de metal largo y plano.

—¿Qué es eso?

—El hombre que me lo dio lo llama abridor. Metes la punta afilada debajo del cierre de una cerradura o de la bisagra, y haces palanca.

—No sabría usarlo.

—¿No eras tú la que quería robar?

Cressida cogió el instrumento que tendría unos treinta centímetros de largo y era sorprendentemente pesado.

—Tal vez yo no sea lo suficientemente fuerte.

—El poder de la palanca. Lo he probado. Es muy efectivo si metes bien la punta debajo de lo que quieras abrir. ¿Cómo si no vas a abrir un cajón cerrado?

Él quería que pensara en eso, pero Cressida abrió su sombrerera, y la metió dentro.

—Bien, vamos —dijo bajándose el velo.

—Bien —dijo Tris e hizo sonar el látigo por encima de la cabeza de los caballos.

Nuevamente iban muy deprisa dejando una estela de polvo y rabia. Cressida se volvió a agarrar a la baranda, decidida a mantenerse valiente.

Sin duda lo mejor era que él estuviera enfadado con ella.

Capítulo 23

Aminoraron la marcha para subir la colina que llevaba hasta Barnet, y se detuvieron junto a la posada Green Man. Había preparado los detalles, y Tris iba a seguir el plan. Bajó de un salto y habló con un mozo de cuadra de manera displicente sobre la pasajera que precisaba un pasaje a Hatfield. Le dejó completamente claro que dicha mujer no merecía que la atendiera de manera especial.

Un sirviente de la posada ayudó a Cressida a bajar y ella se dirigió a comprar el pasaje. En unos quince minutos debía llegar un carruaje que debía tener plazas disponibles. Tris ya no podía esgrimir su principal argumento en contra del plan: la necesidad de llegar rápido. Cuando se volvió con el pasaje en la mano vio cómo él apretaba los labios. Aun así, entró dando grandes zancadas en la posada para tomar un refrigerio. El mozo se dispuso a sacar a sus caballos, obviamente sorprendido por su calidad, y la categoría del dueño, y se quedó completamente convencido de que Cressida era una sirvienta.

Eso, pensó ella, era una lección muy útil. Si alguna vez se engañaba a sí misma acerca de que el duque de Saint Raven y ella pudieran unir sus vidas, esta situación era una prueba más de que eso era imposible. Se sentó en un banco junto a una pareja de aspecto cansado que también esperaba el transporte público. Sabía que Tris rondaría por allí para ver cómo estaba, y que en Hatfield estaría igualmente vigilante cuando llegara de un viaje tan arriesgado.

Pero pronto su protección se habría terminado, y todo volvería a ser como antes. Regresaría a su vida en Matlock sin que nadie se tuviera que preocupar por su seguridad. Y mejor que así fuera.

—¿Un viaje triste, cariño? —le preguntó la campesina que tenía a la derecha.

—No —dijo Cressida sin pensarlo, demasiado alegremente—. Sólo estoy cansada.

—Âh.

Y con esa aprobación universal, la señora volvió a quedarse en silencio.

—¿Y usted? —le preguntó Cressida.

—Bastante triste.

Cressida no pudo ignorar el peso de la tristeza que se escuchaba en esas dos palabras.

—¿Qué les ha ocurrido?

Entonces se dio cuenta de que el hombre y la mujer no llevaban guantes y estaban cogidos de la mano. Dos manos rudas y desgastadas entrelazadas probablemente de manera inconsciente. Igual que las manos de ella y Tris de vez en cuando. Pero las suyas estaban obligadas a separarse y estas dos, en cambio, parecían ligadas de por vida. Se daban apoyo el uno al otro, incluso ahora, cuando la vida estaba siendo dura.

—Hasta hace muy poco tiempo teníamos una parcela en la propiedad de lord Sunderland —dijo la mujer— y trajimos al mundo cuatro hijos hermosos. Pasamos tiempos felices, muy felices. Pero tres de nuestros hijos fueron tentados por los reclutadores y murieron en la guerra, y después, el mayor, se cortó una pierna con la guadaña, se le infectó y fue a peor.

¿Habían muerto sus cuatro hijos?

—Lo lamento mucho.

La mujer se encogió de hombros.

—Después, el capataz de lord Sunderland nos dijo que ya no podíamos sacar adelante el trabajo, y creo que tenía razón. El corazón de mi esposo ya no es tan fuerte como lo era antes. Por eso nos tuvimos que marchar de nuestra granja.

Cressida sabía que el hogar de un campesino siempre estaba ligado a su tierra.

—¿Y a dónde van? —Su instinto de ayudar a los demás se estaba despertando, pero ¿qué podía hacer en ese preciso momento?

—No se preocupe, señorita. Iremos a ver a mi hermana en Birmingham. —Pero entonces añadió—: Aunque no sé qué será de nosotros.

—Siento mucho que tengan ese problema.

A Cressida no le gustaba nada sentirse tan impotente. Sabía distinguir entre una historia inventada y una situación verdaderamente trágica; y lo que contaba esa mujer era verdad. Tres de sus hijos habían estado en el ejército luchando contra Napoleón, y como recompensa, esa pobre gente había sido expulsada de su hogar. Era muy injusto. Tenía que hacer algo.

Pero la mujer no echaba la culpa al terrateniente, que sin duda necesitaba su casa para albergar a una nueva familia de campesinos, sino al gobierno, por no haber establecido una provisión de fondos para los soldados y sus familias. Si hubiera estado en Matlock, tendría recursos a los que acudir, pero en ese momento ella misma estaba luchando por sobrevivir. Si tuviera una varita mágica.

¿Cuánto tiempo tenía? Le pidió a la mujer que vigilara su sombrerera y corrió a la posada. Miró por las habitaciones preguntándose dónde estaría Tris. ¿Habría alquilado un salón privado para su corta estancia? Entonces lo vio en la humilde barra, bebiendo cerveza en una jarra de cerámica mientras charlaba con unos parroquianos. Evidentemente todos lo miraban sorprendidos, como si la reina de la hadas hubiera aterrizado entre ellos.

Esperó un momento embelesada con él, y después volvió a pensar correctamente. ¿Cómo llamar su atención sin tener que entrar? Se movió de un lado a otro con la esperanza de que la viera.

Y lo hizo. Levantó las cejas, se terminó la jarra, se despidió de los hombres y salió tranquilamente al pasillo.

—Pensé que no iba a saber de tu existencia.

—Hay un problema con el pasaje —dijo Cressida por si alguien estuviera escuchando, pero le hizo una señal con la cara.

Todo el tiempo estaba atenta al carruaje porque sabía que no esperaría.

—¿Qué?

Ella miró a su alrededor pero no vio a nadie cerca.

—Afuera hay una pareja con una historia muy triste. Han perdido tres hijos en la guerra, y el último murió en su casa después de un accidente. El marido está enfermo y la esposa agotada. Los han expulsado de sus tierras...

Él abrió y cerró los ojos.

—Hay cientos de casos así. ¿Qué se supone que puedo hacer yo? —Y después añadió—: ¡Deja de mirarme como si pudiera convertir el agua en vino!

—Eso no nos sería muy útil —dijo ella cortante, y después se preguntó si había dicho una blasfemia—. Les puedes dejar ir a Nun's Chase hasta que piense en algo. Una vez que regrese a Matlock podré organizarles ayuda. Trabajo ligero o un asilo. Si no, acabarán en la casa de beneficencia. Estoy segura. Y van cogidos de la mano. ¡Tris! Separarlos los mataría, porque allí separan a las parejas...

Tris puso sus dedos sobre los labios temblorosos de Cressida.

—Por al amor de Dios, Cressida. ¿Cómo vas a sobrevivir con ese corazón tan tierno?

Ella lo miró parpadeando.

—Haciendo que las cosas mejoren, claro.

—Claro —dijo él muy débilmente.

—Estoy seguro que para su altísima eminencia es fácil ignorar a los pobres, pero aquí abajo, mi señor duque, yo no puedo.

—¡Deja de llamarme «mi señor duque»! —dijo casi gruñendo—. Muy bien, me haré cargo de ellos. Ya llega tu carruaje.

Ella escuchó el estruendo, y después la llamada.

—¡Gracias!

Cressida sonrió y acercó sus dedos a los labios de Tris, y después corrió a recoger la sombrerera y se subió al carruaje. Apenas alcanzó a apretujarse en su asiento cuando el carruaje ya se puso en marcha con un tiro nuevo de caballos.

Tris se quedó mirando cómo partían. Otra buena razón para liberarse de Cressida Mandeville y de la locura que había traído a su vida, era lo mucho que le encantaba hacer buenas obras. Quizá fuera una reformista. Recorrería los caminos de Inglaterra a la búsqueda de gente sin hogar y descarriados para que su marido los ayudara…

Marido.

Por primera vez aceptó lo mucho que lo deseaba, y cuánto quería que Cressida fuera su compañera para siempre. Sería uåna duquesa imposible, y varias generaciones de Tregallows se revolverían en sus tumbas, pero ya no le importaba. Aun así, su precipitada complacencia llevándola a Stokeley Manor le impedía convertirla en su esposa, y ahora eso, podía acabar en una terrible tragedia griega.

Movió la cabeza y observó lo que le había dejado por resolver. La pareja vestía de manera desaliñada pero decente. Probablemente el hombre había sido fuerte y flexible la mayor parte de su vida, aunque ahora estaba delgado y débil. La mujer se conservaba más entera, pero su piel tenía un tono gris que señalaba que sus huesos eran débiles y que la amenazaba un desastre. Por supuesto, también se veía en ellos una gran tristeza. Tris, tras la pérdida de sus padres, sabía que una situación felíz podía oscurecerse de por vida.

Cressida probablemente tenía razón sobre su destino. Donde fuera que se dirigieran ahora con sus dos paquetes de posesiones, pronto acabarían en la casa de beneficencia, donde los acogerían, alimentarían y vestirían, pero de la peor manera; y aparte de eso, ella iría a la sección de mujeres y él a la de hombres. Y así, muy pronto, se irían apagando. ¿Realmente querían seguir viviendo? Pero se lo había prometido, así que se acercó a ellos.

Primero lo vio la mujer, y sobresaltada soltó la mano de su marido y se puso de pie. El hombre se comenzó a mover para hacer lo mismo, pero Tris levantó una mano.

—Por favor, no lo haga. Sólo quería hablar con ustedes.

Sin embargo, la mujer permaneció de pie, pero puso una mano en el hombro de su marido para hacer que siguiera sentado.

—No se encuentra bien, señor.

—Ya veo. Deduzco que han perdido su hogar.

Los ojos de la mujer miraron a su alrededor por si veía al informante, o a quién había estado observando su triste vergüenza. Maldición, cómo iba a resolverlo. ¿Cómo Cressida lo había puesto en esa situación para después dejarlo solo? Estaba igual de mal que haberla subido a un caballo y después marcharse con ella.

—No pretendo hacerles daño. Mi... —No podía decirles que Cressida era su amiga—. La dama con la que han hablado me comentó su situación. —Y sintiendo la presión de sus miradas, prosiguió—: Piensa que podría encontrar un lugar para ustedes, pero tenía mucha prisa por coger su transporte. Me pidió que les ofreciera mi casa donde podrían esperarla hasta que contactara con ustedes.

El hombre y la mujer se miraron un instante, y después ambos pares de ojos se volvieron hacia él. ¿Qué diablos pensaban que les podría ocurrir como para que aún les empeoraran más las cosas? No eran buenos ni para el comercio de esclavos blancos. Entonces Tris se dio cuenta de que no les había dicho su nombre. No podrían confiar en él si no les daba un nombre.

—Mi nombre es Saint Raven —dijo, y lo dejó así—. Mi casa se llama Nun's Chase, y se encuentra a unos kilómetros de Buntingford. Les daré una carta para que se ocupen de ustedes.

Sus ojos cautelosos y cansados simplemente lo miraban.

—Tendrán alojamiento y comida —continuó tenazmente, rezando para que hubiera una habitación de sirvientes libre en Nun's Chase. ¿Cómo diablos podría saberlo? Supuso que podría ofrecerles la casa de campo que había estado usando Bourreau, pero justamente desde su caída estaba vacía, y le molestaba pensar que esa pareja podría agradecerlo.

—La señorita Mandeville contactará pronto con ustedes —dijo vigorosamente.

Los ojos volvieron a mirarse en silencio durante unos largos segundos, y entonces la mujer se volvió hacia él y le hizo una reverencia.

—Usted es muy amable, señor. Se lo agradecemos mucho, y a la dama también.

A Tris casi se le cortó la respiración.

—Bien, bien —dijo y sacó un poco de dinero preguntándose cuánto podría costar el viaje a Buntingford. Les dio unas guineas, porque sospechó que demasiada generosidad podría hacer que huyeran.

Entonces les ofreció una corona, para comprobar su reacción. Ella se ruborizó, pero no se alarmó.

—Tenemos dinero, señor.

—Me gustaría pagar el coste del viaje hasta Nun's Chase. Más adelante les hará falta su dinero para continuar el camino.

Ella cogió el dinero, sacó un bolso de punto y lo echó en su interior. Claramente no había mucho más que hacer.

—Es muy amable, señor. —Y después de dudarlo, añadió—: Soy Rachel Minnow, y él es mi marido, Matthew.

Él se enfadó consigo mismo por no haberles preguntado el nombre y casi se sonrojó.

—Bien, entonces —dijo, y se escuchó a sí mismo hablando demasiado campechanamente, como un buen escudero en una obra de teatro—, espero verles en Nun's Chase cuando regrese, señor y señora Minnow. O tal vez no, si la señorita Mandeville ha organizado alguna otra cosa. —¿Cómo terminar?—. Yo… eh… quedamos en eso, entonces.

Dio unos cuantos pasos hacia atrás antes de sentir que podía dar la espalda a esos ojos que lo miraban fijamente, aunque ahora con más brillo. En las mejillas del hombre incluso creyó ver rodar unas lágrimas. ¡Dios! Tal vez ésa fuera una buena razón para tratar con los arrendatarios de tercera.

Caminó hasta su cabriolé, pero se dio cuenta de que aún tenía que hacer algo por ellos. Por otro lado, Cressida iba de camino de Hatfield donde podría provocar todo tipo de problemas. Y él estaba dispuesto a retorcerle el cuello. Entró rápidamente en la posada, pidió algo con lo que escribir, y redactó una rápida carta para el propietario de el Black Bull en Buntingford, pidiéndole que llevaran a la pareja a Nun's Chase en la calesa.

Después le escribió otra a Pike, el mayordomo de Nun's Chase, ordenándole que se hiciera cargo de los Minnow. Casi se rió al imaginar a Pike tragándose enteros a los pobres Minnow, como ocurriría en cualquier arroyo. No iba a intentar explicarle esa visita. No tenía tiempo, y no estaba seguro de que pudiera ofrecerle una buena explicación.

Estuvo a punto de entregarle las cartas a la señora Minnow, pero al darse cuenta de que su marido debía sentirse muy decaído, decidió dárselas a él. Sus manos nudosas las cogieron como si fueran un cristal precioso, y el hombre se incorporó un poco para decirle:

—Se lo agradecemos mucho, señor.

—Es bastante poco —replicó Tris con mucha honestidad.

Subió al vehículo y retomó rápidamente su camino, consciente de la atención que le estaban prestando las nuevas personas que tenía a su cargo.

Una vez fuera de Barnet, hizo que sus caballos corrieran al máximo. Después de descansar estaban fogosos, y enseguida el viento le apartó los pensamientos molestos sobre las personas dependientes y la asfixiante masa de necesitados y sufrientes del mundo.

Tenía suficientes preocupaciones y la primera era que Cressida podía llegar a Hatfield antes que él. Sin embargo, a mitad de camino adelantó al pesado carruaje. Miró en su interior, pero sólo pudo ver a las dos personas que iban sentadas junto a la ventana. Ella tenía que estar dentro. Era imposible que en la última media hora se las hubiera arreglado para meterse en otro enredo. Sin embargo, la señorita Mandeville de Matlock no quería que hubiera ningún escándalo que afectara a su seguridad o su reputación. ¡Maldita fuera!

Llegar a Hatfield antes que ella fue como un triunfo, aunque era un pueblecito bastante normal. Encontró el Cockleshell, aunque no era una posada pública. Había otra dos manzanas más allá, de modo que ella no tendría que meterse en ningún problema yendo hasta allí. ¿O sí? Maldición. No habían tomado en cuenta eso. Él tenía que haberse anticipado a los problemas que les acarrearía su plan. Pero primero tenía que instalarse; después ya se ocuparía de eso. Entonces, una vez que informó de su identidad y su intención de quedarse, todo lo que pidió se le concedió, incluyendo la información.

Examinó las habitaciones que le enseñó el servil posadero.

—He venido porque mi primo quiere un retrato a pastel de un francés que, me han dicho, vive aquí. ¿Se encuentra en este momento?

—El señor Bourreau —dijo el gordo posadero inclinándose—. ¡Si, claro, su excelencia! Creo que ahora está atendiendo a un cliente.

—¿Hace sus dibujos aquí y no en las residencias de sus clientes? —preguntó Tris sorprendido añadiendo un toque de desdén ducal para que hiciera más efecto.

—Algunas veces, su excelencia. Según lo desee el cliente, su excelencia.

Tris se encogió de hombros. Pidió comida, pero cuando el posadero se dio la vuelta para dirigirse a la puerta después de hacer varias reverencias y decir muchas veces «su excelencia», lo detuvo.

—¿Dónde se encuentran las habitaciones del artista? ¿Están cerca?

—Bastante cerca, su excelencia.

Pero se dio cuenta de que le había respondido con muchas dudas. ¿Querría su eminente huésped estar cerca del artista por su comodidad? ¿O le molestaba tener las habitaciones de un humilde artista tan cerca de la suya?

—Ésta es una casa pequeña, su excelencia...

Tris dejó que el silencio hiciera el resto.

—Dieciséis y diecisiete, su excelencia. Al otro extremo de este pasillo, su excelencia, pero bastante cerca si hace falta.

Tris no pudo evitar sonreír ante la respuesta tan brillantemente diplomática del pobre hombre.

—Excelente —dijo y dejó que el posadero siguiera con lo que estaba haciendo.

Odiaba que lo trataran servilmente, pero un aura ducal podía ser muy útil si las cosas se torcían. Y lo peor es que a la gente le gustaba. Se regodeaban con la gloria que reflejaba. El posadero sin duda se sentía muy importante y estaría deseando contarle a alguien lo del duque, nada menos, que estaba honrando su casa.

Noblesse oblige. Eran palabras de otro duque, el Duc de Lévis, que hacían eco de una sentencia mucho más inquietante de Eurípides: «Aquellos que nacen nobles, deben afrontar su destino con nobleza».

Él no había tenido elección sobre su destino, pero siempre había intentado llevar su carga lo mejor que había podido. Aunque no se esperaba que actuar en público fuera una gran parte de ella.

Se paseó de la ventana al salón, y descubrió que podía ver la calle y la posada donde paraba el carruaje. Excelente. Podría ver llegar a Cressida. Se sacó el reloj de oro y lo abrió con un movimiento. ¿Dónde estaba? ¿Algo había retrasado el carruaje? A veces volcaban provocando grandes daños, y otras, algunos jóvenes salvajes sobornaban al cochero para que les dejase llevar las riendas...

Se controló porque sabía que eran miedos ilógicos. Si no soportaba perder de vista a Cressida media hora, ¿qué pasaría en el futuro? Tal vez tendría que instalar un sirviente en su casa de Matlock para que le informara sobre su bienestar... Pero movió la cabeza. Se estaba volviendo loco.

Más sensato sería revisar las habitaciones de su primo bastardo. Tal vez hubiera una manera de conseguir la figurilla sin poner a Cressida en peligro. Bourreau ocupaba dos habitaciones, seguramente un dormitorio y un salón. Posiblemente trabajaba en el salón, por lo que bien podría tener el botín escondido en el dormitorio. Era una pena que no supiera cuál era cuál, aunque tenía un cincuenta por ciento de posibilidades, así que abrió la puerta del pasillo y observó.

El largo corredor estaba vacío y a cada lado había puertas cerradas. Sus habitaciones ocupaban todo el extremo en el que las estancias eran más grandes y estaban la mayoría de las ventanas. Bourreau, según el posadero, ocupaba las del lado opuesto. De pronto se abrió una puerta. Tris dio un paso atrás, y apareció una doncella cargando una bandeja. Su comida. Maldita eficiencia. Cerró la puerta y se acercó a la ventana. Había descubierto que esa puerta daba a la escalera de servicio.

Después de llamar, entró una guapa y pechugona doncella con hoyuelos, que ruborizada dejó la comida sobre la mesa. Empanada fría, queso, pan, mantequilla y una garrafa de clarete.

Le dio las gracias y le entregó una moneda. Ella le hizo una reverencia y se sonrojó aún más.

—¿Si eso es todo, su excelencia?

Tris esperaba haber entendido mal su invitación.

—Sí, gracias.

Ella hizo un mohín, pero se marchó haciendo un movimiento nervioso con el pecho.

Trasero.

Se apoderaron de él pensamientos lascivos sobre Cressida de manera casi embarazosa. Se sirvió y se bebió un vaso de vino, miró la calle por si llegaba el carruaje, y después volvió a abrir la puerta. Todo estaba tranquilo. Lo más importante que tenía que recordar era que, por el momento, no estaba haciendo nada ilegal. Si quería pasearse por el pasillo mirando los números de las puertas, no había ninguna razón por la que no pudiera hacerlo.

Con eso en la mente, se puso en marcha, a pesar de que se sentía transparentemente culpable, sobre todo cuando cruzó el descansillo del final de las escaleras que daban al vestíbulo de entrada de la posada. Abajo había gente, pero nadie parecía estar mirando hacia arriba, gracias a Dios. Se dio cuenta de que se habían olvidado de algo más. ¿Cómo encontraría Cressida las habitaciones de Bourreau?

¡Maldición! Tendría que interceptarla. ¿Tenía que prepararse para hacerlo, o continuar con su misión?

Maldición nuevamente.

Lo mejor sería que se preparara.

Capítulo 24

Cuando regresó a su habitación, casi choca con el posadero, que estaba acompañando a nuevos huéspedes al piso de arriba. Una próspera pareja de mediana edad.

—¡Su excelencia! ¿Pasa algo, su excelencia?

Tris agradeció su interés, pero también se dio cuenta de que estaba encantado de poder mostrar a su eminente huésped con tanta facilidad. Los ojos de la pareja se abrieron de par en par.

—Sólo estaba paseando —dijo Tris cordialmente—. Siempre lo hago antes de comer.

Hizo un gesto con la cabeza a la pareja que lo miraba, y se fue tranquilamente a sus habitaciones. A ese paso pronto se iba a convertir en el «excéntrico duque de Saint Raven». Una vez allí se dirigió a la ventana y vio que un carruaje se bamboleaba haciendo mucho ruido por la calle.

Qué pena no haber podido robar la estatuilla antes de que llegara. Pero por lo menos le podría dar los números de las habitaciones. Sacó su pequeña libreta de papel y con el lápiz que llevaba atado escribió los números dieciséis y diecisiete. Dobló el trozo de papel, salió de la habitación y bajó las escaleras.

No volvió a encontrarse con el posadero, pero se cruzó con tres sirvientes que aceleraron el paso intimidados. Caminó hasta la puerta de entrada, salió de la posada y observó la calle.

Allí estaba Cressida caminando alegremente hacia él delante de un hombre muy serio que iba sobriamente vestido y acompañado por un sirviente que le llevaba el equipaje. Descubrió que ella se había puesto sus anteojos, lo que aprobó divertido. Otro detalle del disfraz que le daba aspecto de aburrida respetabilidad. Aunque como llevaba su sombrerera, su imagen quedaba un poco extraña para entrar en una posada.

Lo vio, y siguió caminando hasta a la puerta sin vacilar. Él no se movió deliberadamente, de modo que tuvo que pasar casi rozándolo. Cressida se lo quedó mirando como hubiera hecho cualquier mujer decente ante una maniobra así, y gracias a los anteojos redondos el efecto fue mayor. Él no pudo evitar sonreír, y la miró de manera lasciva mientras le ponía el papel en la mano. Los ojos de Cressida se abrieron como platos, y él pensó que no le había entendido. Aun así, pasó majestuosamente con la cabeza bien alta.

Su comportamiento le permitió mirarla y atisbar su seductor trasero. Pero no se adivinaba demasiado debido a ese deplorable y aburrido vestido. Cuando se dio la vuelta, el otro pasajero lo miró con expresión de profunda desaprobación. Tris, casi ruborizado, se giró y entró en el establecimiento. Dios santo, pronto su reputación estaría por los suelos. ¿Su reputación? ¿Cuándo le había importado su reputación en asuntos de esta índole? Ser salvaje era un derecho de nacimiento.

Vio cómo Cressida esperaba pacientemente en el vestíbulo a que alguien la atendiera. Vestida de esa manera tardarían un poco, justo lo que ellos deseaban. En teoría, ya que, de hecho, él quería ordenarle a uno de los sirvientes que se mostraban tan serviles con él, que la atendiera. Pero enfadado y en silencio regresó a su habitación para iniciar el plan. Mientras antes terminara todo, antes volvería para estar segura en el mundo que le correspondía. Y él encontraría alguna manera de enseñarle a exigir más de su mundo. Era inteligente, valiente y aventurera, pero su educación la dejaría atrapada en la mediocridad de Matlock el resto de su vida si no hacía algo al respecto.

Tiró de la campana para llamar al servicio con más fuerza de lo que pretendía, y lamentó dar la imagen de que el duque de Saint Raven estaba pidiendo atención a gritos. En un instante llegó corriendo la doncella a la habitación.

—¿Ocurre algo, su excelencia?

Una rabieta ducal le pareció lo adecuado.

—Estoy cansado de seguir esperando. Dígale a Bourreau que lo quiero ver inmediatamente.

La doncella contestó.

—Creo que está con un cliente, su excelencia.

Tris sacó su monóculo y la miró a través de él.

—¿Y se supone que tiene prioridad ante mis deseos?

La pobre muchacha se puso pálida.

—¡No, su excelencia! ¡Claro que no, su excelencia!

Se dio la vuelta y Tris se estremeció. Le había dado una buena gratificación. Pero ahora, supuso, lo mejor sería decidir qué le iba a decir a su primo bastardo en ese encuentro tan mal planificado.

Un momento después, se abrió la puerta sin que nadie llamara y apareció un hombre que la cerró al entrar.

—¿Qué nezezidad tiene de asustag a los sigvientes, su excelencia?

Iba en mangas de camisa con un chaleco, y el parecido entre ellos era evidente. Aunque no demasiado, gracias a Dios, pues Jean Marie tenía el cabello castaño y una complexión más ruda, pero a Tris su cara le recordaba un poco a la que veía cada día en el espejo; aunque mucho más a la de su tío. De hecho, se parecía bastante a su antecesor, cuyo retrato con sombrero *cavalier* colgaba en Saint Raven's Mount.

—¿Cuándo estuviste en Saint Raven's Mount? —le preguntó Tris.

—En la pgimavega cuando tú todavía estabas fuega. —El inglés de Bourreau era bueno, pero tenía un fuerte acento.

Tris prefirió hablar en francés.

—He tenido la tentación de decir algo dramático como «entonces por fin nos encontramos».

—A lo que yo contestaría, «asqueroso desalmado, tú destruiste a mi familia».

Tris se puso *en garde* durante un momento, pero vio humor en los ojos del hombre y se rió. Qué sorpresa, y tuvo que reconocer que su primo bastardo le gustaba. ¿Tendría algo que ver con el refrán que dice que la sangre es más espesa que el agua? Nunca se había sentido cercano a sus seis primas, y su madre sólo lo había tenido a él. Tenía relaciones con algunos de los Peckworth, pero no les unía la sangre.

Hizo un gesto hacia el vino.

—Perdona, no tenía previsto que iba a necesitar dos vasos.

Su primo se acercó al lavamanos y cogió el vaso que había allí. Llenó los dos vasos y le ofreció uno a Tris. Un granuja insolente, pero, él era igual.

Brindó con Bourreau.

—¡A tu salud! Y espero que me expliques tu último oficio.

El francés dio un trago.

—¿Puedes esperar? Tengo una cliente aguardándome en la habitación.

Tris se quedó helado, y se preguntó cómo había podido pasar por alto un problema tan obvio. El posadero se lo había dicho, y después la doncella había sido muy explícita, ¡y lo había ignorado las dos veces! ¿Qué provocaba que su cabeza se volviera de corcho?

Pues la mujer de grandes ojos grises. Así que puso en alerta su sentido del oído para poder escuchar si llegaba alguna señal de alarma desde el otro extremo del pasillo.

—¿No puede esperar un rato? —le preguntó.

Si Cressida intentaba entrar en la habitación, actuaría correctamente. Si no, seguramente encontraría una historia convincente para salir de la situación. Era rápida e inteligente.

—Un ratito. —Bourreau parecía entretenido—. ¿Una explicación? —Miraba a Tris con sus ojos de grandes párpados que debían enloquecer a muchas mujeres—. ¿Estás dispuesto a llevarme ante el verdugo?

—Por Dios, no. No creo que hayas hecho nada por lo que merezcas ser colgado, pero si te presentas ante un tribunal, nada te impedirá dejar el nombre de mi familia por los suelos.

¿Cuánto tiempo debería durar eso? Tenían que haber preparado algún tipo de señal. La verdad es que ninguno de los dos había pensado con lucidez.

—Entonces —dijo Bourreau— ¿cuánto me pagarías por no ensuciar el nombre de tu familia?

Tris recuperó su inteligencia ante el tema que trataban. Eso era demasiado a cambio de una amistad entre primos.

—¿Por qué tendría que pagar? No nos puedes hacer daño mientras no reveles tu identidad como Le Corbeau.

—Tal vez. —Pero el francés tenía una sonrisa preocupante en los ojos—. ¿Dígame, su excelencia, por qué hizo que alguien se hiciera pasar por mí?

Por lo menos Bourreau no se había dado cuenta de quién había sido.

—¿Cómo sabes que tuve algo que ver en eso?

—¿Quién más? Sé que no quieres que me cuelguen por las razones que me acabas de dar. Estaba a punto de pedirte que te comprometieras en mi defensa, cuando, ¡puf!, se demostró que era inocente y me liberaron.

—Ahora sabes por qué.

—¿Y un duque no tiene manera más sencillas de liberar a un prisionero?

—¿En Francia se sigue procediendo de manera tan arbitraria, incluso después de la revolución? En Inglaterra un duque tiene muchos poderes, pero saltarse la ley no es uno de ellos. Hubiera sido un trabajo agotador, pero lo más importante es que hubiera sido muy incómodo mostrar un interés especial por ti. Ahora, por qué no me cuentas exactamente lo que quieres, teniendo en cuenta que no estás en posición de pedir nada.

—¿Ah, no, su excelencia…?

Tris sintió que le hormigueaba la espalda. Sin duda Bourreau era un veterano en juegos arriesgados. Tampoco dudada de que ese hombre pensaba que tenía una jugada maestra.

Cressida se detuvo en la puerta dieciséis. Su humilde vestimenta había jugado a su favor hasta ahora. Además del señor Althorpe, ese engreído académico, y la llegada por separado de una pareja exigente, nadie le había preguntado qué hacía allí.

Sin embargo, se había dado cuenta demasiado tarde de que Tris y ella no habían planificado cuándo debían llevar a cabo su plan. ¿Cómo podían haber sido tan atolondrados? El corazón le latía con demasiada fuerza para estar cómoda, aunque había contado hasta cien mientras vigilaba el rellano del final de las escaleras.

Al llegar a ochenta y cuatro vio que lo cruzaba muy dinámico un hombre en mangas de camisa. No sabía si era Le Corbeau obedeciendo al requerimiento de Tris, pero no parecía un sirviente, ¿y quién más podía andar vestido de una manera tan informal por el pasillo?

El vestíbulo estaba vacío en ese momento, así que Cressida respiró hondo y se dirigió a las escaleras como si fuera algo normal hacerlo. Su corazón estaba tan acelerado que posiblemente lo oirían latir; y sus pies ansiaban salir corriendo hasta el final del pasillo.

Subió la escalera convencida de que una voz le pediría que se detuviera. Cuando llegó arriba giró en la dirección desde la que venía el hombre, y se detuvo para recuperar su ingenio. ¿Qué estaba haciendo allí en esa empresa enloquecida y criminal? ¡Podría terminar en la cárcel! Hizo una serie de respiraciones rápidas, y después se puso recta y caminó por ese lado del pasillo mirando los números de las puertas. Se recordó a sí misma que su amante, el señor Bourreau, la había abandonado y que había venido a rogarle que volviera con ella.

Veinte, diecinueve, dieciocho. Debía de haber sido Bourreau. El plan estaba funcionando. Dieciséis y diecisiete, las dos puertas del fondo a la izquierda. Había otras dos habitaciones enfrente, la catorce y la quince, lo que significaba que había una puerta entremedias, que desde el pasillo conducía a la escalera del servicio. Por alguna razón, justo cuando llegó el momento, le aterrorizó tener que girar el pomo de una de las puertas y entrar en la habitación. Bueno, no por una razón cualquiera, sino por una causa importante. Una vez que lo hiciera, a los ojos de todo el mundo se iba a convertir en una ladrona. ¡Y a los ladrones los colgaban! Aunque no demasiado a menudo últimamente, al menos no a pequeños ladrones sin antecedentes, aunque eran azotados o enviados a Australia.

Agarrándose a la historia que había inventado, y al hecho de que Tris estaba distrayendo a Le Corbeau, giró el pomo de la habitación dieciséis. Si ocurría lo peor de lo peor, seguramente el duque de Saint Raven podría impedir que la encarcelaran. Abrió la puerta, entró y la volvió a cerrar. Examinó la habitación, pero al mirar la cama un pánico paralizador se apoderó de ella. Se encontró con una mujer desnuda que le daba la espalda. Cressida estúpidamente casi se puso a gritar asustada. Pero cuando vio que la mujer no hacía nada, salvo levantar las cejas, su aterrorizado cerebro advirtió que había un caballete con una excelente pintura llena de curvas sonrosadas y sinuosas provocaciones. Un artista, Bourreau era un artista.

Una modelo. No era el tipo de retrato que se esperaba. La mujer sonrió:

—Has llegado temprano para la siguiente sesión, cariño.

Cressida consiguió respirar y reaccionar a la explicación.

—¡Sí! No sabía que ibas a estar… —Miró a la mujer y después a su alrededor—. ¿Quieres que espere en la habitación de al lado?

Miró a la izquierda y vio una puerta que debía dar a la habitación diecisiete, el salón. Se dirigió a ella, pero consiguió concentrarse lo suficiente como para mirar por si la figura se encontraba en la habitación. No estaba a la vista, y ahora no tenía manera de buscarla. Si Tris podía maldecir, ella también, y en silencio repitió como él: ¡Maldición!

—Si quieres —le dijo la mujer—, pero no me importa. No me atrevo a moverme porque se enfadaría conmigo. Pero si te quieres sentar a charlar, eso hará que me pase más rápido el tiempo.

La idea de conversar con esa mujer completamente desnuda dejó estupefacta a Cressida, pero el principal problema era cómo se las iba a arreglar para poder seguir su búsqueda a pesar de ese impedimento. Decidió pasearse por la habitación. Seguramente la mujer no se sorprendería que un intruso quisiese mirar por todas partes.

—¿Llevas mucho tiempo siendo modelo? —preguntó para decir algo mientras se acercaba a la chimenea vacía. Había un baúl cerca de la cama. ¿Qué excusa podría encontrar para buscar en él?

—Hace un par de meses, ¿y tú?

Cressida recordó que se suponía que ella también era una modelo. Demasiadas cosas que recordar.

—Ésta será mi primera vez.

—No te extrañes si te pones nerviosa. No te preocupes. No pasa nada una vez que te acostumbras, y él es un auténtico caballero. No se anda con tonterías.

El paseo de Cressida la había llevado de vuelta al caballete. Se detuvo a mirar la pintura sorprendida por su calidad. Salteador de caminos, o no, Jean-Marie Bourreau tenía talento. La pintura era muy exacta, y aún así había creado una fantástica composición con los grandes pechos, los turgentes muslos, la pulcra cintura y los delicados pies de la mujer. Cressida por instinto se dio cuenta de que esa pintura excitaría a muchos hombres. ¿Y a Tris?

—¿No tienes frío? —le preguntó.

—Un poco. ¿Por qué no me tapas con esa manta, cariño? Él lo hace cuando quiere trabajar en algunos puntos en los que no me necesita. Como te he dicho, es un auténtico caballero. Lo han llamado, pero no esperaba estar fuera tanto tiempo.

¡Dios, el tiempo estaba corriendo! ¿Y qué iba a hacer?

Cressida soltó la sombrerera, tomó la manta que había a los pies de la cama y se la puso por encima a la mujer. ¿Tendría que atarla para registrar la habitación?

—Mi nombre es Lizzie Dunstan. ¿Y tú?

—Jane Wemworthy.

—No hace falta que me mires así.

Sólo entonces Cressida se dio cuenta de que le estaba poniendo cara de Wemworthy. Pero ése era su papel. Levantó la nariz y cogió su sombrerera.

—Prefiero esperar en la otra habitación. Buenos días, señora Dunstan.

—¡Soy señorita! —le gritó la mujer alarmantemente alto.

Cressida cerró la puerta y se quedó quieta con los oídos atentos a cualquier señal de alarma o de que viniera alguien. La posada no era un lugar tranquilo. Podía escuchar las ruedas y los cascos de los caballos de la calle, y a alguien que daba órdenes al otro lado de la ventana, pero nada parecía inusual. Lizzie Dunstan estaba quieta en su pose, y a ella sólo le quedaba rezar para que Tris pudiera mantener distraído a Le Corbeau un rato más. Pero en cuanto regresara, la modelo le contaría que había venido otra visitante. Si echaba en falta la estatuilla sabría enseguida quién se la había llevado.

Jane Wemworthy. Ay, pobre señora Wemworthy. ¡Esperaba que nunca se le ocurriera visitar Hatfield!

Con suerte, Bourreau no se enteraría de nada de lo ocurrido. Sólo quería llevarse las joyas, no la estatuilla. Como mucho iba a intercambiar las figuras.

Puso la sombrerera sobre la mesa y miró a su alrededor. La posibilidad de fracasar la dejó helada. La estatuilla no estaba a la vista, y no había ningún sitio donde esconderla. Tenía que estar en el dormitorio, tal vez en ese baúl. En la habitación había pocas cosas que pertenecieran al huésped. Sólo una chaqueta tirada encima del desgastado sofá, y tres libros en una mesa junto al único sillón. Había también un reloj apoyado en dos figurillas encima de la repisa de la chimenea, pero eran piezas de cerámica barata.

Los muebles no permitían esconder nada. El sofá y la silla estaban acompañados de una mesa con cuatro sillas y un arcón pasado de moda apoyado contra la pared. Se acercó a él y empujó el asiento. Se movía. Era pesado, pero lo abrió haciendo un gran esfuerzo, y el resultado fue ¡un cofre! Hasta ese momento estaba tan segura de que iba a fracasar que se lo quedó mirando como si un polvillo mágico pudiera hacerlo desaparecer. Pero seguía estando ahí. Era un simple cofre forrado de cuero con esquinas de metal y un cerrojo metálico asegurado por un candado.

Dio un gritito de alegría y se puso manos a la obra rogando que Tris entretuviera a Bourreau el tiempo suficiente. Sacó la palanca de la sombrerera, pero no había suficiente espacio entre el cerrojo y la madera del arcón, aunque si conseguía sacar la pieza metálica que tenía en la parte de arriba, el candado quedaría inutilizado. Apoyó un extremo de la herramienta contra el metal y empujó. Se soltó un poco por el borde. Aplicó toda la fuerza que pudo sobre la pieza metálica. Le rechinaron los dientes aunque mantuvo todos sus sentidos alerta por si llegaba alguien. Su corazón estaba acelerado por los nervios, y también por el triunfo. Lo único que tenía que hacer ahora era forzar el cierre, sacar las joyas de la estatua y todo marcharía bien.

No todo, pero ahora no podía prestar atención a eso. Por fin la palanca entró unos centímetros bajo el metal. Hizo una pausa para coger aliento y escuchar lo que se oía más allá de sus latidos. Nada inusual. Ahora tenía que probar el poder de las palancas. Alguien había dicho: «Dadme una palanca lo suficientemente larga, y podré mover la Tierra».

El trozo de metal se estaba doblando. Se inclinó un poco más y la placa se levantó un poquito. ¡Funcionaba! Nuevamente se detuvo a escuchar, y entonces tuvo una idea. Sacaría la estatuilla de la sombrerera, y si la descubrían antes de que pudiera extraer las joyas, todavía podría hacer el cambio. Claro que iba a resultarle muy difícil explicarse si la cogían forzando una cerradura, pero por el momento no podía pensar en eso.

Metió la figurilla en uno de sus bolsillos y pensó que otra razón, mi señor duque, por la que iba vestida de esa manera humilde y no a la moda, era que las faldas elegantes eran demasiado ajustadas como para tener bolsillos. Así, aunque llevara un bulto, podría pasar inadvertido gracias a esa ropa.

Entonces se dio cuenta de que la puerta de entrada tenía una llave, y corrió hacia ella para girarla. Ahora nadie podría entrar desde el pasillo. La puerta de la habitación no tenía llave. Se encogió de hombros. Lo había hecho lo mejor que había podido. Después volvió a su tarea, deseando que su corazón latiese con menos fuerza para no marearse. A pesar de que deseaba no tener que hacerlo, sus manos estaban listas para hacer palanca de nuevo. El metal salió un poco más y pudo ver los clavos que lo sujetaban. Iba a tener que hacer bastante fuerza, y con suerte podría volver a colocarlo todo de nuevo en su lugar para que a primera vista no fuese evidente lo que había pasado...

Entonces escuchó un ruido. Gritos. Un golpe, como si se hubiera caído algo. Se quedó paralizada, como si quedarse quieta pudiera salvarla. Pero después de un rato volvió a respirar. Los ruidos aunque sonaban fuertes no estaban cerca. Escuchó gente dando voces, incluso un grito. Se trataba de unos granujas pendencieros que se encontraban dentro o cerca del Cockleshell, pero le venía bien. Eso mantendría ocupados a los sirvientes de la posada.

Volvió a su trabajo y usó todo su peso para hacer palanca. ¡Y el metal saltó! Tuvo que contenerse para no soltar otro grito, puso a un lado su herramienta, y levantó la tapa. Si después de todo lo que había hecho la estatuilla no estaba allí, le iba a dar un ataque...

Miró dentro. El cofre contenía un revoltijo de joyas y otros objetos preciosos, la mayoría de la India. Pensó que reconocería algunas de las piezas que muy probablemente habían pertenecido a su padre, incluyendo, advirtió su mente obnubilada, un montón de figurillas eróticas de marfil.

¿Habría cientos de figuras así en Inglaterra? ¿Le Corbeau las coleccionaba como parte de sus negocios de arte subido de tono? Tuvo una visión pesadillesca en la que se vio buscando entre montones y montones de estatuillas parecidas intentando divisar la correcta...

Se estremeció. Le Corbeau había robado la de La Coop. Lo sabía y por eso estaba allí. Se puso los anteojos y comenzó a separar las figuras de las cadenas, collares, y armas, buscando febrilmente las que tenían el mismo estilo de tocado.

• • •

—Creo que vas de farol —le dijo Tris a su primo—. Dudo de que tengas dinero suficiente como para llevar tu caso a los tribunales ingleses. Y al final ganaré yo.

El francés todavía tenía sonrisa de jugador.

—Tal vez. Pero con un poco de generosidad te puedes evitar todo eso. Y, además, tu familia me debe algo.

—Eres el hijo bastardo de mi tío. No tienes derecho a alegar nada.

—El duque trató a mi madre despiadadamente.

—Trató a todo el mundo despiadadamente…

El ruido de un alboroto impidió que Tris siguiera con lo que estaba diciendo. Se escuchaban gritos procedentes de abajo. Un estruendo como si se hubiera caído un mueble pesado, remeció el viejo edificio. Después sonó un chillido que fue como un grito.

Tris y Bourreau se miraron, y fueron a abrir la puerta a la vez. El escándalo podía no tener nada que ver con su asunto, pero Cressida… Tenía que ponerla a salvo.

¿Era Miranda? No podía imaginársela provocando un altercado, por lo menos no de ese tipo. Parecía más bien que se trataba de un grupo de borrachos. ¿Tenía que ir? Pero entonces escucharon ruido de botas que subían por la escalera. Él y Bourreau estaban en medio del pasillo cuando los borrachos llegaron en avalancha al final de las escaleras gritando:

—¡Uhuuu! ¡Ahuu! —No dejaban de golpear todas las puertas.

—¡Corbeau! —gritó alguien—. ¡Ya te tenemos!

«¡Crofton!»

Tris se volvió a Bourreau, pero su primo ya había salido corriendo por el pasillo hacia el grupo. Después de soltar una maldición, Tris partió tras él. ¡Cressida estaba en las habitaciones de Le Corbeau!

Algunos de los alborotadores entraron en la habitación del fondo y se escuchó el chillido de una mujer. Con un rugido, Tris entró como pudo en la habitación, mientras Bourreau tiraba de un hombre que estaba encima de la cama.

Encima de una mujer.

Tres animales la habían abordado. Tris se encargó de uno al que lanzó contra la pared, antes de darse cuenta de que la mujer era grande, estaba desnuda, y no era Cressida. El hombre al que había golpea-do Tris era Pugh, que todavía estaba vestido con ropa estilo Enrique VIII. Bourreau había acabado con uno de los salvajes, y estaba rodando por el suelo con un arlequín y un hombre con ropa normal.

La mujer estaba envuelta en una manta y tenía los ojos desorbitados, aunque parecía segura. Tris se volvió para ir a la otra habitación. ¿Cressida?

Escuchó un crujir de madera en la habitación de al lado y saltó sobre la pelea que se estaba desarrollando en el suelo. Después se quedó paralizado en el umbral. Allí estaba, pálida, con los ojos muy abiertos detrás de los anteojos, y agarrando la figura mientras observaba a Crofton y a su grupo de borrachos salvajes que acababan de derribar la puerta. Después miró a Tris y sus ojos se encontraron durante un instante, pero enseguida volvió la vista hacia Crofton y sus matones borrachos.

Tris tenía todos sus músculos preparados para saltar a su lado, pero en un instante supo que la mejor manera de protegerla era hacerse el duque y no el hombre. La habían atrapado demasiado pronto. Un rápido vistazo hizo evidente que no había señal de que hubiera otra estatua. Se habían equivocado, pero ahora tenía que sacarla de allí sin que le pasara nada. Y para hacerlo, tenía que comportarse como si fuera un completo desconocido. El monóculo le sería útil para su representación.

—¿Cuál —dijo arrastrando las palabras— es la causa de este alboroto?

Crofton giró sobre sus talones y estrechó los ojos.

—¿Saint Raven? —Después se dirigió a Cressida—. Bien, bien, bien…

Capítulo 25

Tris mantuvo una actitud distante, y volviendo su monóculo hacia Cressida le preguntó:

—¿Y se podría saber quién es usted, *madame*?

Ella seguía teniendo los ojos muy abiertos, pero ya había recuperado un poco su color. Tal vez por la fe que tenía en él. Y Tris esperaba que estuviera justificada.

Cressida hizo una reverencia.

—Mi nombre es Cressida Mandeville, su excelencia.

—Veo que lo conoce —dijo Crofton con desprecio.

Ella simuló muy bien cara de sorpresa.

—Todo Londres conoce al duque de Saint Raven de vista, lord Crofton.

—Y qué está haciendo encerrada en la habitación de un hombre, ¿eh?

—No era consciente de que la habitación estaba cerrada, señor. Entré por la otra puerta.

Entonces llegó el posadero enrojecido y sudoroso con unos cuantos sirvientes.

—¡He pedido que vengan los magistrados! La ley resolverá todo esto. —Entonces vio a Tris—. ¡Su excelencia! Oh, su excelencia, siento mucho que lo hayan molestado….

Tris levantó la mano y asumió el control. Avanzó por la habitación, se acercó a Cressida y la miró con el monóculo, así como a la estatuilla.

—¿Esa figura es suya *madame?* Es muy… peculiar.

Vio cómo ella apretaba los labios y rogó que los mantuviera así durante su actuación.

—Pertenece a mi padre, su excelencia.

—Yo se lo gané todo a su padre —dijo Crofton bruscamente—, incluidas esas esculturas picantes. Usted es una ladrona, señorita Mandeville, y concubina de Le Corbeau, y repetiré esto mismo cuando lleguen los magistrados. Esperaré a ver cómo la azotan atada a un carro.

Tris se giró dispuesto a interponerse entre Crofton y Cressida si era necesario. Estaba deseando que hiciera un paso en falso, ya que no deseaba otra cosa más en la vida que golpear la cara de Crofton hasta dejarla en carne viva. Por el momento, había conseguido impedir cerrar los puños.

—Usted se ganó nueve figuras, señor —le dijo Cressida con gélido desdén—. Y puedo demostrar que eran diez. Y lo que no se ganó fueron las posesiones de nuestra casa de Londres.

Crofton gruñó de frustración. Odiaba que Cressida pudiera escapar.

—¿Y qué pasa con Le Corbeau? Explique si puede qué está haciendo en su habitación.

Antes de que Cressida dijera nada, intervino Tris.

—Y llegados a este punto, Crofton. ¿Qué haces aquí tú?

—Cazando al cuervo. Tal vez ya te habías marchado de mi fiesta, duque, cuando Le Corbeau entró a robar en mi propiedad.

—Es verdad. Fue un asunto muy fastidioso. Pero ¿qué haces aquí? El señor Bourreau está libre de toda sospecha.

—Fue muy hábil eso de utilizar el truco de que uno de sus colegas saliese a los caminos con su atuendo característico. Engañó a los jueces, pero a mí no.

Entonces irrumpió en la habitación Jean-Marie que estaba muy magullado y afectado aunque visiblemente lleno de rabia. Llevaba a su modelo envuelta en una manta y la protegía con el brazo. Hizo que la mujer se sentara en el banco de madera y se dirigió a Crofton.

—¡Me estás acusando! —le espetó con los ojos encendidos.

Ay, el temperamento francés. Muy útil en ese momento.

—*Moi! Un artiste! Un homme innocent!* —Iba señalando elocuentemente cada palabra con las manos—. ¡Me acusa a mí, a mí! Se ha demostgado que soy inocente. ¿Qué tiene que haceg un hombge en este desgraciado país paga que lo dejen en paz? ¡Destgozag mis posesiones! Asaltag a una modelo respetable...

—¿Respetable? —bromeó un tigre con cara de asombro acercándose a la mujer envuelta en una manta. Jean-Marie se dio la vuelta y le lanzó una patada a los testículos. El hombre chilló y rodó agonizante por el suelo hecho un ovillo.

Tris no pudo evitar reírse.

—¡Bravo!

Como Tris no sabía si iba a seguir dando patadas a los demás, se volvió hacia Crofton.

—Mi primo, Jean-Marie Bourreau —lo presentó—, al que estoy visitando por asuntos familiares.

—¿Primo? —explotó Crofton.

—Primo. El hijo natural de mi tío. Te sugiero Crofton que te vayas y que te lleves a tu escoria. Y que le pagues los daños al posadero antes de marchar.

Crofton miró a su alrededor.

—No hasta que no sepa qué está haciendo aquí la señorita Mandeville con esa figura. Sólo tenemos su palabra de que había una en la casa de su padre en Londres. Yo creo que toda la serie estaba en Stokeley Manor, lo que significa que la figura es una de las que robó el Cuervo. Y eso... —dijo con suficiente confianza como para mirar a Tris a los ojos— demuestra que tu «primo» es el Cuervo y que la señorita Mandeville es su cómplice.

Tris casi podía escuchar cómo funcionaba el engranaje mental de Crofton.

—¿Me equivoco, Saint Raven, al pensar que esa estatuilla en especial era la que tu pequeña delicia turca estaba tan interesada en poseer?

Tris se esforzó por no mostrar ninguna emoción, y volvió a examinar la figura con su monóculo.

—Es tan parecida que podría servir. ¿La tiene en venta, señorita Mandeville?

Ella hizo una reverencia, y él rogó por que sus sonrosadas mejillas se vieran naturales en esa estrambótica situación.

—Sí claro, su excelencia. He venido a ofrecérsela al señor Bourreau, tal como me recomendó un coleccionista de estos objetos. Como usted sabe, señor Crofton —añadió con falsa dulzura— mi familia tiene que vender todo lo que no sea esencial para sobrevivir.

Era un tesoro de mujer.

Sin embargo, esa horrible escena, no haría más que poner clavos en su ataúd. Todos aquellos hombres, aunque estuvieran muy borrachos, recordarían el encuentro y hablarían de él. Que ella estuviera ahí en ese momento era muy desafortunado, pero no necesariamente ruinoso. No obstante, podía ser el comienzo de su bajada al infierno si alguien llegase a pensar que Cressida se parecía a la hurí de Saint Raven.

Tris miró a Crofton. Parecía desconcertado, pero no asombrado. Uniendo una serie de cabos podía comprender que se encontraba ante una alianza impura. Pero por otro lado ¿quién iba a creerse que hubiera una relación ilegal entre un salteador de caminos francés, una virtuosa dama de provincias, y un duque? ¿Especialmente cuando la dama virtuosa era la imagen misma del decoro con esa ropa tan aburrida, un sombrero decente y además anteojos?

Jean-Marie se acercó a Cressida, cogió la estatua y la examinó.

—Es un excelente ejemplo de agte egótico del templo de Kashmir, señoguita Mandeville, y aunque me da pena decígselo, no es una ragueza.

Tris se preguntó si su primo tenía idea de lo que estaba diciendo.

—No le puedo ofreceg más de tgeinta libgas por ella. Qué pena que no tenga pagueja.

—Pertenecía a una serie de diez piezas, *monsieur*. Teniamos otros objetos de la India, pero, por desgracia, la mayoría pasaron a manos de lord Crofton.

—Yo sólo estoy integuesado, perdóneme señoguita, en agte egótico. —Le devolvió la figura—. ¿Sigue integuesada en vendegla?

—Déje que le haga una oferta yo primero, señorita Mandeville —dijo Tris—. Como ha mencionado lord Crofton, conozco a alguien a quien le interesaría mucho esa pieza.

Sin embargo, Tris tenía toda su atención centrada en Crofton. El hombre estaba tremendamente frustrado, y por lo tanto era muy peligroso. Además, el toque de humor de Jean-Marie no mejoraba mucho las cosas.

Crofton miró a Jean-Marie.

—Sigo afirmando que eres el Cuervo, gabacho, y que asaltaste mi casa anoche. Antes de marcharme inspeccionaré este agujero y nadie me podrá detener.

«Bien —pensó Tris—. Todavía voy a tener la oportunidad de darle una paliza.»

—Olvidas, Crofton, que el señor Bourreau es el hijo de mi tío… y por lo tanto está bajo mi protección.

—Protección —dijo Crofton gruñendo con la cara enrojecida—. ¡Hablemos de protección! Esa mujer —señaló a Cressida con un dedo— que parece tan mojigata y decente, era tu acompañante en Stokeley Manor, y estaba vestida de acuerdo a su verdadera naturaleza. Y es una conocida seguidora de Le Corbeau…

—¡Es evidente que no! —gritó Cressida.

Tris volvió a levantar la mano, volvió su monóculo hacia ella y la miró de arriba abajo.

—Crofton, creo que estás loco —le respondió de la manera más ácidamente descreída que pudo.

Crofton se volvió a sus seguidores.

—¡Vosotros visteis a la hurí de Saint Raven! —gritó—. Es ella. ¡Es ella! Y además esa tipeja tuvo el descaro de actuar de manera mojigata y decente conmigo. Y no me extraña que se haya dejado secuestrar por Le Corbeau. ¡Todo era una trampa!

—Deliras —dijo Tris.

Crofton soltaba saliva por la boca al hablar.

—¿La hurí de Saint Raven? —dijo Pugh tambaleante y agarrándose la cabeza—. ¿Dónde? Me gustaría probarla.

Tris no se permitió darle una lección tal como había hecho Jean-Marie con el tigre. En cambio, señaló a Cressida.

—Lord Crofton piensa que la señorita Mandeville estaba conmigo en la fiesta.

Pugh se quedó mirando y negó con la cabeza.

—Empiezo a sospechar que este hombre está loco. Esa hurí era un bocado muy apetecible.

Tris observó que las rojas mejillas de Cressida adquirían un tono más intenso, y deseó poder tranquilizarla diciéndole que ella era el bocado más apetecible que podía imaginar.

Se dirigió a Crofton.

—Puesto que la señorita Mandeville parece no tener protección masculina, y has relacionado su nombre con el mío, me veo en la obligación de defender su honor. ¿Quieres llevar esto aún más lejos?

Sir Manley Bayne, que estaba lo suficientemente sobrio, agarró a Crofton del brazo.

—Debe de ser un error, Croffy. Recuerdo a esa delicia turca. De verdad, Croffy, no se parecen. Mira esos rizos y los anteojos, y esa boca estrecha y pequeña. ¿Recuerdas lo que hizo esa chica con el pepino...? No, no es ella.

Crofton volvió a mirar a Tris con odio profundo. Un duque era intocable, pero Cressida...

Cressida ansiaba volver a la corrección convencional y pacífica de Matlock, y Tris sabía cómo eran las ciudades pequeñas. Eran peor que Londres. Un pequeño escándalo te convertía en un leproso, y nunca más podías limpiar tu nombre.

Y comentarios como ése no se podían detener, ni siquiera con un duelo. Especialmente un chismorreo tan jugoso que implicaba tanto a un duque como a un salteador de caminos romántico. Lo peor era que matar a Crofton no mejoraría las cosas. Lo único que podría mantenerla segura era que no hubiera ninguna relación creíble entre la señorita Mandeville y el escandaloso duque de Saint Raven.

Le hizo una pequeña reverencia.

—Señorita Mandeville, lamento profundamente que debido a una coincidencia se haya relacionado su nombre con el mío de manera tan desagradable. Dudo que se repita esta calumnia, pero si tiene alguna repercusión, por favor infórmeme, y personalmente me haré cargo del asunto. En cuanto a la estatuilla, todavía sigo dispuesto a comprarla.

La miró a los ojos y se dio cuenta de que ella había seguido el mismo razonamiento lógico, aunque desalentador. Quizás había sido más sensata que él y nunca se había hecho verdaderas ilusiones.

—El señor Bourreau la ha valorado en treinta libras, su excelencia.

—Entonces permítame ofrecerle cincuenta para compensar este incidente. ¿Podrá recoger un pagaré en mi casa de Londres?

—Por supuesto, su excelencia.

Sacó un bloc de papel, garabateó su promesa, se la entregó, y ella le dio la figura. No tenía idea de si era la que contenía las joyas, pero iba a estar más segura en sus manos. Si no estaban las joyas, todavía habría que encontrarlas. No pudo evitar sentir que aún tenía esperanzas y que esa aventura aún no había terminado. Entonces dirigió una mirada fría a Crofton y a sus amigos.

—No entiendo qué hacen todavía en esta habitación.

Todos se dispusieron a salir, incluso Crofton. Tris los siguió para asegurarse de que iban a pagar los daños que habían producido, y en ese momento, ya muy tarde, llegó el magistrado local con refuerzos. Tris dejó que Crofton tratara con él, pues sabía que todo se suavizaría con una pequeña conversación y algo de dinero. Un vizconde era casi tan inmune a la ley como un duque. Pero Crofton no se echó atrás.

—Hay gato encerrado en todo esto, Saint Raven y, maldita sea, lo descubriré.

La paciencia de Tris se agotó por completo y se sorprendió de que nadie escuchara su chasquido.

—Si vuelves a hacer que te tenga que prestar atención, Crofton, te aplastaré como el insecto que eres.

Parecía una frase de su tío, pero por una vez a Tris no le importó. Le gustó ver cómo el vizconde empalidecía, y la manera en que sus amigos se apartaron, pero hubiera preferido haberle roto los huesos con sus propios puños.

Cuando el pasillo se vació, se tomó un momento para relajarse. Habían ganado una batalla, pero había que terminar la guerra. Crofton no repetiría abiertamente sus acusaciones, pero los otros podrían describir el encuentro, y Cressida no se libraría de los chismorreos. Estaba seguro de que Crofton encontraría alguna manera de verter su veneno de manera que no se le pudiera acusar directamente de haberlo hecho.

Lo mejor es que su primera acción fuese un ataque preventivo. Volver a Londres lo antes posible y hacer circular otra historia. Que Crofton se había comportado de manera abyecta y estúpida con la pobre señorita Mandeville, insultándola, mientras ella intentaba conseguir un poco de dinero para evitar que su familia tuviera que ir a una casa de caridad.

Cuando regresó a las habitaciones de Jean-Marie encontró que su primo y Cressida estaban charlando en el salón. Tris deseó que ella no hubiera sido demasiado confiada. Jean-Marie podía parecer un aliado, pero era un sinvergüenza y un chantajista, y no había que darle nuevas armas.

—¿Tu modelo? —preguntó.

—Se está vistiendo y enseguida se magchagá. Pensé que necesitábamos tiempo y pgivacidad.

—Sin duda no hay motivos para que la señorita Mandeville siga entreteniéndose. Debo llevarla a casa.

Cressida lo miró.

—No puede ser. ¿Qué iba a parecer?

—Que soy un caballero —replicó él—. ¿Qué otra cosa puede hacer el duque de Saint Raven con una dama extraviada con la que ha trabado amistad en una posada?

—¿Llevarla a un carruaje público?

—No.

—¿Una hurí en una orgía? —dijo Jean-Marie cuando se quedaron en silencio.

—No —dijo Tris volviéndose hacia él.

Su primo rápidamente levantó una mano para disculparse.

—¡Es demasiado! Claro que es imposible.

—La señorita Mandeville y yo nos acabamos de conocer.

Jean-Marie abrió y cerró los ojos, y se encogió de hombros.

Tris se dio cuenta de que estaba permitiendo que saliera la enorme rabia que sentía, y no parecía capaz de controlarse. Entonces recordó otros aspectos interesantes.

—¿Entraste en la propiedad de Crofton durante una orgía y le robaste?

—Y ¿por qué no? —Jean Marie cambió al francés—. Supe lo de sus fiestas salvajes, y como pensé que esos encuentros duraban varios días, los que se quedaran no estarían en condiciones de oponerse a mí ni a mis amigos. Y no lo estaban. Los invitados no llevaban más que baratijas, por desgracia. Pero ¡había muchas cosas interesantes! Como algunas estatuillas como la que le compraste a la señorita Mandeville. ¿Cómo puedes explicarlo?

Tris se dio cuenta de le estaba tendiendo una trampa, y se puso a pensar una respuesta rápidamente, pero Cressida habló primero en correcto francés.

—Es bastante simple, señor. Como ya se hado cuenta, mi padre perdió casi todo jugando a las cartas con Crofton. Después supe que usted le había robado una de las figurillas a alguien que salía de la fiesta. Y pensé en robársela a usted. No es más que una pequeña parte de la historia, pero es algo. Esos objetos son los recuerdos que trajo mi padre de la India.

—Pero ¿cómo supo —preguntó Jean-Marie amablemente— que yo era Le Corbeau? Se supone que soy inocente.

Tris intervino:

—Lo sabía yo, y en un arranque de locura traje aquí a Cressida. No hace falta que entremos en esto, pero lo único que pedimos es que no haya un escándalo. —Miró a su primo a los ojos—. Acepto tu propuesta: Le Corbeau deja de volar, y tú regresas a Francia y te quedas allí. ¿Está bien?

—¿Propuesta? —preguntó Cressida mirándolos a los dos.

—Mi primo ha creado una situación por la que me... convendría compartir con él mi gran fortuna.

—¡No lo puedo permitir!

—Esto no tiene nada que ver contigo. La verdad, Cressida, es que es anterior a nuestras aventuras.

—Es verdad —dijo Jean-Marie—. Pensé que como único hijo del antiguo duque, por justicia se me debía algo. Tal vez el propio ducado.

—¿Qué? —dijo Cressida interrumpiéndolos.

Tris la cogió del brazo.

—Como has dicho tú misma, ahora no tenemos que entretenernos. Te lo explicaré todo en otro momento.

—¿En otro momento? —repitió ella con voz débil.

—Así por lo menos, este estrambótico encuentro me dará una excusa para hacerte una visita. Tengo que asegurarme de que te recuperarás de estas abrumadoras emociones y peligros.

—¿Me ves demasiado tranquila? —replicó—. Si te vas a sentir más satisfecho me puedo desmayar.

Jean-Marie se rió.

—¡Una mujer con temperamento! Tienes que hacerte con ella, primo.

Tris lo miró.

—Ah. Una pena…

La boca de Cressida amenazó con ponerse a temblar, pero se contuvo, y entonces recordó al desagradable amigo de Crofton mirando con desdén su «pequeña boca estrecha». Se quitó los olvidados anteojos y se los metió en un bolsillo, pero eso no hizo que cambiara su poco favorecedor atuendo, su cara lavada, o su apretada boquita.

Bourreau levantó la tapa del banco y sacó la palanca.

—Un auténtico robo —señaló abriendo el cofre mientras la miraba—. He tenido suerte de que sólo se haya podido llevar una pieza antes de que la interrumpieran.

Sospechaba algo, y la fuerza de ella estaba a punto de agotarse. No sabía cómo responder a eso.

Tris se adelantó y miró dentro del cofre.

—¡Una serie! Me gustaría comprarla entera. Y por supuesto se la pagaré a la señorita Mandeville.

—Pero si éste es el premio a mi trabajo, primo.

Cressida observó que Tris miraba al francés con una fuerza especial.

—¿Derecho fundamental y justicia?

Bourreau se encogió de hombros y miró a Cressida.

—Le regalo la serie, señorita Mandeville, así como el resto de los tesoros de la India que saqué de Stokeley Manor. Los objetos de su padre, sus recuerdos sentimentales. Lo correcto es que se los devuelva a él.

Cressida se inquietó por si había alguna trampa en lo que decía, pero no supo qué hacer, así que dijo:

—Es usted muy amable. Gracias.

Tris y su primo se miraron el uno al otro. El parecido entre ellos era más evidente en la manera de comportarse que en el aspecto físico.

—¿Lo llevarás todo a la casa de la señorita Mandeville?

—Por mi honor de francés.

Tris asintió con la cabeza.

—Entonces también tendrás que venir a verme para organizar los detalles finales.

El francés movió la cabeza con una expresión extraña, casi arrepentida. A Cressida, por su parte, le preocupaba que Tris estuviera comprando su seguridad, pero ya no tenía energía para replicar, así que dejó que la acompañara fuera de la habitación.

Sin embargo una vez en el pasillo se detuvo.

—Tris... Saint Raven. De verdad prefiero regresar a Londres en el carruaje. Iré segura y no puedo... «Soportar una larga despedida», —lo pensó, pero no pudo decirlo.

Tris cerró los ojos un momento.

—Muy bien. Como has dicho antes, irás lo suficientemente segura.

La acompañó a la posada donde paraba el carruaje público y le compró un pasaje, dando la excelente impresión de que era un duque cumpliendo con sus obligaciones con una modesta empleada. No obstante, cuando se lo entregó, le preguntó en voz baja:

—¿Y las joyas?

Ella se hinchó de orgullo.

—Están en mi bolsillo. Las acababa de sacar cuando irrumpió Crofton.

—Bravo, mi indómita señorita Mandeville. ¿Sería sensato irte a ver mañana? Me gustaría hacerlo.

—¿Por qué no?

—¿Has dicho que tu madre conoce nuestra aventura?

—Oh, sí. —Parecía que había sido hacía un año, aunque había ocurrido esa misma mañana—. No creo que te golpee con un taburete. Al fin y al cabo, habremos regresado a casa antes de que se haga de noche. —No le hizo saber que le había confesado a su madre muchas cosas—. Ademas, quiero saber la historia de tu primo. ¿Estás seguro…?

—Completamente. No generará ningún escándalo. Me aseguraré de eso.

—Fui yo la que insistió en venir —dijo ella.

—No podíamos prever que iba a aparecer Crofton. Si no hubiera sido así, todo hubiera sido más relajado.

Mientras hablaban, a Cressida le llegó al corazón ver cómo él se despedía con los ojos. Todavía iban a verse al día siguiente, pero el viaje ya había terminado. Enseguida un estruendo avisó de que el carruaje se estaba aproximando. Él anhelaba tanto como ella un último beso, pero ¿cómo saber si alguien podía estar mirando? Incluso esos preciosos momentos de despedida estaban siendo una locura.

Cuando llegó el carruaje, rápidamente aparecieron unos mozos de cuadra para cambiar los caballos. Cressida tuvo sólo un instante para mirar a Tris, y después corrió a enseñar el billete que le daba derecho a subir al vehículo. En el momento en el que se apretujó en medio de un asiento, el vehículo ya estuvo preparado para partir, y tuvo que dejar que se la llevara sin poder siquiera hacer un gesto con la mano. De todos modos, un simple gesto parecía completamente inadecuado para terminar con esa parte de su vida. El fin de los viajes de Cressida Mandeville.

No se había encontrado con dragones, serpientes o cocodrilos, pero había conocido a criaturas igualmente fantásticas como duques, prostitutas y salteadores de caminos. Y entre ellas, había encontrado y perdido el tesoro más precioso de todos.

Jean-Marie Bourreau se había quedado pensativo mientras observaba desde la ventana cómo se marchaba el pesado carruaje público, y después su primo en un magnífico cabriolé tirado por caballos de gran calidad.

Por lo tanto, la aventura había terminado, y parecía que iba a obtener lo que había venido a buscar: cumplir con la promesa que le había hecho a su madre de obtener el dinero para poder vivir como un caballero artista en Francia. Era su derecho, aunque fuese menos de lo que le había prometido su padre. Sin embargo, sentía remordimientos. Había descubierto que su primo, a quien creía que iba a odiar, le gustaba bastante. Se encogió de hombros. Iba a conseguir un acuerdo, pero no al precio de sus necesidades.

Dio la espalda a la ventana y se dispuso a terminar la obra que tenía en el caballete. Tenía que acabar algunos encargos, todos retratos muy decorosos. Después iría a Londres y negociaría con su primo. Y por fin, gracias a Dios, tomaría un barco a Francia, y podría explicar en la tumba de su madre que había conseguido que el duque de Saint Raven pagara. En Francia podría volver a llevar una vida civilizada. No se podía imaginar por qué diablos Napoleón siempre había querido invadir Inglaterra.

Acababa de terminar su trabajo cuando se abrió la puerta y entró una mujer en la habitación. Llevaba un elegante vestido azul. La reconoció y se inclinó ante ella.

—*Madame* Coop.

Ella cerró la puerta.

—Usted me ha robado algo, señor.

Era una deliciosa sorpresa, tanto porque era una dama como porque hablaba un francés aceptable.

—¿Ah, sí?

Su vestido azul oscuro hacía juego con unos ojos encantadoramente seductores.

—Si lo ha hecho, *monsieur*, le pagaré muy generosamente...

Ella se pasó lentamente la lengua por los labios, que sin duda estaban pintados, de manera muy experta, aunque con tanta sutileza que aún así seguía pareciendo una dama.

Jean-Marie suspiró de placer y se acercó a ella.

—Que usted me pague, *madame*, para mí es algo más precioso que el oro y los rubíes. Pero lamentablemente, no tengo nada que vender.

Ella levantó una ceja.

—¿No?

—Está contemplando a un loco que en un ataque de locura devolvió esa estatuilla a su verdadero propietario.

—¡La verdadera propietaria de esa figura soy yo, señor!

—Por desgracia no. Es un caballero llamado Mandeville.

Las cejas arqueadas de la mujer se contrajeron e hizo un gesto de perplejidad.

—¿El mercader que lo perdió todo jugando con Crofton? ¿Qué locura le ha llevado a hacer eso? Si pertenecía a alguien, era a Crofton. —Se giró para dar unos pasos por la pequeña habitación tremendamente enfadada—. Que se lo lleve el diablo, señor. No tenía derecho a hacer eso. ¡Esa estatuilla era mía!

—¿Por qué le importa tanto, mi hermosísima dama? Esa estatuilla valía unas treinta libras. Claro que —dijo de pronto pensativo— como parecía que la quería tanta gente...

Ella se detuvo para mirarlo.

—¿Qué? ¿Quién?

Jean-Marie consideró el daño que podía hacerle a su primo y a la interesante señorita Mandeville, aunque, por naturaleza, siempre había sido muy despreocupado.

—Estuvo aquí el duque de Saint Raven. También la quería, según dijo, para regalársela a una hurí. Decidió comprársela a los Mandeville.

—Maldito hombre ¡me ha engañado! —Pero entonces se encogió de hombros y sus labios formaron una sonrisa irónica—. Al parecer, me he arrastrado por la cama al alba y he viajado tan lejos para nada.

—¿Para nada? —Jean-Marie se aproximó a ella y le cogió una mano—. Tengo una cama, hermosa dama, si desea compensar el tiempo perdido.

Ella lo miró como si fuera una duquesa que observa a un campesino.

—No creo que pueda pagarme, *monsieur*.

Él le tiró la mano.

—Tal vez *madame*, eso lo podamos discutir en la cama.

Ella se resistía.

—Yo no hago negocios de esa manera.

Pero tampoco intentó liberarse y en sus ojos se veía diversión, intriga, y tal vez excitación. Él había crecido en compañía de prostitutas, y sabía que muchas retenían su don más preciado para permitirse sentir verdadero placer en las momentos apropiados.

—Entonces quizás esto no sea asunto mío. No sólo soy salteador de caminos, mi adorable Miranda. ¿Está segura de que usted no es sólo puta? ¿No podemos hacer lo que nos apetezca sin tener que estar pensando en los negocios?

Levantó las manos y le sacó el encantador y elegante sombrero, y ella continuó sin oponer resistencia.

Capítulo 26

Cressida llegó a su casa en un carruaje de alquiler, y cuando su madre abrió la puerta, vio en sus ojos una enorme ansiedad. En cuanto entró le dio un fuerte abrazo.

—¡Funcionó! —exclamó ocultándole los aspectos más sórdidos—. Las tengo.

Cuando se separaron, hizo que su madre la acompañara a su habitación. Cerró la puerta, escarbó en el bolsillo y sacó un puñado de joyas relucientes que puso en las manos de su madre, que se las quedó mirando fijamente.

—Tantas, y tan hermosas... Seguro que con esto tenemos suficiente para financiar nuestra vida. —Después miró hacia ella—. ¿Y tú, querida? ¿Cómo estás?

Cressida le respondió con la mejor de sus sonrisas.

—Como ve he vuelto a casa antes de que me pudieran pervertir. —Se sacó el soso sombrero y el gorro con los rizos antes de volverse a ella—. Y lo mejor, mamá, es que no me quiere. No de la manera correcta. —Mintió porque era lo que deseaba creer—. El duque quiere venir mañana de visita, si usted no se opone, para asegurarse de que estoy bien, y para explicarme una parte de la aventura.

Su madre la observó un momento, pero después volvió a mirar las joyas.

—No podría negarme, ¿verdad?

—También ha conseguido que nos devuelvan la mayoría de los objetos de la India que había en Stokeley.

—¿Cómo?

—Es una larga historia…

Pero aún así no le llevó mucho tiempo contarle lo que había ocurrido en Hatfield.

—Oh, querida —dijo su madre—. Habrá comentarios.

—¿Comentarios? —dijo pensando en cómo podría adivinar su madre lo de la orgía y la hurí.

—Por haber ido sin acompañante, y haber estado a merced de unos hombres borrachos. Parecerá algo bastante temerario, querida.

En otro momento, ella también hubiera temido algo así, pero ahora le parecía una nadería.

—No creo que arruine mi reputación, mamá.

—Es verdad, y nadie tiene por qué saber que hiciste una parte del camino con el duque. Eso fue una locura, querida, y nunca debí habértelo permitido. Dios sabe lo que podría pasar si alguna vez se enteran de esto en Matlock.

Era verdad.

—Lo sé, mamá, pero no te preocupes. Ya me he acostumbrado a las dificultades.

Su madre la abrazó.

—Sabía que podía confiar en tu sensatez. Vamos, veamos qué efecto hace este tesoro en tu pobre padre.

Cressida siguió a su madre por el pasillo hasta la habitación de sus padres, incapaz de dejar de pensar que su «pobre padre» había sido el causante de todos sus problemas. Bueno, y también de sus aventuras. Le era imposible pensar en la posibilidad de regresar a Matlock sin haber conocido a Tris, sólo al duque de Saint Raven, al que miraba de reojo en salones deslumbrantes.

Sir Arthur yacía en su cama en el mismo estado que antes, con los ojos mirando al vacío, sin fuerzas y con el aspecto inquietante de no estar ahí. Su madre se precipitó hacia él.

—Mira, querido. Cressida nos ha traído nuestros objetos perdidos. Tus joyas.

Nada. La madre le cogió la mano fláccida, se las puso en ella, y la cerró. ¿Había arrugado la frente?

Cressida se sentó al otro lado de la cama intentando pensar en las palabras más convenientes.

—He recuperado lo que se llevó Crofton. Un par de caballeros me ayudaron. Me han devuelto todas las estatuillas y la mayoría de los objetos más pequeños de Stokeley. Aunque me temo que el bronce de Buda, no. Es muy difícil de llevar a caballo.

¿Sus labios se estaban moviendo hasta formar una débil sonrisa?

¿Qué más decir? Seguramente le gustaría escuchar que Crofton había sido derrotado.

—Crofton estaba furioso. Muerto de rabia. ¡Pensé que se iba a caer al suelo echando espumarajos por la boca! Y... —iba a decir algo peligroso, pero necesario— uno de los caballeros que me ayudaron fue el duque de Saint Raven. Acabó con Crofton con una simple mirada.

—Crofton... —dijo con la voz ronca como si tuviera la garganta reseca, pero era una palabra. Además parpadeó y giró la cabeza lentamente para mirar a Cressida y después a su madre.

—¿Louisa?

Por las mejillas de su madre cayeron unas lágrimas.

—Sí, amor. Y mira, aquí están las joyas. ¿Verdad que aquí hay suficiente para que podamos llevar una vida decente?

Su padre se puso a temblar, tal vez porque estaba regresando la vida a su cuerpo.

—Alabado sea Dios, alabado sea Dios. Oh, Louisa, amor mío, he hecho una locura tan grande.

La madre de Cressida lo estrechó entre sus brazos.

—Lo sé, querido. Y si alguna vez vuelves a ser tan estúpido, ¡te romperé la cabeza con una silla! Sé lo que has estado a punto de hacer, escapándote a ese estado donde no te podía decir todo lo que pensaba como hubiera querido...

Mordiéndose los labios, Cressida salió de puntillas de la habitación. Pensó que sus padres no la habían oído. Aunque estaba emocionada, se preguntaba si su madre lo habría perdonado del todo. Aun asi, su padre nunca iba a cambiar su naturaleza, y en los votos del matrimonio se prometía que estarían juntos «en la prosperidad y la adversidad». Eso le hizo pensar en Tris, que había sugerido que su padre era un adicto a las aventuras y al riesgo, y había organizado toda su vida para poder permitírselo. Se dice que los mejores caza ladrones, son ladrones. ¿Había reconocido Tris en él una naturaleza muy parecida a la suya?

Ésa era otra razón por la que debía apartarlo a la zona más prohibida de su mente. Ella no era como su madre, y nunca podría tolerar un comportamiento tan complicado, ¡especialmente si había otra mujer! La naturaleza de su madre le había demostrado que tampoco podía depender de ella, ya que siempre aceptaría las ideas de su marido.

Un fondo de ahorros, pensó Cressida mientras se dirigía enérgicamente a su habitación. No sabía exactamente cómo funcionaba, pero una vez que una mujer abría una de estas cuentas, la podía gestionar sola, sin que su padre o su marido pudiesen abusar de su posición.

Y las joyas. Esta vez permitiría que su padre le regalara todas las joyas buenas que pudiera permitirse. Ya no se volvería a ver obligada a tener que lanzarse a aventuras desesperadas en lugares exóticos. Iba a regresar a Matlock y a tener sentido común el resto de su vida.

Tris quiso llegar a su casa sin testigos. Como no se había llevado a ningún sirviente tuvo que dirigirse a las caballerizas y entrar a la casa a través de las cocinas. Sus sirvientes estaban acostumbrados a eso, pero sonreírles despreocupadamente ahora le resultaba un esfuerzo.

En cuanto llegó al vestíbulo sonó la aldaba de la puerta. El lacayo se apresuró a contestar antes de que él pudiera impedírselo, así que en cuanto se abrió la puerta se quedó paralizado delante de su prima mayor, Cornelia, condesa de Tremaine. Siempre había sido una pesada y una amargada, pero ahora que tenía más de cuarenta años, además le había salido bigote y papada.

Fuera lo que fuera lo que estuviera intentando decirle, Cornelia se acercó pesadamente a él, acompañada de su propio lacayo y una doncella.

—Saint Raven, tengo que hablar contigo.

Tris la hubiera echado, pero su obligación era mantener un mínimo de cortesía con sus parientes.

—Claro que sí, prima. Por favor, subamos a mi salón. —Incluso tuvo una sonrisa para el pobre lacayo—. Té, Richard.

No había cambiado el salón, por lo que estaba exactamente como lo había dejado su tío, lo que pareció tener la aprobación de su prima. Sin embargo, en cuanto se dejó caer en el sofá le dijo:

—Necesitas una esposa.

Él miró a su alrededor.

—¿Para quitar el polvo?

—No, para procrear.

No podría aguantarlo.

—No es una estricta necesidad, prima.

Era muy tonto pensar que diciendo eso la iba a aturullar.

—Para un heredero sí lo es. Como no tienes ni padre ni tutor, mi obligación es hacerte ser consciente de las obligaciones que conlleva tu título.

Sintió que le dolía la mandíbula por la tensión.

—Prima Cornelia, no es un buen momento…

—¿Tienes resaca? Es posible, siempre andas borracho.

—Claro que no.

Se tuvo que contener antes de empezar a explicarse, pero afortunadamente llegó el té. Todas sus primas, excepto la más joven, Claretta, eran mayores que él y ya estaban casadas antes de que él se trasladara a Saint Raven Mount. Apenas las conocía, pero todas, y especialmente Cornelia, se creían con derecho a dirigir su vida.

Ignoró la taza de té que ella le sirvió.

—Soy perfectamente consciente de mis obligaciones, prima, incluyendo la de tener hijos. Pero acabo de regresar a Inglaterra hace sólo unos meses.

—Has tenido toda una temporada para conocer a las damas disponibles. ¿Qué sentido tiene retrasarlo?

No estaba tan loco como para ponerse a hablar de amor. Cornelia, al fin y al cabo, se había casado con Tremaine, un hombre especialmente desagradable, debido a su rango y por poseer uno de los condados más antiguo s de Inglaterra.

—Uno no se puede casar deprisa.

—Tonterías. Crees que se acabarán tus placeres. Elige a la chica adecuada, y ella no se molestará en saber de tus fiestas salvajes en Nun's Chase, o de tus queridas.

—Ni siquiera tengo una querida.

—Probablemente ése es el problema. Búscate una, y después te casas y sientas cabeza.

Su visión de «sentar la cabeza» casi le pareció divertida, pero enseguida sintió que era algo deprimente. Así era su mundo, y sin duda así sería su futuro, pero no podía pensar en hacer algo como aquello justo en esos momentos.

A menos que Cressida... No. Una vez había barajado la idea, pero ahora no. Nunca podría ponerla en una posición que no fuera perfectamente honorable.

—¿Bien? —le preguntó su prima—. ¿Qué tienes que decir?

Tomó una decisión enseguida.

—Que me casaré antes de que acabe el año. Conozco mis responsabilidades y tal vez tenga mucho donde elegir.

Ella asintió con la cabeza y se le movió una pluma de su turbante marrón, lo que suscitó en Tris locos pensamientos sobre sultanes y salteadores de caminos.

—Te recomiendo la muchacha Swinamer. Es lo suficientemente guapa como para que te guste y se comportará exactamente como debe. Su madre es amiga mía y la ha educado con mucho esmero. Últimamente hay tantas muchachas con ideas temerarias, que si sus maridos no están sentados junto a la chimenea cada noche se cogen terribles berrinches.

Levantó una mano y Tris tuvo que ir a ayudarla a ponerse de pie.

—Pensaré en todo esto —le dijo.

—Organizaré una fiesta en mi casa y la invitaré. ¿Cuándo estás libre? ¿El próximo fin de semana?

—Tengo un compromiso el próximo fin de semana.

—Cancélalo. Invitaré a…

—No. No lo haré obligado, prima.

Lo miró con el ceño fruncido y con cara de disgusto, como si fuera un buldog.

—Qué terco. Es una pena que no te hubieras criado en Mount Saint Raven. Ya te hubieras casado a pesar de ti mismo.

—Lo dudo. —La cogió del brazo y la condujo hasta la puerta—. Cuando sea el momento oportuno te informaré, prima.

Ella se detuvo en la puerta.

—No me olvidaré de tu palabra.

—Yo tampoco. —Tris abrió la puerta y casi la arrojó en manos de sus sirvientes—. Gracias por tu preocupación, prima.

Se quedó mirando para asegurarse de que se iba, y después se dirigió al santuario que era su habitación. En cuanto llegó, se dejó caer en una silla y hundió la cabeza entre las manos. ¿Qué había hecho para merecer tal infierno?

Era fatalista. Había aprendido la lección muy joven cuando sus padres dejaron de existir en un día soleado, llevándose también su vida con ellos. La vida es incierta, hay que vivir el momento y aprovechar las pequeñas alegrías. No daba importancia al hecho de que sus únicos parientes lo rechazaran, pues les estaba muy agradecido a los Peckworth que habían sabido llenar ese vacío. Nunca había esperado demasiado del matrimonio, excepto que hubiera buenas maneras y unos pocos hijos sanos, algunos varones.

Pero durante los últimos días, llegado a ver había las cosas de otra manera. Casarse con una amiga, una colaboradora, una compañera de risas y aventuras; aunque las cosas no eran así. Tales placeres habían sido pasajeros, y no era justo poner a Cressida en una posición para la que no estaba en absoluto preparada. Cornelia se la comería para desayunar.

Se levantó y se sirvió un brandy. El que se tenía que casar era el duque de Saint Raven, no el pobre romántico Tris Tregallows. Se quedó observando el líquido ámbar pensando que era un fatalista. Sólo la muerte lo podría salvar de ser duque, aunque el suicidio le parecía una solución demasiado drástica. Desde que se había convertido en duque no tenía sentido pasarse la vida dando patadas a su condición como si fuera un niño mimado. Se tenía que aplicar en sus obligaciones, y entre ellas se encontraba casarse. ¿Había estado alimentando la esperanza de tener un matrimonio como fue el de sus padres? Bebió un gran trago dejando que el cálido y aromático licor pasara desde su lengua hasta su mente. Una auténtica locura. De todos modos ¿qué sabía un niño de doce años? Podían haberse estado peleando la mayor parte del tiempo y sin embargo mostrar que se llevaban bien ante él.

Se abrió la puerta y se volvió para repeler a quien estaba osando invadir su espacio. Pero era Cary, y a él se lo permitía. Además, lo conocía bien.

—Lo siento —dijo y se volvió para marcharse, pero Tris se lo impidió.

—No, quédate. ¿Una copa de brandy?

—Gracias —dijo Cary y entró—. ¿No van bien las cosas?

—Van perfectamente. La señorita Mandeville tiene sus joyas. Y como gratificación, también tiene las otras estatuas junto a algunas de las demás baratijas de Stokeley.

—¿Y...? —preguntó Cary, aunque sabía qué le pasaba.

Tris se rió y le hizo un breve recuento de lo ocurrido.

—Vaya. ¿Y Crofton hablará?

—No directamente, pero seguro que no cumplirá su palabra. Aunque, cómo detenerlo sin tener que matarlo.

—¿Retándolo?

—Matarlo en un duelo me podría poner en entredicho, y de todos modos no serviría de nada. A menos que calumnie directamente a Cressida, y aun así se pensaría que el desafío sería por cuestiones ocultas. Un desastre. Por lo menos ya establecí que tengo derecho a defender su reputación, lo que lo refrenará un poco. Por ahora sólo tenemos que filtrar lo que verdaderamente ocurrió antes de que sus compinches empiecen a hablar.

—¿La verdad?

—Que la aburrida señorita Mandeville, hija del mercader que perdió su fortuna jugando a las cartas, estaba intentando vender algunas de las posesiones de su padre cuando Crofton y sus acólitos, completamente borrachos, irrumpieron en el lugar y la abochornaron.

—Ah, muy bien.

—No sería malo especular, sólo especular, sobre las habilidades de Crofton jugando a las cartas.

Los ojos de Cary se iluminaron y le ofreció un brindis.

—Muy bien. ¿Vamos?

—Sí. —Tris dejó la copa y después dijo—: ¿Qué podemos esperar del matrimonio? Mi tío era frío, y los Arran simplemente prácticos.

Cary apuró su brandy.

—Mis padres parecen estar contentos. Mi hermana mira a su marido como si brillara el sol en su trasero.

—¿Y cómo la mira él a ella?

Cary apretó los labios.

—Como si el sol brillara en otra parte de su cuerpo. Aunque sólo llevan casados doce meses.

—Los recién casados siempre parecen extasiados, pero ¿cuánto dura? ¿Le habré hecho un favor a Anne Peckworth ayudándola a emparejarse a toda prisa?

—Probablemente no, pero por lo menos tendrá un éxtasis breve.

Tris se llevó las manos a la cabeza un momento.

—Le he prometido a mi prima Cornelia que me casaré antes de que termine el año.

—Diablos ¿por qué?

—Tal vez por culpa del diablo —dijo encogiéndose de hombros—. Acabaré con esta indecisión inútil.

—Porque la señorita Mandeville está por completo fuera de tu alcance.

Tris se esforzó por no mostrar sus sentimientos.

—Hubiera sido un error. —Tris le quitó a Cary la copa de la mano—. De todos modos, debemos ir a los clubes para asegurar su reputación.

Pero ¿encontraría un marido que apreciara su espíritu libre, que practicara todos los juegos de cama que ella pudiera imaginar, y aún más? No, terminaría con esos trajes feos y abominables como el que llevaba hoy, siendo la respetable esposa de un profesional aburrido; y siempre diría y haría lo correcto, dedicando su energía a los pobres que lo merecieran. Afortunados mendigos.

Se detuvo en la puerta.

—Oh, Dios. Los Minnows.

—¿Quién?

—Unos pececillos que cayeron en mi red. Pike se hará cargo de ellos.

—¿Qué?

Tris se rió por la expresión de preocupación de Cary.

—No estoy preparado para ir a Bedham todavía. Por lo menos aún no. Vamos.

Mientras bajaban las escaleras, sin embargo, sabía que tenía que hacer algo por los Minnows. Algo, aunque fuera a distancia. No podía tenerlos en la mente todo el tiempo como un constante recordatorio de que había algo por resolver.

—¿De verdad que le prometiste casarte este año? —le preguntó Cary mientras esperaban sus sombreros, guantes y bastones.

—¿Por qué no? Estoy pensando en hacer que Phoebe Swinamer sea enormemente feliz. «Si darle fin ya fuera el fin, más vale darle fin pronto.»

—Pero no puedes pensar que el matrimonio se ha acabado en el momento en que uno se casa. El problema del matrimonio es que sigue, sigue y sigue.

—Y así se fabrican un montón de pequeños Tregallows, que es el propósito de ese ejercicio.

Cary miró a su alrededor y dijo tranquilamente.

—¿No la habías descrito como una muñeca de porcelana con poco cerebro y nada de corazón?

Tris se rió.

—Pero eso es lo que la hace perfecta. No le afectará que yo me pase la mayor parte del tiempo en otras partes y con otras. En un baile me informó que no le importaría lo que hiciera su marido fuera de casa, y que su vida consistiría en saciar sus deseos dentro del hogar. ¿Qué más puede desear un hombre?

—¿Una mujer y no una esclava?

Entonces llegó el lacayo y Tris cogió sus cosas.

—Qué extraño —dijo y salió de la casa.

Capítulo 27

Cressida amaneció al día siguiente decidida a solucionar su futuro. ¿Cuándo podrían volver a Matlock?

Su padre había salido de su aletargamiento. Estaba físicamente débil y lloroso por la locura que había cometido. Ella no pensaba que sus lágrimas fueran falsas, pero no creía que sintiera auténtico arrepentimiento. Ya estaba hablando de maneras de hacer una nueva fortuna, y cuando lo hacía sus ojos adquirían un brillo especial. Sí, estaba volviendo a sus cabales, lo que significaba que pronto le exigiría una explicación coherente sobre la devolución de las joyas. Lo mejor para ella era que se le ocurriera alguna. Su madre había aceptado guardar silencio sobre su primera ausencia, por lo que no iba a ser tan difícil.

Quería omitir el nombre de Tris todo lo que fuera posible, pues su padre siempre había fantaseado con que algún día conseguiría un gran marido. Quién sabe qué podría hacer si se le ocurriera que tenía la opción de presionar a un duque para casarse. Cressida se levantó muy erguida. ¡Tris había prometido visitarla ese mismo día! Y aunque en el fondo deseaba que no lo hiciera, ella, como los cirujanos, prefería amputar lo antes posible. Ahora tenía la oportunidad de despedirse de mejor manera y no dejar una herida sangrante.

El reloj marcó las nueve. Faltaba mucho para que fuera la hora de una visita decente. Tenía tiempo para preparase y así no avergonzarlo a él o a ella misma. Sabía que su comportamiento el día anterior había sido una actuación para dar una buena impresión ante esos hombres desagradables, pero aún así se le había grabado en la mente. Aquellos hombres se habían creído que ella no era el tipo de mujer por la que se interesaba Saint Raven. Era convencional, correcta y siempre se comportaba como debía, y después de haber experimentado una indecencia, no se había aficionado a ello. O no al menos en público, en lo que él era un gran experto.

Pero podría cambiar...

Rechazó esa locura. Tris, como su padre, era peligrosamente encantador, pero adicto a las emociones fuertes y los lugares salvajes. Si tuviera que elegir entre eso y ella, elegiría lo primero. Y Cressida no era como su madre que soportaba algo así con mucha calma. Un dolor breve pero intenso. Y casarse con un hombre como Tris significaba sufrirlo toda la vida. Se abrazó las rodillas y apoyó la cabeza sobre ellas. Durante la última temporada había observado a algunos matrimonios elegantes y estériles, en los apenas se podía ver al marido y a la esposa juntos. En esos casos el marido mantenía una querida, y una vez que la esposa había traído al mundo un par de varones con aspecto de poder sobrevivir, también ella tenía amantes. Discretamente, siempre discretamente, pero aún así siempre era algo que se sabía. En las fiestas de varios días en una mansión, al marido y a la esposa se les daban habitaciones separadas, y si era posible sus amantes se instalaban cerca de ellos. A veces para los anfitriones suponía un verdadero reto poder organizarlo todo.

La noche de pasión de Cressida la acercaba más a las esposas licenciosas, pero, al mismo tiempo, detestaba el adulterio. Cuando se casara quería ser fiel y esperaba lo mismo de su marido. Lo que Tris, sin duda, consideraría ridículo.

Se bajó de la cama para echarse un poco de agua fría en la cara. Mientras se ponía las medias, se dio cuenta de que una vez que se extendiera la noticia de que su padre se había recuperado, sus amigos de la ciudad comenzarían a hacerle visitas. Tendrían que contratar nuevos sirvientes y habría que decirle a la cocinera que preparara tartas y otras exquisiteces. Mientras se encogía para ponerse un corsé, pensó que habría que convertir por lo menos una de esas gemas en dinero contante y sonante para cubrir sus necesidades inmediatas. Se preguntaba cuánto valdrían exactamente. Necesitaba saberlo, ya que esas joyas tendrían que financiarlos para siempre.

Mientras se abrochaba el corsé por adelante se dio cuenta de que se estaba vistiendo al estilo de Matlock. ¿Debía llamar a Sally y ponerse un vestido londinense? No. Mejor despedirse de Tris así. Para él sería más fácil.

«Parecería como si yo fuera un rico marido muy bien vestido y con un buen vehículo que lleva a su esposa vestida de sirvienta.»

Eligió un vestido color verde pálido con una franja beige y un estrecho y elegante lazo blanco. Se acordaba cuánto le había gustado ese traje cuando lo encargó en la primavera del año anterior, pero ahora lo veía desagradablemente cursi y aburrido.

«...ese traje y ese sombrerito son de alguien con poco dinero.»

Se agachó, se lo puso y se ató la pechera.

Tris, desabrochando la parte de atrás de su vestido…

Se deshizo la trenza y se cepilló el cabello las obligadas cien veces, intentado con todas sus fuerzas evitar recordar cómo él había cepillado el pelo. Después lo volvió a trenzar y se hizo un moño en la parte alta de la cabeza. Que no le tapaba el cuello. Apretó los ojos con fuerza como si con eso pudiera acabar con sus vívidos recuerdos. Si seguía así ¡tendría que cortarse todo el pelo!

Se puso un sombrero con tirabuzones y ató las cintas pensando que uno de los beneficios de regresar a Matlock era que pronto acabaría con esas tonterías. Sus manos se quedaron quietas. Tal vez no.

¿No era una parte esencial de su disfraz? ¿Si se encontraba con alguno de los caballeros de la orgía, si había cualquier comentario, cualquier especulación, no se parecería su rostro sin rizos a Roxelana?

Estudió su imagen. Sin los rizos y sin las cejas oscurecidas y los labios rojos seguramente parecía distinta. El color de su vestido no mejoraba su aspecto, y era algo que no había reconocido hasta ahora. Cogió sus anteojos y se los puso apretando los labios un poco, como la señora Wemworthy…

«¡Ay, no pienses en eso!»

Pero todo el mundo se tomaría a broma que alguien pensara que la mujer que había en el espejo pudo haber sido una desvergonzada hurí en una orgía. En realidad, a ella misma le costaba creérselo.

* * *

Estaba con su padre y acababa de explicarle detenidamente lo que había ocurrido en Hatfield cuando llegó Sally, muy emocionada, para anunciar que el duque de Saint Raven estaba abajo esperándola. Cressida se levantó rogando que no se apreciara que su corazón palpitaba con tanta fuerza.

—Dígale que estaré con él enseguida. Y avise a mi madre.

Su madre estaba en la cocina ayudando a organizar las cosas para ese momento, así como para los amigos de su marido que esperaban que vinieran. Su padre estaba en un sofá y no en la cama, pero aún se encontraba débil.

—Padre, ¿tal vez desee hablar con él?

—No, no. Un alocado, según recuerdo. Pero parece que se comportó bien en Hatfield.

—Sí, y debemos agradecérselo.

Había algo en la mirada de su padre que la ponía nerviosa, pero él se limitó a sacar una joya del pequeño tesoro que tenía sobre la falda. Un rubí tan grande como el huevo de un petirrojo.

—¿Sabes cuánto vale, Cressy?

—Suficiente, espero.

Él lo movió e hizo que reluciera con la luz del sol.

—¿Suficiente para qué? Bien vendido podría costar más de diez mil libras.

Cressida se apartó.

—¡Si hay diez!

—Con un par de ellos podrías comprarte un duque si lo deseas. Sé que Saint Raven necesita dinero. Su tío agotó y gestionó mal sus propiedades.— La miró a los ojos—. ¿Quieres que sea tuyo?

Le produjo mucha risa la idea, pues su padre no sabía que estaba siendo tan tentador como el mismo Satanás.

—No, padre —dijo lo más tranquila y firmemente que pudo—. Gracias, pero ¿verdaderamente me puede imaginar usted como duquesa? Y como usted ha dicho, es un salvaje. He escuchado... le he escuchado mencionar que celebra fiestas lujuriosas en sus casas.

Su padre hizo una mueca.

—Es verdad, y han sido la comidilla de la ciudad. Veo que no eres de las que harían la vista gorda a algo así. Pero bueno, haré exactamente lo que deseas. Hay suficiente dinero aquí como para asegurarte el futuro que quieras, Cressy.

Cressida se lo agradeció, y después se escapó. En el pasillo se apoyó contra la pared un momento luchando para no llorar. La mayoría de los problemas se podían resolver con dinero, pero el suyo no. El suyo no. Después se fue a su habitación para pasarse un paño frío por los ojos y para asegurarse de que estaba lo suficientemente pulcra. Entonces bajó corriendo al salón.

Tris estaba solo. ¿Había sido su madre discreta y se iba a mantener alejada? Ella no había querido que fuera así, pero ahora estaba contenta de que no hubiera venido. Cerró la puerta. Nadie en la casa iba a vigilar que mantuvieran el decoro.

—Has estado llorando —le dijo él.

—Un poco. Tiene que ver con mi padre. —Eso no era completamente falso.

—¿Todavía se encuentra mal?

Ella movió la cabeza y se despegó de la puerta. Se acercó a una silla se sentó y le hizo un gesto para que se sentara en el sofá.

—No, está mejorando, gracias a Dios. Las joyas le hicieron reaccionar. Ahora tiene que recuperar sus fuerzas, y meditar su culpa, aunque por naturaleza es muy positivo. Ya está pensando en cómo conseguir más dinero.

—No será en las mesas de juego, espero.

—Indudablemente, no.

Ay, pero esa situación le producía un placer doloroso que no se esperaba. El dolor planeaba a su alrededor, pero hasta que no se fuera para siempre no la atacaría. Pero verlo, estar con él, hablarle en una situación tan normal le proporcionaba una alegría reconfortante.

—Como me sugeriste —dijo ella lo más suave que pudo— al parecer todo fue por culpa del aburrimiento. Ahora que tiene el reto de hacer una nueva fortuna vuelve a estar de buen humor.

—¿Y su hija audaz?

Cressida sabía qué imagen quería proyectar.

—Sólo quiere seguridad. Seguridad y una vida tranquila.

—Ya veo. Entonces la tendrás.

Ella tuvo que mirar hacia abajo un momento.

—Gracias. —Y cuando pudo lo volvió a mirar a los ojos—. Ahora cuéntame la historia de tu primo. ¿De verdad que le vas a dar parte de tu fortuna?

Se acordó de los comentarios de su padre sobre las finanzas del ducado. Y seguro que estaba bien informado.

Tris cruzó las piernas aparentemente relajado.

—Prepárate para conocer a una saga bastante extraña. Te expliqué la desesperación que tenía mi tío por tener un hijo, y la tremenda rivalidad que había entre él y mi padre.

Parece que eso hizo que el duque rozara los límites de lo permitido.

—Viajaba frecuentemente a Francia, antes de la revolución, por supuesto, y allí mantenía a una serie de queridas. En una visita conoció a una hermosa viuda de una zona de campo con dos hijos, Jeanine Bourreau. Jean-Marie insiste en que su madre era virtuosa, pero sospecho que estaba buscando a un protector con dinero. Como resultado se volvió a quedar embarazada, y el duque ideó un plan. Mi madre acababa de anunciar que iba a tener un hijo, y eso parece ser que fue la gota que colmó el vaso.

—Tal vez mi tío se acordó del hipotético origen del hijo de Jacobo II. Se decía que había sido metido de contrabando en la sala de partos dentro de un calentador para sustituir a un niño nacido muerto. Por lo que parece, mi tío le prometió a Jeanine Bourreau que si su bebé era un niño, haría que llegara a ser duque, pues la duquesa había anunciado que ella también esperaba un hijo. Durante el embarazo, Jeanine viajaría a Inglaterra, y cuando naciera su hijo, dirían que era el que había tenido la duquesa.

—¡Madre de Dios! ¿Y la duquesa aceptó?

—Parece ser que sí. Recuerda que estaba desesperada por ser la madre del siguiente duque, y por contentar a su marido.

—¿Y qué salió mal? ¿El bebé fue otra niña?

—El hijo fue Jean-Marie, pero desgraciadamente les ocurrió un incidente menor: la Revolución Francesa. El paso a Inglaterra estaba bloqueado, y Jean-Marie llegó antes de que pudieran salir. Ella consiguió hacerle llegar una carta al duque, pero como se había desbaratado el plan, la rechazó.

—Pobre mujer.

—Muy cierto. Sobrevivió haciéndose amante de una sucesión de hombres, y he sabido por Jean-Marie que educó muy bien a sus hijos, e incluso consiguió que él se formara como artista. No parece que hubiera decidido hacer nada hasta que Napoleón fue derrotado la primera vez, en 1814. Entonces ella y un amante urdieron un plan descabellado.

—¿Qué? Jean-Marie ya no podía ser cambiado por una hija.

—No, pero durante la revolución se destruyeron muchos registros importantes. De modo que falsificó la inscripción de su matrimonio, para que no apareciera Albert Bourreau, sino Hugh Tregallows, entonces heredero del condado de Marston.

Cressida lo miraba fijamente.

—¿Y eso hizo que Jean-Marie se convirtiera en su legítimo heredero? Santo cielo… ¿Y qué lugar ocupaban sus hermanos mayores?

—Por entonces, ellos por desgracia ya habían muerto. Uno de una enfermedad y el otro en la guerra. Tal vez eso agudizó el ingenio de la mujer, o quizá simplemente le allanó el camino. Como ves, su astuta estrategia no consistía en esperar a que el duque muriera, sino en convencerlo de que la respaldara.

La mente de Cressida se adelantó.

—Él no lo hubiera hecho. ¡*No podía*!

—¿No? Nunca lo sabremos, pero mi dinero me dice que debió de haberlo aprovechado.

—Pero hubiera hecho que su verdadero matrimonio se invalidara y que sus hijas se convirtieran en bastardas.

—¿Para conseguir la victoria final: un heredero? ¿y eliminar al hijo de su hermano, es decir a mí? Creo que sí que lo hubiera hecho. Y lo irónico es que le hubiera encantado.

Cressida se puso la mano en la boca.

—¿Qué ocurrió?

—¿Qué ocurrió? Ay, otro giro de la historia. Cuando Jean-Marie y su madre se estaban preparando para viajar a Inglaterra, Napoleón se escapó de Elba, y nuevamente entramos en guerra. Jean-Marie estaba completamente convencido de que no iba a entrar en el ejército, pero entonces de pronto su madre tuvo unas fiebres y murió. Sin embargo, antes le hizo prometer que él seguiría con su plan. Ya te he contado que podría llevarse al teatro.

—¿Y entonces?

—Entonces Waterloo nos devolvió la paz, y Jean-Marie finalmente pudo viajar a Mount Saint Raven, pero llegó días después del funeral de mi tío. Para su mayor frustración yo me encontraba en el extranjero, y entre otros lugares, en Francia.

Cressida se mordió los labios.

—¿Es incorrecto sentir un poco de lástima por él?

—Incorrecto no, pero sí innecesario. Su estancia aquí le produjo una profunda aversión a Inglaterra, especialmente nuestro clima y la comida, y se dio cuenta de que tenía aún menos interés que yo por convertirse en un duque inglés.

—Es difícil imaginarlo. —Ella se dio cuenta de que estaba compartiendo algo muy intimo y que eso era peligroso, pero hubiera bebido veneno si le sentara tan bien como esa conversación—. Entonces se estableció a esperar a que regresaras ganándose la vida como artista. Pero ¿por qué Le Corbeau?

—Pura pillería, pues tiene la vena astuta de su madre. Sopesó si debía llamar a mi puerta con sus pruebas, o hacer que yo me presentara ante él, y prefirió esto último.

—Pero me has dicho que no quería el ducado.

—Es verdad, pero lo que le prometió a su madre era simplemente que haría que el duque pagara. Y ahora lo que quiere es el suficiente dinero para vivir elegantemente en Francia, y ser un caballero artista que puede acceder a los círculos más elegantes. He aceptado concedérselo.

—¿Por qué? Puedes desmontar su farsa. Le llevaría años intentar demostrar sus alegaciones, y su caso es muy débil si no tiene el apoyo de su padre.

Tris sonrió.

—Me encanta cuando argumentas, amor... —dijo y dejó de sonreír y después miró hacia abajo.

Amor, la palabra prohibida.

Volvió a mirarla sonriente.

—Sospecho que es un jugador muy perseverante. Si me niego, puede acudir a los tribunales, y no tengo ganas de destapar un escándalo de tal magnitud y lo que eso me costaría. Y —añadió— es justo tenerlo en consideración. Se le debe algo. Es mi primo, eso lo creo; fue concebido como parte de un plan ruin, y su madre fue vergonzosamente utilizada. He aceptado entregarle veinte mil libras.

No era una gran suma de dinero para un ducado. Pero ¿cómo estaba ahora el suyo? Cressida se trasladó al sofá para situarse junto a él. No pudo evitarlo.

—¿Lo puedes pagar?

—Querida mía, soy el duque de Saint Raven.

—Cuyo patrimonio se ha visto reducido por las extravagancias de tu tío, y porque desvió todas las propiedades posibles a sus hijas para que no pudieran caer en tus odiadas manos.

Tris apretó los labios.

—¿Cómo sabes eso?

—Mi padre es un hombre de negocios. En el centro financiero de Londres saben todo sobre estos asuntos.

—Que me lleve el diablo; espero que me sigan prestando dinero —dijo cogiéndole la mano—. No te tienes que preocupar por eso, Cressida. Todo esto hubiera ocurrido igual aunque yo no hubiera atracado el carruaje de Crofton, aunque tú no hubieras aceptado ese acuerdo, o aunque tu padre no hubiera jugado nunca.

—Me preocupa porque soy tu amiga, Tris. Somos amigos, ¿verdad?

Tris cogió su mano y se la besó, a pesar de que su rostro expresaba que no estaba de buen humor.

—Somos amantes, Cressida, aunque sea algo imposible. No lo niegues. Pero sí, también somos amigos. Me maldigo todo el tiempo por haber estado a punto de llevarte al desastre.

—Nada de lo que ha ocurrido ha sido culpa tuya.

—Nunca debí haberte llevado a la orgía.

—Yo nunca debí haber ido. Parece que sea nuestro *qismet*. Como ves he sacado provecho de tu libro sobre Arabia.

Se levantó, e hizo que ella también lo hiciera.

—La lógica me dice que una amistad tan breve no puede haber dejado una huella demasiado profunda en nuestros corazones... No sonrías así, amor mío.

—¿Por qué no? Me niego a ser una amargada el resto de mi vida, y quiero que tú seas feliz, Tris Tregallows.

—Y yo lo quiero para ti. Pero déjame decirlo una vez más antes de que nos separemos. En este momento, Cressida Mandeville, te amo y te deseo, y me gustaría que existiera alguna manera de poder pedirte que seas mi esposa.

Su honestidad requería reciprocidad. Era algo tan peligroso como clavarse un daga en su propio corazón, pero le dijo:

—Y en este momento, Tris Tregallows, estoy lo suficientemente loca como para aceptarlo. Pero no funcionaría, amor mío. Sabes que es imposible.

—¿Ah sí?

Cressida se sentía paralizada. No quería dar el siguiente paso, pues la mujer tenía que ser fuerte por los dos. Liberó una de sus manos, lo condujo hasta la puerta y la abrió. Ahí liberó la otra.

—*Bon voyage, mon ami* —le dijo.

Él le volvió a coger una mano y se la llevó a los labios para besarla con los ojos clavados en los de ella. Una vez lo había visto besar la mano de una dama en el teatro de la misma manera. Y había soñado en sentir algo así... Pero sabía que ese sueño no era para ella.

—*Bon voyage, ma chère aventurière.*

Después se marchó, y Cressida por fin pudo llorar en silencio.

Capítulo 28

Cuando se calmó, se dedicó a los preparativos para volver a Matlock con la esperanza de que se pudieran marchar inmediatamente. Como si esa corta distancia pudiera alejarla a otro mundo. Pero para su frustración, sus padres no tenían demasiada prisa. Estaban recibiendo a sus amigos y en unos días pensaban comenzar a salir para divertirse. Muchos de los caballeros del centro financiero tenían propiedades en el campo, cerca de Londres, a menudo junto al río, y Cressida se pasó muchas tardes impaciente, viajando en barco por el gran canal para llegar a alguna villa.

El tiempo de ocio le permitió pensar qué podía hacer por las prostitutas jóvenes, aunque eso le produjo más frustración que resultados. La mayoría de la gente importante estaba fuera de la ciudad, y los pocos con los que pudo hablar se quedaron espantados. No por las prostitutas, sino por la idea de que una dama tuviera algo que ver con ellas.

—El hollín siempre deja mancha —le dijo una mujer animándola a impedir tales cosas, dando más apoyo a las inclusas.

Un hombre podría hacer mucho más. Un hombre como el duque de Saint Raven. Pero tenía pocas oportunidades de encontrárselo, y debía estar contenta de que fuera así.

Poco después de la separación, leyó que él se encontraba en Lea Park, donde se celebraría una fiesta para anunciar los compromisos de dos de sus hermanas de crianza, lady Anne y lady Marianne. El periódico explicaba que el novio de lady Anne era el señor Racecombe de Vere, de Derbyshire.

¡Matlock estaba en Derbyshire!

Se pasó todo el día preocupada imaginándose a Tris visitando a su hermana adoptiva, cabalgando por la comarca y visitando los balnearios. De pronto Matlock había dejado de ser un refugio. Estaba intentando hallar algún argumento que darle a su familia para que se trasladaran a un lugar más seguro, quizás a las montañas de Gales, o las tierras altas de Escocia, cuando llegó a visitarla su amiga Lavinia Harbison.

—¡Por fin un día cálido! —declaró Lavinia—. Demos un paseo por el parque.

Lavinia era corpulenta, simpática, divertida y práctica, y estaba muy satisfecha de estar comprometida con el capitán Killigrew. Ella era su escape ante los duques traviesos. El capitán Killigrew era un capitán mercante que actualmente estaba recorriendo el mundo para hacer fortuna; y Lavinia parecía sentirse contenta de poder esperarlo. Cressida a menudo pensaba que esa pareja iba a ser como la de sus padres. No comprendía la razón, pero le gustaba mucho estar en su compañía.

Pasear por el Green Park era una excelente idea. La devolvía a la realidad. Tris era lo suficientemente sensato como para evitar ir a Matlock. Los Mandeville no se movían en los mismos círculos de la sociedad que el duque de Saint Raven y la hermana del duque de Arran. Tris probablemente se quedaría en Chatsworth, el gran hogar del duque de Devonshire. Cressida había visitado esa mansión el día que se abría para todo el mundo.

—¿Todavía no pensáis en trasladaros? —le preguntó Lavinia—. Por supuesto que no me gustaría que te fueras nunca de Londres, pero sé que echas de menos tu hogar.

—¿Dónde está mi hogar? —preguntó Cressida sin pensar.

Lavinia la miró fijamente.

—¿No está en Matlock?

Cressida se rió.

—No me hagas caso. No me siento demasiado bien. Pero Lavinia, cuando te cases con el capitán Killigrew, ¿dónde estará tu hogar?

—En su barco durante una temporada.

—¿En su barco? Y ¿porqué no estás ahí ahora?

—El viaje que esta haciendo es muy arriesgado, pues tiene que ir a muchos sitios para sacar los mayores beneficios, y así poder casarnos. Después Giles planea hacer rutas comerciales sencillas para mostrarme un poco de mundo. No sé si podré aguantar más esta espera.

—¿Temes por él?

Su gran sonrisa disminuyó un poco.

—Un poco, pero ¿en que me beneficia? Es un capitán muy experimentado, y me prometió lealmente que regresaría.

Cressida agarró la mano de su amiga y la apretó. Qué montón de emociones secretas subyacían a las relaciones sociales. Pero de pronto se vio impelida a decir:

—Me he enamorado del duque de Saint Raven. Un poco…

Le contó a Lavinia lo que había pasado en Hatfield. Al menos la versión pública que había creado por si la historia se divulgaba. Pero su amiga no pareció sorprenderse.

—No me sorprende. Recuerdo haberlo visto en el teatro y haber pensado lo maravilloso que sería ser lady Anne Peckworth. Aunque he leido en el periódico que ella se iba a casar con otro. ¿Le ha dejado con el corazón roto?

—No. —Demasiado tarde, pues Cressida sabía que debía haber dicho que no lo sabía—. Quiero decir que no mostró señales de estar así. Pero no tenía por qué decírmelo si éramos casi unos desconocidos… —balbuceó—. Pero ya no nos volveremos a ver. De lo contrario, enloquecería, y con el tiempo estoy segura de que me encontraré con alguien tan maravilloso como tu Giles.

Lavinia le apretó la mano.

—Eso espero. Pero vamos. No hay nada como un paseo enérgico para quitarse las bobadas de la cabeza.

El paseo enérgico y la charla alegre efectivamente hicieron que dejara de pensar tonterías. Como el impulso de impresionar a su amiga contándole que amaba al duque de Saint Raven de verdad, y qué habían hecho juntos y por qué.

Se detuvieron en Montel para pedir unos pasteles, y en cuanto se instalaron en sus sillas, Lavinia se levantó:

—¡Winnie! ¿Qué haces en la ciudad?

En unos momentos Cressida se vio sentada en otra mesa con otras dos mujeres, una dama joven y elegante, aunque bastante nerviosa, y una señora con un gran busto, su madre.

Resultaron ser la señora Scardon y su hija Winifred, lady Pugh. Cressida tuvo que hacer un gran esfuerzo para no mirar fijamente a la joven, que no era mayor que ella, y que ya estaba ligada al odioso Pugh. ¿Conocería las travesuras de su marido?

Aparentemente Lavinia y Winifred habían sido amigas antes de que esta última se casara. Lady Scardon hizo una leve referencia a lo mucho que estaba tardando Lavinia en casarse, lo que hizo que a Cressida le entraran ganas de darle una patada.

Lavinia y Winnie parecía que de verdad se caían bien mutuamente. La madre y la hija habían venido a la ciudad para comprar ropa de embarazada. Evidentemente, tenía que haber intimado con el odioso Pugh, pero la prueba de ello hizo que Cressida se sintiera indispuesta. También pensó con disgusto, que mientras Pugh se encontraba en Stokeley, su esposa estaba embarazada esperando a su primer hijo.

—Pugh está en Escocia —dijo la señora Scardon, lo que hizo que Cressida se preguntara si sus pensamientos habían sido tan evidentes—. Cazando urogallos, ya sabes. Estoy segura de que habrá algunos caballeros bastante inconvenientes invitados a la boda de los Arran.

—Oh, lady Anne y lady Marianne —dijo Lavinia—. He visto el anuncio. ¿Ya es la boda?

—Un asunto enredado —dijo la señora Scardon con una sonrisita—. Una se pregunta…

—¿Qué se pregunta? —preguntó Cressida con maliciosa ingenuidad.

Lady Scardon la miró con desdén.

—Las bodas precipitadas siempre son sospechosas, señorita Mandeville. Ah —añadió falsa como una moneda de madera— y tú eres la joven que tuvo ese desafortunado incidente en Hatfield. Creo que el marido de mi hija llegó a ayudarte. Se preguntaba la razón por la que estabas allí sola.

¿Qué historia era ésa? Pensó en contarles la verdad, pero se haría daño a sí misma y a lady Pugh, y apenas le afectaría a su marido.

—Había varios caballeros —dijo Cressida con precisión—. Creo que lord Pugh era uno de ellos. Pero mi principal protector fue el duque de Saint Raven. Fue muy amable.

—Así suele ser, aunque, al parecer, venía borracho con lord Crofton y algunos otros. He sabido que venían de una fiesta salvaje.

Cressida casi se vio impelida a contarles la verdad, pero ¿cómo podía saber exactamente quién era quién?

—El duque estaba sobrio, señora Scardon. Se lo aseguro.

—Ese tipo de hombres disimulan muy bien sus borracheras, querida. Una dama joven como tú todavía no entiende de eso.

—Lo que sé es que estaba visitando a su primo. No llegó con lord Crofton.

—¿No? Se rumorea por todas partes que estaba en la fiesta de Crofton.

«Entonces era lord Pugh.» Esas palabras la quemaban, pero por contra, bebió un sorbo de té.

—De eso no sé nada.

La señora Scardon asintió con una sonrisa, pero en vez de parecer un elogio pareció un insulto. Que Dios la librase de la compañía de mujeres como aquella. Lanzó una mirada a Lavinia y se marcharon enseguida.

—Lo siento —dijo Lavinia mientras caminaban por la calle—. Es una mujer muy fría, pero Winnie suele ser muy divertida. No creo que su matrimonio haya sido positivo para ella.

Cressida se lo tenía que decir a alguien:

—Lord Pugh era uno de los borrachos que venían de la fiesta de Crofton.

—Oh, querida. Me alegro que no lo dijeras.

—Dudo que me hubieran creído.

—Oh, no —dijo Lavinia—. Estoy segura de que lo sabían.

Cressida se dio cuenta de que su amiga tenía razón.

—Pobre lady Pugh.

—Sí. La animaron a casarse por el título. No sé si piensa que fue un negocio justo a cambio del dinero de su padre, pero yo no lo creo.

Cressida se preguntó si Lavinia esperaba que Giles fuese fiel, pero no sabía cómo preguntárselo. Seguramente sí que lo quería. ¿O es que sus expectativas eran absurdas?

—Escuché que Saint Raven estaba en la fiesta de Crofton —dijo Lavinia como si fuera un comentario casual—. No me sorprende, pues es conocido por esas cosas. Según Matt, su última costumbre hedonista es ir a la casa de una mujer llamada Violet Vane.

La reina de la noche que luchaba contra La Coop. Cressida disimuló su dolor poniendo cara de no saber nada.

—¿Ah?

—Creo que es un burdel. Matt no ha sido claro, pero seguramente se refería a un burdel.

—No creo que tu hermano deba contarte esas cosas.

—Y si no ¿cómo me entero? ¿Preferirías no saberlo, Cressida?

Ella suspiró. Lavinia se lo estaba diciendo a propósito.

—No. Creo que es mejor saberlo. ¿Hay algo más?

—Sólo que Violet Vane parece que se especializa en prostitutas muy jóvenes, y Matt vio a Saint Raven allí con tres de las más pequeñas. Hasta él pensó que eso era excesivo. En estos momentos ha surgido una corriente en contra de este tipo de cosas. Como debería ser.

—Indudablemente.

Si Saint Raven no hubiera estado con ella, ¿le habría metido mano a esas muchachitas de la fiesta de Crofton? ¿Eso era lo que le gustaba realmente? ¡Y quería reclutarlo para que luchara en contra de ese tipo de comercio! Qué ingenua era.

Cressida estaba haciendo un esfuerzo tan grande para no mostrar lo que sentía, que probablemente se había quedado tan inexpresiva como una figura de cera. Y Lavinia lo sabía, igual que sabía que lady Pugh conocía lo que hacía su marido, de modo que todo eso no servía para nada más que para mantener un estúpido orgullo.

—El asunto de Crofton en Stokeley fue muy desagradable también, por lo que me contó Matt. Odio admitirlo, pero mi hermano estuvo allí. Llegó a casa bastante enfermo; había tomado brebajes y cosas raras orientales, y estaba muy enfadado porque ese lugar había sido tu hogar.

—Mi hogar no.

—Gracias a Dios. —Entonces después de un momento le dijo—: Pensé que debías saberlo.

Cressida se detuvo y se volvió hacia ella.

—Y yo te lo agradezco. El duque es atractivo y puede ser encantador. Fácilmente le puede robar el corazón a una mujer. Pero yo no soy tan insensata, te lo aseguro.

—Oh, Dios. No me gustaría nada que acabaras como Winnie.

Cressida se rió.

—Nunca pensamos en casarnos.

—Claro que no. Duquesa Cressida. ¡Te imaginas! Pero —suspiró— me hubiera gustado ser rescatada por él. Nunca he llegado a hablar con un duque.

—Dicen «buenos días» y «hace un tiempo espantoso ¿verdad?», igual que el resto de los hombres.

Lavinia se rió.

—Oh, claro que no. Qué decepción. —Miró a Cressida—. ¿Te puedo confesar algo?

—Claro que sí. Así podré tenértelo en cuenta para siempre.

—No creo que sea algo tan terrible como eso. Pero cuando Matt me contó lo de la terrible orgía, con gente medio desnuda haciendo indecencias por todas partes, me entraron ganas de haber estado allí, como una mosca, para observarlo todo desde una pared. Me gustaría ver verdadera lujuria por lo menos una vez en mi vida.

Cressida soltó una carcajada y se tuvo que apoyar en una barandilla para recuperarse. Reírse había sido sanador, y volvió a casa de mejor humor, aunque completamente determinada a regresar a Matlock cuanto antes. Matlock se había convertido para ella en una especie de corsé. Sólo cuando encajaba perfectamente se sentía segura de sus pequeños disparates, aunque sabía cuán profunda era su locura.

Cuando su nuevo lacayo le dijo que su padre quería hablar con ella, vio una excelente oportunidad para sacar el tema. Su padre parecía no tener ninguna prisa por marcharse, y ya era hora de presionarlo. No tenía sentido hablar con su madre, pues sólo haría lo que deseara su padre. Se dirigió rápidamente a su habitación para quitarse el sombrero y arreglarse un poco. Después fue al estudio planeando la mejor manera de planteárselo.

Él estaba en su escritorio, felizmente rodeado de libros de contabilidad y diversos documentos, pero en cuando ella llegó levantó un papel doblado.

—Es una carta de Saint Raven, Cressy, en la que me pide que le venda el resto de aquellas estatuillas. ¿Qué dices a eso?

Cressida miró la carta como si estuviera a punto de atacarla una serpiente.

—¿Las estatuillas? —Fueron las únicas palabras en las que pudo pensar.

—Las eróticas. Le gustan ese tipo de cosas, evidentemente. ¿Qué dices? ¿Se las vendemos? A tu madre no le importa.

Abrió la nota con el sello heráldico y se la entregó. Ella tuvo que cogerla y mirar su escritura fuerte y fluida, así como su firma rotunda. Saint Raven. En su imaginación olía a sándalo.

Estimado señor:

Sin duda es conciente de que tuve el honor de conocer a su hija y de serle de cierta ayuda. En el proceso descubrí su serie de estatuillas de marfil. A su hija le compré una, y me encantaría tener la oportunidad de comprar el resto. Le estaría muy agradecido si me pudiera informar de que el precio que pagué es el adecuado. Tal vez la serie completa sea más valiosa.

También tengo en mi poder una daga que creo que se llama espada de la sabiduría. La compré en Stokeley Manor, por lo tanto asumo que es suya. Se la devolveré si lo desea, pero también me gustaría comprársela.

He sabido que ya se está recuperando de su dolencia, y me congratulo que así sea. Espero que la señorita Mandeville también se haya recuperado de su encuentro con ciertos hombres, que aunque sean considerados miembros de las clases superiores, se comportaron poco menos que como rufianes. Le aseguro que ella no debe temer que pueda haber repercusiones por ese incidente.

Por favor, respóndame directamente a Saint Raven's Mount, Cornwall.

Firmaba con una floritura, pero en lo escrito había mucha información. Estaba en Cornwall, a cientos de millas. Eso era tanto un alivio como una agonía. ¿Era consciente de que ella vería y tocaría esa carta? ¿Pretendía que eso fuese un deleite, o una tortura? ¿Qué quería?

—¿Cressida?

Ella se obligó a reponerse.

—Creo que se las deberíamos regalar, padre. Me ayudó, y no valen demasiado ¿verdad?

—Ahora que están vacías, no. —La miró sagazmente—. Muy bien. ¿Y qué pasa con la espada de la sabiduría? Esa pieza sí tiene un cierto valor, y al fin y al cabo es tu herencia.

«Si no te la vuelves a malgastar la próxima vez que estés aburrido.»

—Si la consiguió por Crofton, legalmente es suya. No creo que debamos aprovecharnos de su honestidad.

Él levantó sus tupidas cejas.

—¿Honestidad? ¿En un duque?

A Cressida no le importó habérselo revelado.

—Honestidad. ¿Su ofrecimiento no es prueba de ello?

—Puede ser una prueba de astucia. Sin duda piensa que se lo daré con la esperanza de obtener sus favores. Como si me importaran los favores de un duque. —La miraba levantando sus cejas espesas y tamborileando incesantemente con los dedos—. Muy bien, si quieres que se lo demos que así sea. Escríbele una respuesta tú misma, ¿no te importa?

Cressida se quedó helada.

—Eso sería impropio, padre.

—Bah. Yo no tengo paciencia para hacer esas cosas. No te vas a ver comprometida por una carta de negocios, ¿verdad?

—Pero…

Cressida temía que seguir protestando pudiera generar mayores problemas. Podría sospechar acerca de sus sentimientos o de su picardía… Toda una vida en la India lo había hecho proclive a conseguir sus metas sin demasiados miramientos.

—Muy bien, padre. —Le hizo una pequeña reverencia y se retiró a su habitación con la preciosa carta en la mano. Respiró hondo, sacó una hoja de papel y afiló una pluma.

¿Cómo hacerlo?

Muy formalmente.

A Su Excelencia el Duque de Saint Raven
Saint Raven's Mount,
Cornwall

Mi señor duque:

En relación a su amable carta en la que expresa interés por las figuras de marfil que posee mi padre, considerando la ayuda que tan cortésmente me proporcionó, su deseo es que acepte gentilmente las figuras en expresión de nuestra gratitud.

En cuanto a la espada de la sabiduría, fue adquirida a lord Crofton en un momento en el que legalmente la poseía, de modo que mi padre no ve justificado aceptar que se la pague. Le recomienda que la considere justamente suya, y así se asegura de que ese tesoro tendrá un custodio adecuado.

«Porque necesitas sabiduría, Tris Tregallows», pensó con tristeza mientras limpiaba la pluma. La volvió a meter en la tinta, muy poco dispuesta a dejarla allí.

Por favor, permítame volverle a expresar mi agradecimiento por su amable ayuda durante mis recientes dificultades. Gracias a usted, en vez de sufrir angustia e incluso graves daños, ahora tengo una instructiva aventura que recordar.

Su excelencia, tengo el honor de ser su más obediente servidora.

La firmó, secó la tinta, y volvió al estudio.

—¿Desea leerla, padre?

La miró desde otra carta que estaba escribiendo.

—¿Qué? No, no. Estoy seguro de que le has explicado todo correctamente. Dóblala, séllala y despáchala.

Estaba metiendo el sello de su padre en el lacre fundido cuando él se aclaró la garganta. Al mirar hacia él, vio que se había echado hacia atrás en su silla y que la observaba.

—Cressy, hay algo de lo que tenemos que hablar.

Oh Dios, ¿lo sabía? ¿Se lo imaginaba?

Sacó el sello con cuidado y lo devolvió a su lugar.

—¿Sí, padre?

Él apretó la boca un momento haciendo un gesto que mostraba que estaba incómodo con lo que tenía que decir.

—El asunto es que tu madre y yo... bueno, estamos pensando en viajar al extranjero.

Cressida sintió como si el suelo se abriera bajo sus pies.

—¿Al extranjero? ¿Y qué pasa con Matlock?

—Sabemos que es tu hogar, querida, y tal vez encontremos una manera de quedarnos allí, pero nos gustaría que vinieras con nosotros a la India si te sientes capaz.

—¡A la India! ¡Padre, no puede hacer eso! Mamá quiere regresar a Matlock.

—¡No os estoy arrastrando a la fuerza, Cressy! Ella quiere venir, y yo estoy harto de Inglaterra. Echo de menos el sol y las especies.

¡Oh, eso era demasiado! Se inclinó sobre el escritorio.

—Mamá odia la India, lo sabe. Si se va con usted es por obligación y afecto. ¡Es injusto llevársela lejos de su casa y sus amigos porque usted es un trotamundos!

Esperaba que contestara con dureza su insolencia, pero él sólo movió la cabeza.

—Le dije que tenía que haberte dicho la verdad hace años.

Cressida se estiró.

—¿La verdad? ¿Qué verdad? Dígamelo ahora.

Él suspiró.

—Tú eras una niña delicada, Cressy. Tenías muchas fiebres y muchas infecciones. Estuviste a punto de morir dos veces. Tuviste que regresar a casa, y tu madre decidió quedarse contigo. Yo preferí permanecer en la India más tiempo para hacer mi fortuna. Cada año me decía que regresaría cuanto antes, pero entonces sufrí un revés…

La cabeza de Cressida hervía de pensamientos. Tris tenía razón sobre su padre, pero ¿quién podría haber adivinado lo de su madre?

—Mamá estaba esperando a que me casara para reunirse con usted.

—Quizás, o yo tendría que volver a casa. Nunca lo dijimos abiertamente…

Cressida se llevó una mano a la cabeza, pues le daba vueltas.

—Santo cielo, ¿toda mi vida he sido una carga?

Él se levantó.

—No, no. No pienses eso. Nuestro matrimonio nunca se basó en un gran amor, y al cabo de los años no ha sido desagradable para ninguno de los dos. Pero ahora, bueno, tal vez hemos encontrado una afinidad mucho mayor de la que teníamos en nuestra juventud, y estamos listos para correr aventuras juntos. Pero queremos que vengas con nosotros. —Se inclinó hacia delante—. Ya no tienes mala salud, y te pareces lo suficientemente a mí como para disfrutar de todas esas maravillas. Te puedes vestir con saris y cabalgar sobre elefantes. Comer frutas y especias que nunca te has imaginado, ver templos incrustados de diamantes, que te den masajes con aceites exquisitos…

«Aceites. ¡Oh, Dios!»

Pero ¿por qué no? La India era un mundo en el que la tentación estaría muy lejos. Nunca tendría que temer que cualquier día al doblar una esquina se pudiera tropezar con Tris, o sentirse débil y correr a sus brazos perversos y desconsiderados.

—Y allí hay un montón de hombres ansiando encontrar una novia inglesa. Verás cómo te veremos casada en muy poco tiempo.

Cressida miró la carta, que había arrugado por los nervios, y tomó una decisión.

—Suena muy emocionante, padre. Creo que me encantará ir con ustedes.

Capítulo 29

Tris estaba en su estudio en Mount Saint Raven, volviendo a leer la carta de negocios, que realmente no lo era, bebiendo brandy, lo que no era muy sensato, e ignorando el montón de trabajo que el nuevo ayudante de Leatherhulme le había entregado. Un lacayo llamó a la puerta y entró.

—Su excelencia, ha venido monsieur Bourreau y solicita que le conceda un momento de su tiempo.

Vaya, si Jean-Marie quería más dinero, ya podía ponerse a bailar sobre una nube para conseguirlo. Pero Tris dijo:

—Hágalo subir.

Dejó la carta y apuró su copa. Estaba bebiendo demasiado, pero qué diablos iba a hacer allí cuando simplemente se dedicaba a esperar que pasaran los días hasta que se celebrara la fiesta en la que se declararía a Phoebe Swinamer.

Cornelia lo había trastocado todo al organizar una fiesta allí, en su vieja casa. Ella llegaría en una semana. Una semana después aparecerían los numerosos invitados, incluyendo a los Swinamer. Entonces celebrarían un gran baile de máscaras. Él había insistido en que lo hicieran así, a pesar de las objeciones de Cornelia. Ella consideraba que era algo vulgar. Y así era, pero quería presentarse a lo grande. Y así, Cressida estaría segura.

Ahora ya sabía que era verdad que el marqués de Arden se había casado con una institutriz. Inventó una excusa para visitarlo en su encantadora casita, y confirmó que Beth Arden era una mujer normal, e incluso una reformista culta. En absoluto una duquesa típica.

Claro que Arden todavía no era duque, y probablemente no lo sería en décadas, lo que era una suerte. Sin embargo, a pesar de todo, el cielo no se había hundido sobre sus cabezas. Cuando trajeron a su bebé, y lo dejaron sin su cuidadora, observó cómo hasta Arden, ¡Arden!, lo acunaba con confianza y aparente placer. No se podía imaginar a la señorita Swinamer fomentando un comportamiento tan escandaloso. Tris se marchó después de una hora, consciente de que lo que quería eran cosas impropias, y que no tenía posibilidad de conseguirlas.

Lady Arden era pobre y de clase media, pero no había ningún escándalo en su historia. Aun así, se había comentado mucho sobre su matrimonio, y todavía era cuestionada su idoneidad para el título. Pero ella mostraba una gran confianza a la hora de afrontar el asunto. No estaba seguro de que Cressida la tuviera. Y lo que es más, Cressida sabía lo que quería: una vida tranquila, ordenada y anodina; y él no tenía manera de proporcionársela.

Jean-Marie entró sonriendo.

—*Cousin* —dijo en francés con una reverencia.

Tris inclinó la cabeza.

—¿A qué debo este dudoso honor?

Jean-Marie levantó las cejas.

—A la buena voluntad. Te ruego que me creas.

—Pensaba que ya estarías en Francia.

—Tengo encargos, y soy un hombre de honor y palabra, así que debo cumplir. También tengo amigos de los que despedirme.

—De Miranda —dijo Tris.

Estaba sorprendido por esa relación, especialmente porque La Coop parecía haber salido de la circulación desde hacía un tiempo.

—Ah, no. Miranda viene conmigo.

Tris se permitió mostrar sorpresa.

—¿Has venido hasta aquí para darme esta alegre noticia?

Jean-Marie se paseaba por la habitación y se detuvo para examinar un cuadro.

—No, he venido hasta aquí para ofrecerte mi ayuda. —Se volvió hacia él—. Me he encontrado hace poco con tu señorita Mandeville.

Tris estaba contemplando el brandy de su copa.

—¿Y?

—Simplemente la vi. Miranda estaba conmigo. Estábamos decidiendo qué telas comprar en una pañería, y la señorita Mandeville la reconoció. Se escondió enseguida, pero lo hizo. Cuando le pregunté a Miranda, me contó lo de la fiesta de Crofton, y de tu presencia allí con una acompañante. También lo de tu interés por las estatuillas. Las cosas encajaban. Dime primo ¿qué había en esas figurillas?

Tris lo consideró, pero decidió contarle la verdad.

—Una fortuna en piedras preciosas.

Jean-Marie soltó una maldición, pero después se encogió de hombros.

—No me quejo. Ya tengo lo que necesito. Lo más sabio es saber cuando uno tiene suficiente. ¿Verdad?

—Así es. Pero lo más sabio a veces viene acompañado de espadas y fuego. —Tris miraba la espada de la sabiduría que estaba colgada en la pared de manera que siempre la veía desde su escritorio—. ¿Qué quieres, Jean-Marie?

—Quiero que organices una orgía en Nun's Chase.

Tris demostró que había mejorado el francés que le había enseñado su profesor en lugares de mala reputación. Y concluyó diciendo:

—En todo caso, el lugar está a la venta.

—Lo comprendo. Se trataría de celebrar una despedida —dijo levantando una mano para evitar que protestara—. Escucha. ¿Y si esto te ayuda a conseguir a la señorita Mandeville, junto a una parte de las riquezas de su padre, lo que hay que reconocer que sería algo muy positivo para ti, y la esperanza de obtener todo lo demás algún día?

Tris no pudo luchar contra una débil esperanza, pero mantuvo su voz fría.

—¿En qué travesura estás pensando ahora?

Jean-Marie se acercó a él y cogió la copa que sosteníaTris.

—¿Sabes que los Mandeville se van a la India?

—¿Qué?

La sensación de pérdida fue tan intensa como si le hubieran dicho que un ser querido había muerto. En Matlock, Cressida seguiría estando en su mundo. No habría nada que impidiera que el duque de Saint Raven pudiera visitar esa localidad, o que no pudiera aprovecharse de su pequeña amistad para hacer una visita…

—¿Por qué?

—Por el señor Mandeville. Es un trotamundos. Y parece que su esposa quiere ir con él, y que su hija también los acompañará. Pero no creo que lo haga de corazón.

Tris lo agarró por la corbata.

—¿Qué diablos sabes de su corazón?

Jean-Marie se liberó y puso una distancia prudente entre ellos.

Tris exhaló.

—Es curiosa como una gata y le encanta meterse en problemas. Ella y la India están hechas la una para la otra.

—¡Primo, primo! A menos que mis conjeturas sean completamente erróneas, la señorita Mandeville te ama tanto como tú a ella. ¡No lo niegues! Ella se marcha para defender su corazón, pero también para proteger el tuyo. Para darte libertad y que te puedas casar con quien debas. ¡Ay, si es como una gran novela romántica de las mejores!

Tris le soltó una palabrota, se dejó caer en su asiento, y hundió la cabeza entre las manos. Le retumbaba un sólo pensamiento. No podía permitir que Cressida pusiera medio mundo por medio. ¿Y qué haría con la fiesta y con Phoebe? Al infierno con ambas. Miró hacia arriba y dijo:

—¿Y qué beneficio me traería organizar una orgía en Nun's Chase? Ya no me gustan ese tipo de cosas.

—Excepto con una dama en especial ¿eh? El amor es muy bonito. En cuanto a esto, Miranda me ha ofrecido sus servicios profesionales.

Tris lo miró fijamente.

—No, gracias.

—Sus servicios —dijo Jean-Marie—, para representar a una cierta hurí.

La esperanza y el dolor que sintió Tris hicieron que se mareara.

—Vamos.

—Vas por delante de mí ¿no? La razón por la que no puedes pedir en matrimonio a la señorita Mandeville es porque si la relacionan demasiado contigo, algunos hombres podrían acordarse de aquella hurí. Ya se está hablando de lo de Hatfield. Pero no ha tenido demasiada repercusión. La señorita Mandeville es tan normal y aburrida. Y vosotros, los ingleses, ¡no tenéis alma!

—Algunos ingleses. —Pero Tris recordó que no se había fijado en ella hasta aquella noche. Algo increíble.

—A propósito, primo, ¿qué hiciste con el desagradable Crofton?

Tris sonrió.

—Nada directamente, pero entiendo que consideró necesario abandonar Inglaterra. Por una muchacha de buena familia a la que engatusaron para que se fuera de su casa. Gracias a Dios tenía a Violet Vane comprada en ese momento y pude salvar a la niña.

—Gracias a Dios. ¿Crofton pagaba por ese material?

—Violet le proporcionaba muchachas, pero jura que lo hacían voluntariamente. A juzgar por las que me encontré en su casa, era verdad. Perder la virginidad con Crofton no era un gran placer, pero pagaba bien. Entonces escuché rumores de que había algunas que no estaban dispuestas, y después apareció Mary Atherton. En ese momento yo tenía a Violet

Vane muy asustada, y vino a verme completamente conmocionada y horrorizada. Los hombres que secuestraron a Mary confesaron que Crofton les había pagado para hacerlo. Lo puse todo en un bonito informe, y aconsejé a Crofton que se fuera de Inglaterra.

—¿Y no pensaste en que vuestros tribunales podían haberlo condenado?

—Podían, pero un vizconde es un vizconde. Tendrían que juzgarlo en la Cámara de los Lores, y a los pares del reino no les gusta que se les exponga a inspecciones ordinarias. Los secuestradores y Violet Vane podrían contar una versión distinta ante los tribunales, y claro, fuese lo que fuese lo que ocurriera, la pobre Mary Atherton quedaría con su vida arruinada a los trece años. Así que le dejé escapar.

Jean-Marie se apoyó contra la mesa.

—Comprendo tu razonamiento, amigo. Además, ya te ha provocado otros problemas. Tal vez empujado por la rabia, dejó caer acusaciones más abiertas. ¿Qué tenía que perder? Ahora hay varios hombres, de los que estuvieron en Stokeley, convencidos de que la señorita Mandeville estaba contigo, y que a su vez era mi amante. No es posible matarlos a todos.

—Maldición. ¿Se ha hablado abiertamente de eso?

—No, pero tarde o temprano se filtrará desde los clubes de hombres a sus esposas…

—Tal vez lo mejor es que se vaya a la India.

—La India no está lo suficientemente lejos.

Si se extendía el escándalo, ningún lugar estaría lo suficientemente lejos. Tris estaba en parte espantado, pero también pensaba que eso lo obligaba a casarse con ella, aunque fuese un matrimonio mancillado. Durante semanas había luchado contra su necesidad de casarse con Cressida, y ahora ésta reaparecía como un torrente.

—Has mencionado una orgía. En Nun's Chase. Miranda representando a una hurí. Pero no servirá, pues aún así podrían decir que era Cressida.

—Dentro de una semana —dijo Jean-Marie— los Mandeville van a dar una fiesta para celebrar el fin de su estadía en Londres, y el comienzo de su viaje a Plymouth, donde tomarán el barco. La mayoría de los invitados serán hombres de negocios, pero también habrá personas de la clase alta. Seguramente será un acontecimiento importante que aparecerá en los periódicos.

»Pues bien, esa misma noche tu debes organizar una fiesta en Nun's Chase, a la que asistirás con tu hurí. No saldrá en los periódicos, pero todo el mundo se enterará…

—Y así no quedará la menor opción de que Cressida pudiera haber sido mi acompañante en Stokeley. —Tris se puso de pie—. Dios mío, ¿por qué no pensé yo mismo en una estrategia como ésa?

—Porque eres un inglés aburrido, en vez de un francés con una gran inventiva.

Tris soltó un resoplido burlón y Jean-Marie se rió.

—Y este francés desea que tal vez prestando este servicio se abra una opción de amistad entre dos hombres que podrían ser tan cercanos como si fueran hermanos.

—Después de extorsionarme veinte mil libras, ¿sinvergüenza?

Jean-Marie de nuevo se encogió de hombros.

—¿Qué hubieras hecho tú? Se lo juré a mi madre en su lecho de muerte. Y era lo correcto. Además, admito que me apetecía.

Tris se pasó las manos por la cara intentando pensar si estaba enloquecido por el brandy o se encontraba ante una opción real. Intentaba analizar lo que podía significar para Cressida. Seguramente serviría para liberarla de un escándalo, y todos sus otros problemas se reducirían.

—Y considera —dijo Jean-Marie alegremente—, que aunque involuntariamente le entregué a la señorita Mandeville un tesoro en joyas, al organizar tu matrimonio, hago que parte de su fortuna sea tuya, y así se estabilizarían tus finanzas.

—¡Tu descaro es increíble!

—Es cierto, pero soy un genio.

Tris se dio una vuelta por la habitación.

—Tendré que invitar a una serie de hombres con los que no quiero volverme a relacionar…

—Y atraer la atención hacia la señorita Mandeville en Londres. Eso lo puedo hacer yo.

—Y tal vez aprovecharé para sugerir que Crofton se quedó resentido porque ella lo rechazó antes de que ocurriera el desastre de su padre. Nunca ha sido un hombre popular. Todo el mundo se lo creerá. Pero ¿qué pensarán si después la cortejo yo?

Jean-Marie lo consideró.

—Que te enamoraste de ella en Hatfield. Te rendiste ante su valentía frente al peligro, y quedaste prendado de su dignidad y su virtud. Las mujeres siempre quieren creer que los hombres se quedan hechizados ante la dignidad y la virtud.

Tris se rió.

—Y en este caso resulta que es verdad. —Pero entonces lo consideró y añadió—. Hasta cierto punto.

Se dio cuenta de que nunca había creído que el verdadero destino de Cressida fuese la vida convencional de Matlock. Había mostrado un interés muy pícaro en la orgía como para conformarse con eso. No, ella pertenecía a algún lugar fronterizo, y él podría crear un lugar para ella allí.

Jean-Marie lo observaba.

—Tal vez tu amigo el señor Lyne podría hacer correr la historia de tu secreta admiración. Y así, espoleado ante la inminencia de su partida, habrías entrado en razón lanzándote de rodillas ante ella consiguiendo su mano y su corazón. Ay, yo debería ser dramaturgo.

Pero Tris tenía que enfrentarse a algunos problemas.

—Dios, Cornelia…

Jean-Marie lo miró interrogante.

—Mi prima mayor, lady Tremaine. Me pidió que hiciéramos aquí una fiesta y que entre los invitados viniera la señorita Phoebe Swinamer, cuya mano y corazón ficticio yo tendría que conquistar.

—Una locura de la que ya te has recuperado. Planeabas una tragedia para ti, pero ahora puedes tener un final feliz. Cancélala.

—No conoces a Cornelia. Vendrá de todos modos, convencida de que es capaz forzar las situaciones a su capricho.

—Prohíbeselo.

—¿Impedirle venir a su antiguo hogar? No, tengo que dejarla continuar. No le he dicho nada a los Swinamer, gracias a Dios, aunque estoy seguro de que Cornelia sí que lo ha hecho. —Pensó un momento y sonrió—. Invitaré a Cressida y a su familia. Estamos bastante cerca de Plymouth. Anunciaré nuestro compromiso en la mascarada, aunque evidentemente, ella no se disfrazará de hurí.

—Por desgracia. Me hubiera gustado verla así. Estás muy seguro de ti mismo, amigo mío.

Tris lo miró sorprendido.

—Ahora nada se interpone en nuestro camino.

—Y ella recuperará la cordura.

Evidentemente era una broma.

—Diablos, sé mejor que nadie que soy muy mal negociador, pero puedo hacer que se lo piense. No le puedo dar Matlock, pero convertiré Nun's Chase en un hogar, en un refugio. Y si no quiere eso, compraré un sitio nuevo. Nunca tendremos que ir a Londres a menos que ella lo desee, y tendremos muchas compensaciones. Tenemos todo el derecho del mundo a estar juntos. Jean-Marie, somos dos mitades. Lo sé casi desde que la conocí. Sin ella soy sólo medio hombre. Y a ella le pasa lo mismo.

—Eso espero, primo —dijo Jean-Marie levantando la copa que le había cogido de la mano—. Por una mujer perfecta y un amor perfecto.

Cressida se preparaba para el baile de despedida sin esperanzas de pasarlo bien. Había estado en contra de hacerlo, pero su padre se había mostrado inflexible. Él y su madre rebosaban entusiasmo y alegría, pero ella estaba con el mismo humor con que se va a un funeral.

Esa noche señalaba el fin de su vida en Inglaterra, aunque cada día que pasaba descubría cuánto la iba a echar de menos. Las especies no le atraían, y ni siquiera le gustaba la sopa de pollo al curry. Los saris que le había traído su padre eran muy bonitos, pero prefería los prácticos vestidos de algodón. Los templos de oro y diamantes sólo le hacían recordar las estatuillas picantes, lo que le hacía pensar en orgías, y eso la retrotraía directamente a Tris; lo que le producía mucha tristeza.

Y no era una tristeza que se pudiera aplacar con la distancia. La verdad, es que se estaba dando cuenta de que en la India se iba a encontrar con muchos recuerdos dolorosos. Sin embargo, ya estaba hecho. La casa de Matlock había sido vendida, y se habían despedido de los amigos que tenían allí. Había prometido enviar largas cartas, pero lo que realmente planeaba era hacer un corte rotundo. Si enviaba cartas desde la India haría que le remitiesen otras en respuesta, y desgraciadamente, su supuesto roce con un noble, hacía que todo el mundo imaginara que quería saber todo lo que pudiese sobre el duque de Saint Raven.

Que si había regresado de Cornwall para bailar en las bodas de sus medio hermanas. Que si había asistido a una fiesta en Bedfordshire. Que si había ganado una carrera de caballos improvisada en Epson con un premio de mil guineas. Sabía que había enviado invitaciones para un baile de máscaras en Mount Saint Raven, muy posiblemente para gente de alcurnia. Los rumores contaban que allí iba a anunciar quién sería su prometida, e incluso que podía ser Phoebe Swinamer.

Cressida lo descartó. No se llevarían bien, aunque la señorita Swinamer y su madre eran capaces de extender ese rumor para intentar obligarlo. Pero sabía que Tris no se iba a dejar manipular con una estratagema como ésa.

Esa noche por lo menos no lo tendría que ver. Su padre había insistido en enviarle una invitación, pero recibieron una amable disculpa. Cressida se dijo a sí misma que eso la hacía muy, muy feliz. Se miró en el espejo y se ajustó el turbante que se había puesto sobre sus cabellos cuidadosamente peinados. Deliberadamente se había puesto el atuendo que había usado cuando había salido con Crofton; el vestido de seda color verde Nilo y el turbante a rayas. Un final apropiado, pues después del baile se lo iba a regalar a la doncella. Esta vez, sin embargo, los tirabuzones eran reales, eso sí, con la pesada ayuda de las tenacillas de rizar. Puesto que los rizos eran parte de lo que hacía que fuese imposible que hubiera sido la hurí de Saint Raven, se armó de valor y se cortó el flequillo, y aguantó cada día las tenacillas de rizar.

Un atractivo de la India era que en su momento podría dejarse crecer el pelo. Y seguramente, una vez que estuviese tan lejos, poco a poco se iría desvaneciendo la nostalgia que sentía por un cierto duque desenfadado. Abrió el joyero, ahora lleno de piezas muy caras. Habían pasado varias semanas desde su aventura, y no se había visto golpeada por ningún escándalo, aunque ésa iba a ser su primera recepción importante desde la orgía de Crofton; y además iba a estar con gente de la alta sociedad. Incluyendo, seguramente, a algunos de los hombres que estuvieron en Stokeley Manor. Tenía que dar una buena impresión.

Sabía que se comentaban ciertos rumores en los clubes de hombres. Lavinia le había informado de nuevas historias que le había contado Matthew. Crofton se había ido del país por algo que tenía que ver con el intento de violación de una niña, asunto que había disgustado hasta a los más libertinos de la alta sociedad. Sin embargo, lo suyo tenía que ver con su salvaje ataque sobre ella en Hatfield; aunque Lavinia le aseguró que no se comentaba nada que la desacreditara, sin dejar de señalar que las manchas de hollín siempre dejan marcas.

Recientemente habían aumentado las especulaciones sin sentido, pero dañinas, y se estaban filtrando desde los círculos masculinos a los femeninos. Cressida había recibido miradas extrañas de ciertas damas, y podía imaginarse lo que había detrás. ¿Qué estaba haciendo exactamente la señorita Mandeville en Hatfield sin nadie que la acompañara? Más allá de la necesidad, ¿debía una dama arriesgarse a vender una estatuilla subida de tono a un extranjero que había estado varios días en la cárcel bajo la sospecha de ser salteador de caminos?

Por supuesto, el francés tenía una relación reconocida con el duque de Saint Raven, pero al mismo tiempo, estaba segura de que la madres aprovechaban su caso para señalar a sus hijas lo que ocurría cuando una joven se saltaba las normas de comportamiento. Hasta donde sabía, nadie había hablado abiertamente de que ella hubiera estado en la fiesta de Crofton vestida de hurí de un harén acompañada de Saint Raven. Pero esa idea debía planear en las mentes de algunos hombres. Podía ser su imaginación, pero le había dado la impresión de que en los últimos días algunos caballeros que habían venido de visita la habían mirado de manera inquisitiva. Había estado frunciendo los labios y poniéndose anteojos, pero esa noche iba a confirmar que era imposible que hubiera sido ella.

Tenía el cuerpo del vestido levantado y como el camisón le colgaba suelto, ofrecía una imagen muy poco elegante. Parecía que esos días no tenía ganas de nada. Se sacó el collar de esmeraldas y se puso su viejo collar de perlas pequeñas. Su padre lo encontraría extraño, pero así iba a ser. Se contempló en el espejo. Era una pena que no se pudiera poner los anteojos, pero nadie iba así a un baile. Y una extravagancia así podía levantar sospechas.

Era una pena que sus labios fuesen tan rosados. Era fácil enrojecer labios pálidos, pero ¿cómo crear palidez? Los apretó. Así, así estaba mejor. Intentó sonreír con los labios apretados pero lo único que consiguió fue hacer una mueca horrible. Mejor aún. Los pensamientos se suelen reflejar en la cara, y ella debía comportarse toda la noche como si al decir la palabra «pantalones» le pudiera dar un ataque, por no mencionar «bragueta de armadura» o «afrodisíaco».

Caray, eso la hacía ruborizarse por completo. Se concentró en sermones, papilla fría y la señora Wemworthy mientras intentaba hacer que su mañanita se convirtiera en un chal diáfano sobre sus hombros. Así, con los labios apretados y con la columna muy recta se fue a reunir con sus padres.

La fiesta se celebraba en los salones Almack Assembly Rooms, que habían alquilado para la ocasión. Pronto ella y sus padres recibirían allí a sus invitados. Los primeros en llegar fueron los hombres de negocios, mercaderes y profesionales, y sus familias, así como algunos de los amigos de la India de sir Arthur. Todos parecían envidiar el regreso que estaba preparando. Cressida se dijo a sí misma que tenía que poder disfrutar de la aventura. Después llegaron los invitados elegantes, más ligeros y aparentemente frágiles. Ésos eran los peligrosos, pues se aburrían tanto que les encantaban los escándalos. Cressida no reconoció a ninguno de los hombres, hasta que fueron anunciados lord y lady Pugh.

Lord Pugh, con su cara rechoncha, tenía un aspecto cómico con ese traje elegante, que no le disimulaba ni su gran barriga ni sus muslos hinchados. Sin embargo no la miró en absoluto de manera divertida. ¿Había venido justamente para verificar sus sospechas?

Wemworthy, pensó Cressida sonriéndole.

La pobre lady Pugh parecía satisfecha de que él estuviera a su lado. Debía haber algo muy equivocado en un matrimonio si la esposa se muestra tan encantada de estar con un mequetrefe. Después de mirarla un momento, lord Pugh negó con la cabeza, murmuró algo sobre perder el tiempo, y se dirigió a la sala de juegos. Lavinia cogió a lady Pugh del brazo y la sacó de allí. Qué manera tan triste de vivir; además, el matrimonio era para toda la vida.

Cuando comenzó el baile, Cressida le dio la mano al señor Halfstock, el hijo mayor de un rico comerciante de sedas que fingió que su partida le producía un gran dolor. Pero ella prefirió divertirse, aunque fácilmente podía haberle llorado en el hombro. ¿Qué sabría él de corazones rotos?

Al final del primer baile, se dio cuenta de que había dejado de ser Wemworthy. Le encantaba bailar, y estaba sonriendo con los aires que se daba Tim Halfstock. Se dejaría llevar. Parecía haber satisfecho a Pugh, y seguramente su reputación iba a tener que actuar a su favor. Excepto por curiosidad, por saber cómo funcionaba el mundo, siempre había sido tomada por el tipo de muchacha que hace exactamente lo que debe. Y que se interesara por el suministro de agua, los metales o las formas de los sombreros, difícilmente la condenaba al infierno.

De este modo, le dio la mano a sir William Danby para ir al cotillón, y aunque se perdió con los pasos, dejó a un lado todo lo demás, incluido el hecho de que no quería marcharse de Inglaterra. Y que tenía razón, pues ya hacía mucho tiempo que había decidido que le interesaban las pequeñas aventuras, pero que no tenía ninguna afición ni por lo exótico ni por lo salvaje.

Excepto, tal vez, por un hombre…

Desnudo.

Brillando untado en aceites exóticos.

Con la mirada brillante después de haber satisfecho sus deseos…

Deseando que pareciera que tenía la cara roja por el esfuerzo, bloqueó esos pensamientos y se centró en sus pasos.

Capítulo 30

Tris se paseaba por Nun's Chase con una sonrisa bajo su bigote y una hurí del brazo, asqueado por lo revuelto y desordenado que estaba todo. Para llevar a cabo su plan había tenido que invitar a algunos de los hombres que habían estado en Stokeley, y muchos ya llegaron borrachos.

Era interesante saber qué decían de Crofton. Algunos se lavaban las manos, pero otros dudaban de la veracidad de lo que se contaba.

—A Croffy le gustaban los pimpollos —dijo Billy Ffytch—, pero no era necesario que secuestrara a una niña de buena familia.

—A algunos depredadores —dijo Tris— no les gustan las presas mansas.

Ffytch asintió.

—Claro, eso debió ser. Aunque es una vergüenza. Croffy va pasar momentos difíciles. —Miró a Tris con los ojos legañosos—. Se dice qué tú has tenido algo que ver, Saint Raven. Que se la tenías guardada desde el incidente de Hatfield.

—¿Hatfield? —Tris se permitió dudar momentáneamente como si estuviera rebuscando en lo más profundo de su mente—. Ah, sí, cuando se despachó con esa pobre señorita

Mandeville. Me temo que estaba desequilibrado. Pensó que yo tenía una cita con ella en esa posada tan vulgar, cuando tengo esta casa bastante cerca de allí. Creo que le pidió la mano y ella lo rechazó, y por eso estaba tan enfadado. Por supuesto, antes de que su padre perdiera todo su dinero.

Ffytch evidentemente estaba teniendo problemas para seguir este punto de vista diferente.

—Eso hace que todo sea distinto —dijo al fin.

—Creo que Mandeville tenía una reserva de piedras preciosas. Hay que alegrarse por él.

—Sí claro. Y casi me hubiera valido la pena seducir a su hija. Si no hubiera estado casado, por supuesto —explicó y dio un trago al ponche de ron que le hizo fruncir el ceño—. Ya sabes que Croffy tenía algo más que eso en mente, pues siguió diciendo que tu delicia turca era la señorita Mandeville. —Se inclinó hacia adelante para estudiar a la hurí que iba del brazo de Tris—. Tienes razón Saint Raven, ese hombre estaba loco.

Ffytch se fue dando tumbos hasta un grupo en el que había unas acogedoras ninfas de la noche, y para impresionar, Tris se acercó a Miranda y la besó a través del velo.

—Estás cumpliendo perfectamente con tu actuación. Gracias.

Ella tenía una complexión parecida a la de Cressida y llevaba una gran peluca, pero Tris estaba sorprendido por lo bien que reproducía su manera de comportarse. Con cierta audacia, pero insegura. Nadie podría adivinar que era La Coop.

—Me divierto haciendo de inocente —dijo ella—. ¿De verdad te quieres casar con la señorita Mandeville? Una mujer así te va a cortar las alas.

—Si te refieres a fiestas exclusivas como ésta, entonces estaré encantado.

Ella soltó una risilla.

—Tal vez por eso me voy a Francia. Sería tremendamente trágico ver un fuego salvaje como el tuyo encerrado en un único horno.

—¿No tendrás restricciones? ¿O Jean-Marie? ¿Saldrá con todas la mujeres que llamen su atención?

Ella estrechó los ojos y después se rió.

—Eres un demonio. Lo bueno es que ninguno de los dos somos convencionales.

Tris se rió y entonces Miranda añadió:

—Recuerdo a esa hurí… Quizá no estés tan loco como pareces.

Él no respondió a eso.

—Creo que ya todo el mundo está lo suficientemente relajado y bebido como para que pasemos a la siguiente fase del plan.

Tris dio unas palmadas para que todo el mundo le prestara atención.

—Como las flores a la fruta madura, así es la novedad al amor… y a la lujuria, amigos míos. Para que disfrutéis de un placer novedoso esta noche, aquí tenéis ¡danzas del país!

Los hombres se miraron los unos a los otros confundidos. Tras un gesto de Tris abrieron una cortina que escondía a un trío de músicos ciegos que eran muy conocidos en Londres, tanto en las fiestas normales como en las escandalosas. Comenzaron a tocar, Tris volvió a dar una palmada y entraron diez putas al salón, especialmente elegidas por Miranda porque podían parecer damas jóvenes, guapas e inocentes. Iban vestidas casi como si estuvieran asistiendo a una fiesta en Almack. Pero el *casi* consistía en que sus elegantes trajes eran de la gasa más fina, y debajo no llevaban nada salvo un tinte escarlata en los pezones, y medias a rayas sujetas con ligas rojas. Sus joyas eran perlas de doncella, artificiales, pero convincentes, y en el pelo llevaban coronas de rosas blancas.

Con mucha coquetería cada una eligió a un hombre y lo sacó a bailar. Tris observó divertido lo bien que estaba funcionando su plan. Lo había preparado todo para que sus invitados relacionaran esa escena con un baile de Londres, aunque evidentemente acentuando el erotismo. Los hombres tenían los ojos vidriosos ante la visión de ese perverso simulacro de una reunión de damas jóvenes y virtuosas a las que no debían tocar a menos que tuvieran pensado casarse con ellas.

Los hombres parecían contentos de estar bailando en ese momento, exactamente como si estuviera en Almack. Tris se paseaba con su hurí por el salón asegurándose de que los viera todo el mundo; y cuando terminó el primer baile y nuevos hombres se apresuraron para emparejarse con las putas, bailó con ella un buen rato. Sus adornos de bisutería brillaban sobre el ligero vestido claro.

Los hombres que había allí nunca dudarían, u olvidarían, que habían visto a Saint Raven con su hurí en el mismo momento en que la señorita Mandeville se exhibía en su propio baile en Londres. Miró buscando a su primo, que desempeñaba un papel importante en la siguiente parte del plan. Cuanto antes quedara todo establecido, antes podría alejarse del centro de la escena. La fiesta podría desmadrarse sin necesidad de que él estuviera allí, y al día siguiente podría irse a Londres. Y cuando fuera una hora decente visitaría a Cressida. Aunque una hora decente significaba, maldición, después del mediodía, sin embargo, en cuanto la viera, el escándalo se acallaría.

Quería cortejarla de manera convencional aunque rápida. Le encantaba hacer de Lochinvar y una vez más cabalgar con ella, aunque nada que provocara nuevas habladurías. De todos modos la gente comentaría que la sencilla señorita Mandeville había atrapado al duque de Saint Raven, aunque no debía haber el menor atisbo de escándalo. Siempre ardían brasas debajo de las cenizas, y con un simple soplido podían volver a convertirse en fuego.

Era un inconveniente que los Mandeville estuvieran a punto de irse de Londres, pero una vez que adquiriera la condición de pretendiente, podría viajar con ellos. Plymouth no estaba lejos de Mount, y podrían hacer una corta visita allí. Debido al viaje de sus padres la boda tendría que celebrarse rápidamente. En nueve días, Cressida sería suya, y todo se organizaría a partir de eso.

La música terminó y fue cuando Jean-Marie entró en la pista de baile.

—¡Me acabo de dag cuenta de algo! ¡El estúpido de Crofton confundió a la pobge señoguita Mandeville con esta maravilla! ¡Observad este encanto amigos, y magavillaos! —dijo cogiendo a Miranda de la mano para que se diera una vuelta.

Lord Blayne, que estaba en el sofá tumbado con una puta, se puso de pie.

—¡Croffy necesita anteojos tanto como ella! —Se tambaleó mirando a Miranda con lascivia—. Pensar que esa pálida papilla de avena era este plato tan sabroso.

Miranda hizo un movimiento serpenteante y le lanzó un beso. Algo que Cressida nunca hubiera hecho. *Cuidado, Miranda.*

—Tengo entendido —continuó Jean-Marie—, que los Mandeville están celebgando un baile en Almack antes de pagtig a la India. La señoguita papilla está allí bailando con nuestgas adogables señoguitas, mientgas Saint Raven disfguta de este sabroso plato. ¡Y un loco relacionó su nombge con el de ella! ¡Qué locuga!

—¡Eso es! —Gritó Jolly Roger—. Quien haya pensado eso debería estar en el manicomio de Bedlam.

—Saint Raven no hubiera perdido el tiempo con una chica tan aburrida —dijo otro riéndose.

Tris apretó los dientes detrás de la sonrisa y comenzó una nueva rueda de baile.

—Excepto por su dote. Su padre es rico de nuevo, y ella es su única heredera. Un hombre eso lo tiene en cuenta.

Aunque todo el mundo creería que se iba a casar con ella por su dinero, Cressida sabría la verdad. Y con el tiempo verían que habría surgido el amor.

—Qué tonto he sido —dijo Tiverton, que era soltero—. ¡Me parece una vergüenza dejar que un premio tan valioso se vaya a la India!

—Ahí enseguida se la llevará alguien —dijo lord Peterbrook—. Hay un montón de hombres con hambre de tetas blancas.

Un desagrado intolerable hizo que Tris se pusiera en acción. Lanzó una mirada a Jean-Marie y declaró:

—¡Mi primo me ha hecho una apuesta!

Todo el mundo prestó atención. A esos hombres les importaban muy pocas cosas, pero todos respetaban y se acordaban de las apuestas.

—Apuesta mil libras a que no puedo pasar de los brazos de mi delicia turca a los de la señorita Papilla antes de medianoche.

Los ojos de Jean-Marie expresaron diversión y alarma, y enseguida los demás se animaron y se pusieron a hacer apuestas paralelas.

—¿En un solo caballo, Saint Raven? —preguntó un hombre.

—En cabriolé, y con los mismos caballos hasta Londres.

Las apuestas cambiaron instantáneamente a su favor.

—¿Vas a intentarlo con ella? —le preguntó Tiverton—. Es muy injusto. Pensaba intentarlo yo.

Muy útil.

—Entonces haz una carrera conmigo, Tiverton. Tienes aquí tu vehículo, ¿verdad? También tendrás tu oportunidad.

—¡Contra un duque!

—Tengo la impresión de que la señorita Mandeville no quiere tener nada que ver con la clase alta. ¿Juegas? —Tris miró a los otros hombres—. Apostad si Tiverton, yo, o nadie de aquí conseguirá la mano de la dama antes de que se vaya de Inglaterra.

Algunos pidieron un libro para registrar las apuestas. Tris dejó que Jean-Marie y Cary se ocuparan de ello, y corrió a ponerse un traje de noche. No era apropiado para conducir, pero un doble cambio le iba a tomar demasiado tiempo. Tiverton no tenía ropa de noche, de modo que iba a tener que cambiarse en Londres. Alegó que eso era injusto mientras corría hacia su cabriolé. Tris le permitió adelantarse, pero después bajó a toda prisa y se subió a su propio vehículo.

Jean-Marie salió a verlo partir.

—Deséame suerte —dijo Tris.

—¿Cuándo hay mil libras en juego? Creo que no lo haré, amigo mío, aunque es muy inteligente que haya un testigo de todo.

—La suerte me lo ha puesto entre manos.

—Entonces buena suerte, primo. Por lo menos en el amor.

Tris alcanzó a Tiverton cerca de Ware, pero no intentó adelantarlo. Jolly Roger tendría que cambiarse. El verdadero peligro era tener un accidente, pero la luna iluminaba lo suficiente como para ver bien el camino, y éste estaba en buenas condiciones.

Debieron haber disminuido el paso al llegar a las calles de Londres, pero Tiverton se arriesgó para llevar la delantera, y Tris tuvo que conducir como un loco para mantenerse cerca, y que su amigo no sospechara que todo era una farsa. Había poco tiempo, pero la apuesta no le importaba.

Tiverton le gritó una maldición al girar hacia su residencia consciente de que había perdido la carrera. Aún así iba a intentar probar suerte con Cressida. Pobre hombre. Tris llegó a las puertas de Almack un cuarto de hora antes de la medianoche, un poco cansado, pero excitado por la emoción de la carrera y por tener a Cressida cerca. Le entregó las riendas a un sobresaltado lacayo, se sacudió el polvo y entró a grandes zancadas en el edificio. Otro lacayo intentó pedirle una invitación, pero Tris le dijo su nombre, le lanzó una mirada de duque, y el sirviente se inclinó a su paso. Se detuvo bajo el arco de la sala de baile pensando en las veces en que había estado allí sin esperar más que aburrimiento, interrumpido por la irritación que le producían las mujeres que se comportaban como perros en una cacería. Pero ahora todo era diferente porque Cressida estaba allí.

Ella bailaba dando vueltas con un robusto caballero y resplandecía encantada. Obviamente le encantaba bailar, algo que desconocía. Era muy guapa, aunque eso sí lo sabía desde siempre. Se recordó a sí mismo que debía parecer aburrido. Inclinó la cabeza ante sir Arthur Mandeville, que se acercó a él enseguida.

—Su excelencia, nos honra mucho que al final haya podido venir.

¿Los ojos de ese hombre no eran demasiado penetrantes? No importaba.

—El otro compromiso no era demasiado largo y quería despedirme de usted y de su familia. Fueron sumamente generosos regalándome las estatuillas.

—Oh, así lo quiso Cressida —dijo el hombre con ingenua inocencia y se volvió a ver cómo terminaba ese baile—. Vaya a agradecérselo usted mismo.

Tris hablaba para que lo escuchara la gente que tenía a su alrededor. Todos sabrían la razón de su visita, y ahora su padre le daba un motivo para hablar con Cressida. El cielo estaba de su parte.

—¡Saint Raven! —Se dio la vuelta y vio cómo se acercaba lord Harry Monke con su hermosa esposa—. ¿Qué diablos haces aquí? Ah, sí, conociste a la señorita Mandeville en Hatfield.

Tris besó la mano de la hermosa lady Harry.

—Le presté un pequeño servicio.

—He oido decir que Crofton va de un sitio a otro por el extranjero. Qué tenga buen viaje.

—Un hombre horrible —reconoció lady Harry, y después sonrió al padre de Cressida.

—Qué fantástico que se haya podido recuperar de su encuentro con él, sir Arthur. Ahora Saint Raven —dijo poniendo una mano sobre su brazo— me va a salvar de ser provinciana y de estar pegada a mi marido sacándome a bailar.

Estaba atrapado y no podía negarse, y tal vez lo mejor sería no llegar directamente hasta Cressida. Miró a su alrededor y se encontró con sus ojos sorprendidos. Más que sorprendidos ¡atónitos! Rogando para que no lo arruinara todo, le hizo una pequeña inclinación de cabeza y siguió charlando con lady Harry.

—¿Cómo conoció a los Mandeville? —preguntó.

—En el Patronato de Damas Benefactoras de la Inclusa. A diferencia de muchas otras mujeres, las Mandeville están genuinamente comprometidas con las obras de caridad, más que en divertirse, o en intentar codearse con gente de mayor categoría social.

Mayor categoría. Estuvo insensatamente tentado a preguntarle cómo podía alguien tener más categoría que Cressida.

—Qué provinciano —dijo arrastrando las palabras.

Ella lo sorprendió con una mirada de desaprobación.

—La pobreza y el sufrimiento existen en todas partes, Saint Raven. Estaba intentando sacarte dinero y solicitar tu patronazgo.

Comenzó la música y se pusieron en su puesto cara a cara. Tris estaba verdaderamente sorprendido por su respuesta. Tal vez había más gente de buen corazón entre la aristocracia de lo que pensaba. Y de ese modo Cressida no estaría tan fuera de lugar.

Miró la línea donde Cressida iba a empezar a bailar con un joven vestido de militar. Ella le sonreía radiantemente. Maldición. De pronto se vio calculando cuándo se iban a encontrar después de progresar a través de las filas.

Cressida, muy sonriente, tenía la atención puesta en el teniente Grossthorp, pero su mente estaba centrada en Saint Raven. ¿Qué estaba haciendo allí? ¿Iba a arruinar todo en el último momento revelando la relación que tenían? Lo había visto junto a su padre y temió que se le acercaran, pero en ese momento lady Harry le pidió un baile.

Casi se saltó un paso, así que volvió a concentrarse en el baile. Pero, oh Dios, ella y Grossthorp subían por la fila, y Tris y lady Harry bajaban. En unos segundos estaría a la misma altura. Tendría que ofrecerle sus brazos y girar con él. Se suponía que su deber era mirarlo a los ojos y sonreír...

Volvió a mirar a su pareja sonriendo, y vio que sus ojos y su sonrisa expresaban sorpresa. ¿Qué mensaje le estaba enviando? Maldición, Tris Tregallows. Él no tenía su atención puesta en Cressida, pero era consciente de ella como si fuera un sonido más de la música, o una luz brillante que iluminaba el rabillo de su ojo. Se acercaban cada vez más.

Entonces advirtió que la dama que le correspondía tenía los ojos abiertos como platos, así que hizo que su mente se concentrara en el momento. Su encuentro con Cressida llegaría, y mientras tanto, era consciente de que bailar con un duque era una emoción inolvidable para muchas de aquellas damas, incluso para una sensata madre de mediana edad como ésa.

Él le sonrió, e intercambiaron un comentario. Cuando le tocó una joven señorita con la mirada arrobada, le dijo un pequeño cumplido, pero le envió un mensaje con los ojos que expresaba «si hubieras sido un poco mayor»... Y a una abuela llena de energía le dijo directamente:

—Si hubiera sido más joven...

Ella se rió y le contestó:

—Granuja travieso.

Después venía Cressida, pero se quedó sin palabras. Unieron sus brazos, giraron mirándose a los ojos y se dieron la vuelta. Enseguida acabaría ese momento y aún no había dicho ni una maldita palabra. Sonó el reloj y consiguió decir algo:

—Medianoche.

¿Eso era lo mejor que podía hacer?

Ella lo miró fijamente y le dijo:

—¿Qué haces aquí?

—Bailar contigo —respondió, y con esa sandez se acabó su encuentro.

Tris quería soltar un aullido y echarse a reír o llorar. ¡No había sido tan zopenco y corto en palabras desde que tenía dieciséis años!

—Medianoche —dijo lady Harry en cuanto se volvieron a encontrar—. Has tenido suerte de que ésta no sea una de nuestras recepciones, pues no te hubieran dejado entrar tan tarde. Y tampoco has venido con calzas.

—Si esto hubiera sido una recepción, hubiera venido antes y vestido de manera adecuada.

—Es verdad. Aparentemente sir Arthur organizó el baile en este lugar porque su esposa y su hija nunca tendrían acceso. Así podrán decir que antes de irse de Londres estuvieron bailando en Almack.

Su expresión no era cruel, pero ella reconoció, igual que él, que sir Arthur no se había dado cuenta de ese detalle. Cuando bailabas en Almack, lo importante no era el lugar, pues lo alquilaban a todo el mundo, sino haber estado en una de las exclusivas recepciones semanales que se celebraban durante la temporada. A Tris no le importaban demasiado las costumbres aristocráticas, pero se dio cuenta de lo naturales que eran para él y los de su clase. ¿Cressida podría aprender sus extrañas, y a veces incomprensibles, costumbres y valores? Tendría que hacerlo. Y podría. Él iba a ser su guía experimentado.

En cuanto terminó ese baile vio que entraba Tiverton y se ponía a mirar por toda la sala buscando a su presa. Tris se acercó a él y le entregó a lady Harry. A ella no le importó porque consiguió una pareja de baile joven y guapo.

Tris se dio la vuelta y vio que Cressida estaba rodeada de cuatro hombres que rivalizaban por ser su pareja. Maldición. Ella no podía saber que él estaba haciendo lo posible para librarla del riesgo de un escándalo, de modo que si le pedía que bailaran tal vez podría rechazarlo.

Buscó la ayuda de sir Arthur.

—Por desgracia, sir, su hija está rodeada de posibles parejas. Tal vez usted pueda allanarme el camino.

—Su camino está lleno de hojas de fresas, señor duque —dijo el hombre haciendo que quienes estaban cerca se rieran, pues las hojas de fresa decoraban la corona ducal—. Pero si desea la aprobación de un padre...

Eso suscitó algunas miradas. De modo, pensó Tris, que el padre de Cressida tenía ideas, y no se oponía a la unión.

Sir Arthur se acercó al pequeño grupo que rivalizaba por la mano de Cressida.

—Os podéis marchar. Saint Raven solicita un baile, y un duque es un duque al fin y al cabo.

Los hombres se dispersaron refunfuñando y Tris se inclinó ante ella incapaz de impedir que su mirada fuera alegre.

—Señorita Mandeville, a menos que sea absolutamente contraria a que bailemos...

—No va a ser tan tonta. Bailar con usted es un triunfo, aquí y en la India.

Cressida lo miraba a los ojos con sus redondas mejillas ruborizadas. Todo el mundo pensaría que estaba emocionada, pero ¿en realidad estaba enfadada? Bajó la mirada e hizo una pequeña reverencia.

—¿Cómo me voy a negar, su excelencia?

Su padre los dejó solos en medio de la muchedumbre, que observaría cada movimiento y cada expresión por el simple hecho de quién era él. Tris hizo que apoyara la mano en su brazo y se pusieron a pasear mientras comenzaba el siguiente baile.

—Es la primera vez que estamos juntos en sociedad —dijo Tris mirando hacia adelante como si estuviera diciendo cosas intrascendentes.

—Sí. —Ella sin duda hacía lo mismo. Iba a llevar la situación correctamente, como era de esperar de su intrépida señorita Mandeville—. ¿Por qué has venido? Es tan peligroso.

—No. Confía en mí. Yo... —Casi le soltó su proposición allí mismo, pero todavía le quedaba un poco de sensatez—. Crofton se ha ido del país.

—Oh, qué bien. —Pero la mirada que le lanzó mostraba preocupación—. Me temo que ha dejado veneno tras él.

—No después de esta noche...

La música indicó que comenzaba el baile.

—Confía en mí, Cressida —dijo suavemente mientras se movían entre las filas.

Era un vals, lo que significaba que estarían juntos durante todo el baile, y que pasarían un rato girando el uno en los brazos del otro. Mucha gente pensaba que era una danza escandalosa, y ahora Tris entendía la razón. Lo volvía loco de placer. Pronto, muy pronto, ella estaría en sus brazos como su esposa.

Al dar las primeras vueltas del vals en brazos de Tris, y aunque le gustara, sintió como si estuviera bailando rodeada de espadas. Aunque según avanzaba el baile, y nadie se ponía a gritar escandalizado, comenzó a soñar. Si podían bailar, ¿tal vez podrían encontrarse, salir en coche por el parque, o pasear por un jardín? Todas las cosas normales que hacen hombres y mujeres...

Pero después se acordó de que tales placeres podían ser un tormento inútil. Ese hombre fascinantemente travieso era un disoluto. Como su padre, era adicto a los lugares salvajes. Incluso después de profesarle su amor, no había podido evitar ir al establecimiento de Violet Vane.

«Puede cambiar», le susurró la esperanza.

«Los hombres nunca cambian», le insistió el sentido común.

Pero estaba ahí, y eso tenía que significar algo. Y él sentía algo por ella. Lo veía en sus ojos, aunque estuvieran blindados por su propia seguridad. Lo sentía a través de su tacto. El amor podía cambiar a la gente, y tal vez con Crofton lejos, no había tanto riesgo de que se produjera un escándalo. Quizás hasta sería posible que se casaran.

Tris estaba ahí, y eso tenía que significar algo.

En esos momentos sus ojos aturdidos vieron que Lavinia se golpeaba su abanico cerrado sobre los labios. Reconocía la señal. Lavinia tenía que contarle algo ahora mismo en el salón de las damas. Oh, Dios. Era algo sobre Saint Raven. Al fin y al cabo, Matt Harbison se encontraba allí, y por la expresión de Lavinia tenía que ser algo malo. Deseó darse la vuelta e ignorar su llamada, pero debía de ser algo que tenía que saber.

Sin decir absolutamente nada, se escapó tras su amiga, y en cuanto entraron en el salón, Lavinia la arrastró al sofá. Cressida miró a su alrededor, pero por ahí no había nadie excepto las doncellas. Tendría que tener cuidado con lo que dijera, pues sabía que los comentarios de los sirvientes volaban.

—Es fantástico que haya aparecido el duque —dijo Lavinia radiantemente, tal vez también con las doncellas en mente—. ¡Y es tan guapo de cerca como en la distancia!

—Es verdad. ¿Qué me tienes que decir, Lavinia?

La actitud alegre de su amiga se apagó.

—Lo siento... Es que recordé que me dijiste que tenías sentimientos positivos hacia él...

Cressida advirtió que se estaba ruborizando.

—¿Te da miedo que mi corazón se rompa por un baile?

—No, pero... El asunto, Cressida, es que según Matt todo esto es por una apuesta.

—¿Una apuesta? Los caballeros apuestan por cualquier cosa.

—Sí, pero...

—¡Por favor, cuéntamelo!

Lavinia se mordió un labio, y después se puso a hablar en susurros.

—Sir Roger Tiverton vino con el duque, y Matt lo conoce muy bien; así que le contó toda la historia. Saint Raven estaba haciendo una fiesta salvaje en Hertfordshire. Estaban simulando una recepción en Almack; te puedes imaginar algo más tonto. Y entonces alguien apostó que el duque no podía pasar de estar bailando con una prostituta a bailar contigo antes de medianoche. Y ésta —añadió con tristeza— es la única razón por la que ha venido. Pensé que debías saberlo...

A Cressida le dolía incluso respirar aunque no imaginaba la razón. Nunca se había hecho ilusiones acerca del tipo de persona que era. Jamás le había prometido reformarse, y ella realmente no esperaba que lo hiciera. Pero otra orgía, y una apuesta. Una apuesta relacionada con ella, a pesar de que había pensado que se preocupaba por su reputación. Forzó una sonrisa radiante y se levantó.

—La mayoría de la gente no lo sabe, así que el hecho de que haya venido y que baile conmigo será una flor para mi ojal. En la India me beneficiaré dejando caer en las conversaciones que bailé con el duque de Saint Raven.

Lavinia se levantó.

—Me siento tan aliviada. No quería herirte.

Cressida incluso consiguió reírse.

—Claro que no estoy herida. Cuando te dije que amaba a Saint Raven, me refería a un amor ligero. Como un juego. Como nuestra ingenua adoración por el actor Kean.

Lavinia se relajó y le sonrió.

—No hay más que ver esta noche lo tonto que se ha puesto todo el mundo con él. ¡Incluso mi madre está nerviosa como una colegiala! La gente intenta repetir la manera en que dice «buenas noches» para comentárselo a su amistades menos afortunadas. Y Deb Westforth se quedó tan abrumada por un comentario halagador que se tuvo que recostar en la antecámara con un trapo empapado de vinagre en la cabeza.

—Pobre hombre —dijo Cressida sabiendo lo que decía.

Lavinia se cruzó de brazos.

—Probablemente le gusta. Vamos. Si me pego a ti tal vez me pida un baile y me suelte un par de comentarios lisonjeros. Eso sería algo que podría contar a mis nietos.

Cressida prefería escaparse a su casa, pero así no haría más que echar leña al fuego. En cuanto regresó a la sala de baile lo vio, como si fuera la única persona real que estaba ahí y los demás no fuesen más que figuras de cera. Se acercó a ella, y ya no pudo escaparse. Se dijo a sí misma que estaba obligada ante Lavinia porque quería conocerlo, pero no estaba segura de si sus pies iban a poder moverse. Y de todos modos, por la manera de mirarla sospechaba que la iba a seguir.

¿Qué *quería*?

Probablemente había ganado su apuesta, y aunque había puesto su reputación en juego, parecían haber evitado el desastre. O la apuesta consistía en que debía lograr algo más. ¿Un beso? ¿Más que eso? Estaba tan guapo con su traje de noche oscuro y la perfecta camisa blanca. Nunca lo había visto vestido así antes. Le gustaba tanto porque su loca mente se había quedado atrapada en aquellos días en los que su atención de mariposa estaba exclusivamente centrada en ella. Cuando creando la ilusión de que estaban unidos, o más que eso, la había llevado hasta la más intensa de las locuras.

Le sonrió, charlaron un momento, y finalmente hizo que le pidiera un baile a Lavinia. Vio como arrugaba la frente, pero los buenos modales no le dejaban escapatoria. Entonces se acercó su madre, que le ofreció a Roger Tiverton como pareja. A ella también los buenos modales la dejaron sin escapatoria, pero él se comportó correctamente, e incluso se disculpó por su comportamiento en Hatfield.

—Quiero que sepa, señorita Mandeville, que nadie ha hecho caso de las locuras de Crofton. Especialmente ahora que sabemos que ese hombre evidentemente está loco.

—Entonces tendría que sentir lástima por él. Es una pena que no esté recibiendo la atención médica adecuada.

—Es verdad —dijo mientras la dirigía hacia las líneas que se estaban formando—. Bien, señorita Mandeville, dígame que saldrá conmigo mañana.

¿Qué manera de empezar era ésa? ¿Había más gente incluida en la apuesta? Malditos todos. Sin embargo, le sonrió fríamente.

—Lo siento, sir Roger, voy a estar demasiado ocupada. Nos vamos a Plymouth pasado mañana.

—Plymouth, ¿eh? Me interesan los asuntos náuticos, señorita Mandeville. ¡Podría ir allí de excursión!

Cressida apretó la mandíbula y rogó que algo lo impidiera, a pesar de que era el menor de sus problemas. Observó dónde estaba Tris bailando con Lavinia y se aseguró de ponerse en la otra línea, aunque su corazón seguía latiendo con fuerza aterrorizado por lo que pudiera ocurrir después. Terror, o deseo terrorífico. A pesar de toda lógica, una parte de ella anhelaba ser débil y que volvieran a jugar con ella y la trataran con lascivia.

Tris observaba cómo bailaba Cressida, pero con cuidado para no mostrar demasiado interés. Una pequeña atención era el tono adecuado, y cualquier atisbo de su enfervorizada pasión, no. Deseaba quedarse y centrarse por completo en ella, capturarla hasta después de la cena, y quedarse rezagados hasta que sonaran los compases finales del último baile. Sin embargo, eso no lo llevaría a ningún lugar relevante y aumentarían las posibilidades de que se produjera un desastre.

Ahora ella estaba segura de que no habría un escándalo. Tiverton estaba de acuerdo en que no había absolutamente ninguna posibilidad de que la señorita Mandeville llevara una vida secreta asistiendo a orgías con trajes extraños. Le parecía claro que Crofton había inventado toda la historia en despecho por haber sido rechazado. Tris se había encontrado con Pugh y le había llevado a hacer la misma afirmación.

Tiverton estaba dedicado a su cortejo, lo que era un fastidio para Tris, pero nada preocupante. Ya se había establecido el escenario, y la manera de resolverlo era comportarse con la máxima formalidad. Al día siguiente escribiría a sir Arthur pidiéndole permiso para cortejar a su hija, y si se lo daba, para viajar con ellos a Oriente.

Para todo el mundo iba a ser un cortejo rápido, pero no extraño; y en el momento en que lo anunciara formalmente en Saint Raven, nadie se sorprendería.

Como ya estaba todo preparado, lo mejor era marcharse, pues bailar con otras mujeres no le daba ningún placer. Cressida vio irónicamente divertida cómo Tris se iba. Ya había cumplido con su apuesta y por lo tanto se marchaba. En realidad era mejor tener claro lo poco que significaba para él. Y su espalda recta y sus anchos hombros desapareciendo detrás del arco, era lo último que iba a ver de él.

No negaba que tenía el corazón roto, pero sabía que mejoraría. Y si no era así, era preferible ese dolor que vivir día a día como lady Pugh, que agradecía las migajas que ocasionalmente le daban fingiendo ante todo el mundo que no sabía que su marido se divertía con prostitutas.

Ya en su habitación a punto de amanecer, dejó que su doncella la preparara para acostarse. El cansancio la debilitaba, y su memoria viajaba a la última vez en que se había quitado el vestido color verde Nilo.

Luchando con los cierres y el corsé.

Tris le ponía las manos en la espalda.

Ese primer beso. «De verdad que deberías ir...»

Él siempre había sido tan *honesto* sobre sí mismo, que en realidad no lo podía culpar de nada. Nunca la obligó a hacer nada. La noche de pasión había sido una decisión suya, no de él. Recordaba cómo Tris se había asegurado de que ella comprendiera que eso no significaba nada en el futuro. Era injusto culparlo por no ser como los caballeros convencionales de Matlock con los que se hubiera casado. Era ridículo suponer que él hubiera estado contento con una forma de vida diferente. Si ella no quería la vida de él, ¿por qué Tris iba a querer la suya?

Cressida dejó que la doncella se marchara y se metió en la cama decidida a pensar solamente en lo que tenía que hacer al día siguiente para que el viaje a Plymouth fuera más cómodo. Sin embargo, su mente no obedecía y, a pesar del agotamiento, no podía dormir. Al final puso una dosis del Elixir de Morfeo del doctor Willy en un vaso de agua y se lo bebió. Se recostó luchando por controlar su mente, pero no volvió a saber nada hasta que la despertó la doncella a la mañana siguiente.

Capítulo 31

Los opiáceos siempre hacían que Cressida se sintiera sin fuerzas. Consideró la posibilidad de pasarse el resto del día en la cama, pero podían venir visitas y había mucho que hacer.

Desayunó en su dormitorio repasando la lista de cosas que necesitaba, pero entonces la llamaron para que fuera al estudio de su padre. Oh Dios, ¿qué pasaría ahora? Él estaba ansioso por ponerse en marcha para ir a la India, y quería llegar a Plymouth con suficiente tiempo para poder supervisar la organización de su equipaje. Seguramente no quería que nada retrasara la partida.

La miró desde su escritorio con el ceño fruncido.

—Siéntate Cressy. Pareces una sombra de ti misma. ¡No sueles estar tan mal después de una noche de baile!

—Había tanto que hacer, padre.

Él asintió.

—Y te comportaste de maravilla. Si hubieras sido hombre serías muy buena para los negocios. —Recogió la carta—. Mira esto. Después de lo de esta noche no me sorprende, pero resulta que el duque de Saint Raven me pide permiso para cortejarte.

Cressida se quedó mirándolo sorprendida.

—¿Por carta? —preguntó, ya que eso le parecía lo más ridículo de todo.

—No hay nada malo en eso. Es una buena manera de hacer las cosas aunque esté pasado de moda. ¿Bien? ¿Qué me dices? Como salimos mañana, me pide que le permita viajar con nosotros. No me oculta que desea una gran dote, pero afirma que ha considerado mucho tu buen carácter y tu sensatez. Lo que demuestra que tiene más sentido común del que esperaba. ¿Bien?

Cressida quería pasarse las manos por su cuidadosamente peinado cabello.

—Confieso que te echaré de menos —prosiguió su padre—, pero no impediré que sigas tu vida. Es muy difícil que seas indiferente a un hombre así, y además te convertirías en duquesa, nada menos.

—Oh, padre, ¡eso es lo último que querría ser!

¿Tris quería casarse con ella? Eso hacía tambalear los fundamentos de su fuerza, pero intentó agarrarse a la sensatez.

Su padre resopló.

—Mira Cressy, no me tomes por tonto. Fuiste de escondidas a Hatfield, y allí había un duque. Hay algo más en la historia que no me contaste. He hecho indagaciones sobre él. Es un granuja y un descarado, pero trata decentemente a la gente y paga sus deudas, incluso a los comerciantes, y eso es una rareza entre los de su clase. Incluso ha hablado con mucha inteligencia una o dos veces en el Parlamento.

Cressida se miraba sus manos entrelazadas.

—Es un libertino, padre. Vino al baile después de estar en una fiesta salvaje. Por una apuesta en la que se vio expuesto mi nombre

Él hizo una mueca.

—Lo he oído. Y esta noche también me he enterado de historias que no había sabido antes.

Cressida sintió que se había ruborizado.

—Hay gente que no tiene nada mejor que hacer que chismorrear, y por alguna razón lord Crofton lanzó unos cuantos rumores.

—Es un hombre al que nunca hubiera querido conocer. ¿Pero qué pasa con Saint Raven? ¿Qué le respondo? ¿O quieres hacerlo tú?

—¡No! —respondió y se quedó paralizada.

¿Podía ser eso una extensión de la apuesta? No, no podía estarse comprometiendo de por vida por una apuesta. Probablemente quería casarse de manera temeraria, y eso con ella no iba a funcionar.

—Diga que no, padre. De la manera más amable posible, diga que no. —Lo miró y continuó—: ¿Nos podemos ir hoy? Lo antes posible. Hay que organizar muchas cosas.

Él hizo un gesto con la cara.

—¿Y ya está? No diré que estás equivocada, querida. Todo el mundo considerará que has sido una loca por no aprovechar la oportunidad de convertirte en duquesa, pero no eres del tipo de personas que de gran importancia al rango y a los títulos. Y como dices, es un libertino. He conocido a muchos, y rara vez cambian. Lo llevan en la sangre, igual que yo llevo el ser aventurero. Algunas mujeres son muy felices con un marido trotamundos, pero dudo que tú lo seas. Especialmente si esa persona te importa.

Ella no dijo nada a eso. No había necesidad.

—Entonces, ¿nos podemos marchar hoy, padre? ¿Y podrías retrasar un poco tu respuesta?

—No hay nada que le impida perseguirnos.

—Ya lo sé, pero tal vez se dé cuenta de que no tiene sentido.

Tris leyó la carta de sir Arthur con fría incredulidad.

—Parece que no ha sido una respuesta feliz.

—¿Tal vez no se lo comentó? —dijo mirando a Cary.

Cary levantó las cejas y miró hacia abajo.

Tris se sorprendió al descubrir lo físicamente doloroso que le resultaba todo eso. Le dolía la mandíbula, la garganta y el pecho.

—Ella lo debe haber entendido mal…

—Es posible —aceptó Cary complacientemente.

Tris se levantó, dobló la carta con cuidado y la dejó a un lado.

—No me lo voy a creer hasta que lo escuche de sus propios labios. Sé que hay muchos inconvenientes, pero estoy seguro de que hay bastante conexión entre nosotros… Puedo arreglar las cosas. La protegeré…

Cary también se había levantado.

—En todo caso vamos a ver si te recibe.

—Me recibirá.

Tris no dio cuenta de lo severo de su tono hasta que Cary dijo.

—Oh Dios. He extraviado el ariete y las armas de asedio…

Eso le hizo reír.

—Maldición, conozco a Cressida. Jamás se negaría a verme. Esto tiene que ser un malentendido. Tiverton, maldito sea, contó lo de la apuesta. Tal vez eso la ofendió.

Pero cuando llegó a casa de Cressida en Otley Street, la aldaba estaba sacada de la puerta, y cuando sus golpes hicieron que saliera un sirviente, éste le contó que los Mandeville se habían marchado más o menos hacía una hora, y que su contrato de arrendamiento ya se había terminado.

Tris estuvo un rato frente a la casa aturdido y furioso.

—Mandaron la carta cuando ya se iban. ¡No se lo deben haber dicho!

Se dirigió a su cabriolé, pero Cary lo agarró del brazo.

—¿Por qué querría haberlo ocultado?

—Quiere irse a la India. Es un bruto egoísta. Pero no se va a salir con la suya.

Tris se soltó, subió al cabriolé e hizo que los caballos se pusieran a toda carrera en dirección a Newington Gate. Cary se quedó en la calle maldiciendo y decidió correr al establo más próximo para alquilar un caballo.

La visión del cabriolé adelantándolos no fue una sorpresa demasiado grande para Cressida. Estaba preparada para un viaje con mucho frenesí, pero una vez que subió al carruaje no tenía nada que hacer más que pensar.

Tris la iba a seguir. Ella iba sentada de espaldas a los caballos cuando lo vio venir conduciendo el carruaje ligero a toda velocidad, de una manera que le era dolorosamente familiar. Tenía que haberle escrito la carta ella misma. Así hubiera aceptado su decisión. Bien le había escrito una severa nota a sir Roger Tiverton, y no había vuelto a saber nada de él.

El carruaje se detuvo.

—¿Qué? —dijo el padre levantando la vista de un libro.

—Debe de ser un accidente —dijo la madre mirando hacia fuera.

—Es Saint Raven —les explicó Cressida.

Sus padres la miraron, y ella comprobó que no estaban sorprendidos, y que tal vez pensaban que su negativa era una locura, y que recuperaría la cordura.

—¡Sería un marido espantoso! —exclamó.

Tris abrió la puerta completamente encendido, pero con fría dignidad.

—Señorita Mandeville ¿me dedicaría un poco de tiempo?

Ella tragó saliva a través de su adolorida garganta, pero bajó del carruaje sin apoyarse en la mano que le había estrechado. Él se puso rojo y dio un paso atrás. Su cabriolé hacía un ángulo con respecto al camino y les bloqueaba el paso, de modo que el mozo se hizo con el control de sus humeantes caballos. Detrás, el carro con el equipaje también se había detenido, y los sirvientes miraban hacia afuera con los ojos abiertos como platos. El camino estaba tranquilo, pero en cualquier momento podía llegar otro vehículo cuyos propietarios se quedarían sorprendidos, y se detendrían para preguntar si necesitaban su ayuda.

Más chismorreos.

No lo soportaría.

Cressida se apartó seis pasos del carruaje y habló rápidamente.

—Probablemente piensa que mi padre no me mostró la carta, su excelencia, o algo igualmente extremo. Pero sí lo hizo. Y aunque soy perfectamente consciente del honor que me ha hecho, lamento mucho no poder convertirme en su esposa.

La cara de Tris estaba tensa, pero ahora se había quedado completamente blanca.

—¿Por qué?

—Pensaba que se suponía que los caballeros nunca preguntaban eso.

—Probablemente, pero soy un duque. Explícamelo. Yo... estoy convencido de que sientes algo importante por mí, señorita Mandeville.

Las emociones que afloraban de él tenían tanta fuerza que ella se acordó de su primer encuentro, y del terror que sintió. Pero ahora estaba segura.

Cressida apartó la mirada de él y se puso a contemplar los pacíficos campos dorados. Darían una cosecha muy buena, a pesar de que en la mayoría de los campos los veranos cortos eran malos.

—No niego que usted tiene muchas virtudes, su excelencia...

—Así es, pero estoy dispuesto a mejorar.

—Quiero decir que no niego sus muchas cualidades, pero nuestras personalidades no armonizan bien. —Miró hacia atrás rogando que la hubiera entendido—. Parece imposible que yo le haya podido hacer daño, pero creo que así ha sido.

Sólo dolerá un tiempo, ¡pero si nos casamos lo hará toda la vida! Usted está siguiendo una fantasía. Está acostumbrado a conseguir lo que desea, y ahora mismo me quiere a mí. Dios mío, ése es el desafío ¿verdad? Mi escapada no hace más que añadirle tensión. Pero si nos casamos, todo eso acabará ¿no lo ve? Yo lo aburro —dijo ignorando su protesta—, y usted volverá a llevar una vida más emocionante, y yo no me voy quedar sonriendo dulcemente ante algo así. —Extendió las manos—. Usted me convertirá en una bruja, y yo a usted en un marido monstruoso, y además no quiero ser duquesa. Puede encontrar una esposa mejor que yo.

Él parecía más que nada confundido.

—No tienes una opinión demasiado elevada de mí ¿verdad?

A ella le dolía la cara de tanto contener las lágrimas.

—He dicho que tiene muchas cualidades.

—Pero no virtudes.

—Eso lo dice usted, no yo.

Vio cómo él inspiraba con fuerza.

—Cressida, puedo ser el hombre que quieres que sea. Eso es más que una fantasía. ¡Maldición!

—¡No maldiga delante de mí!

—Antes no te importaba.

Ella miró a su alrededor preocupada por si alguien lo pudiera haber escuchado.

—Fue una corta locura. No era yo, y no era usted.

—Te amo, ya te lo he dicho antes, y no he cambiado.

Ella lo miró a los ojos.

—Precisamente.

Se hizo un silencio cortante. Los ojos de él se volvieron oscuros. Ella sentía el latido de su violento deseo, pero esta vez estaba segura de que no se apoderaría de ella, ni que la apartaría de su familia y los sirvientes…

Pero no sólo oía los latidos de su corazón.

Cascos de caballos.

Apareció un jinete que bajó del caballo. Era el señor Lyne sin sombrero y con la ropa descolocada. Los miró a los dos y después se inclinó.

—Señorita Mandeville.

—Como siempre llegas tarde, Cary —le dijo Tris en un tono suave y frío—. La señorita Mandeville finalmente me ha convencido de que no hubo un malentendido. —Dio un paso atrás e hizo una gran reverencia—. Buen viaje.

Giró sobre sus talones y volvió a grandes pasos a su cabriolé, se subió a él, e hizo que los caballos se pusieran a cabalgar a toda velocidad.

—Si ha dicho algo que la haya ofendido, señorita Mandeville, debe excusarlo. Está muy afectado.

Cressida no se iba a poner a discutir también con ese hombre.

—Espero que pueda seguirlo, señor Lyne. Conduce bien, pero…

La expresión de él fue desilusión, aunque amable.

—No se preocupe. Me haré cargo de él. Buen viaje señorita Mandeville; sólo deseo de que esté muy segura de cuál es su destino. Se subió al caballo y partió enseguida. Ella esperó un momento antes de volverse a subir al carruaje. Su madre se mordió el labio inferior y la miró preocupada. Su padre la miraba disgustado, y Cressida hizo un movimiento brusco en cuanto el vehículo comenzó a avanzar.

—Si querían que me casara con un duque, me lo tenían que haber dicho. Les hubiera evitado mucho sufrimiento. Pero esto es el final.

—Seguro que así es —gruñó su padre—. Sólo espero que sepas lo que estás haciendo.

—«¿Pueden cambiar de piel los etíopes —citó— o los leopardos sus manchas?»

Su padre resopló y volvió a su libro; su madre suspiró y volvió a su tejido.

Cressida recitó el resto del pasaje de Jeremías para sí misma y así darse fuerzas.

«... he visto sus adulterios y sus jadeos, la lascivia de sus prostíbulos y sus abominaciones...»

Algún día recordaría aquello y comprobaría que tenía razón.

Cary alcanzó a Tris cuando estaba dando descanso a los caballos en el camino de Camberley.

—Entonces, ¿nos vamos a Mount?

—Claro. Hay que preparar un baile de máscaras.

Cary se mordió el interior de la mejilla. No era el momento de discutir sobre la señorita Swinamer. Había que darle uno o dos días a Tris para que se enfriara. En Camberley, Cary hizo que devolvieran el caballo a su cuadra de Londres, y mandó un mensaje para que enviaran tanto sus pertenencias, como las de Tris, a Mount Saint Raven. No tardó mucho.

Una vez que cambió los caballos, Tris estuvo listo para partir. No le hacía falta que le explicara que quería alejarse cuanto antes de los Mandeville.

Tampoco dijo una palabra las cinco horas que tardaron en llegar a Amesbury, lugar que con toda seguridad estaba lejos de las posibles paradas de Cressida Mandeville y su familia. Saltándose su costumbre, Tris solicitó dos habitaciones separadas, entró en la suya y cerró la puerta. La posadera, una mujer de aspecto amable, dijo:

—¿Qué va a querer su excelencia para cenar?

—Si quiere comer, ya se lo dirá. En cuanto a mí —dijo Cary con una sonrisa—, póngame lo mejor que tenga, señora Wheeling. Estoy muerto de hambre. Y tráigame una jarra de cerveza para regarlo todo bien.

Fue a su habitación y se desplomó en la silla, se inclinó hacia atrás para pensar, aunque no le fue de gran ayuda. La señorita Mandeville no quería jueguecitos y no quería casarse con Saint Raven, lo que no era del todo sorprendente. Él no era una persona fácil, tenían muy poco en común, y ser duque o duquesa era algo endiablado a menos que te guste jugar a ser Dios.

Pero a pesar de todo, en el fondo de su corazón, Tris Tregallows era uno de los mejores hombres que conocía, y se merecía conseguir una buena esposa y la oportunidad de tener una vida feliz.

Capítulo 32

Los corazones rotos no se curan, pero cicatrizan. En los seis tranquilos días que tardaron en llegar a Plymouth, Cressida consiguió sentir cierta paz en cuanto a su futuro. Tal vez la ayudó observar detenidamente a sus padres.

Su padre era como Tris en muchos sentidos, aunque su debilidad eran las aventuras que vivía en sus viajes, más que el desenfreno salvaje. Para Cressida era algo nuevo el brillo que veía en sus ojos, sus expectativas y el entusiasmo ante el avenir.

Con Tris había sido al contrario. Primero había conocido al hombre real. El caballero elegante que se presentaba en sociedad era una versión incompleta de sí mismo que tenía que representar porque era su obligación. Después de pasar varios días pensando en ello llegó a la conclusión de que Saint Raven había supuesto que ella era como él, que la mujer que conoció al principio era la real, y que su decoro era una actuación. Pero ella no tenía ningunas ganas de volver al libertinaje y las orgías. Lo que es más, ella no era como su madre. Desde que supo la razón por la que su madre dejó la India, había intentado comprenderla, pero al final no había sido capaz. De hecho, parecía tener una bendita capacidad para estar contenta con cualquiera que fuese su destino. Algo admirable, aunque tal vez demasiado conformista.

Cressida comprendió que el matrimonio de sus padres estaba basado en el cariño más que en la pasión, y quizá para Louisa no fue difícil alejarse de su marido. Afirmaba que había disfrutado mucho de su aventura en la India, pero que no había sufrido cuando decidió volver a su país.

—Tu salud era lo más importante —dijo como si eso lo explicara todo—, y sabía que tu padre se las podía arreglar bien sin mí.

—Pero ¿no pensó en reunirse con él después de algún tiempo?

—Quizá cuando te casaras.

Lo decía sin reproche, pero Cressida se sentía nuevamente culpable por su negligencia. Si lo hubiera sabido se habría casado hacía varios años. Cressida no se podía aferrar a la idea de que su madre estaba siendo arrastrada al extranjero en contra de su voluntad. Cuando no estaba tejiendo, leía libros sobre la India o hacía que su marido le enseñara frases útiles. Ella también aprendía esas expresiones obedientemente, aunque cuando tuvieron a la vista los barcos del puerto de Plymouth, sólo la idea de tener que volver a enfrentarse al duque de Saint Raven le impidió echarse atrás.

King's Arms era una posada cómoda, y tenían habitaciones espaciosas. Su barco, el Sally Rose, estaba en el puerto y ya habían cargado sus posesiones de Londres, así como ciertas mercaderías que su padre había comprado para hacer negocio. Sir Arthur se ocupaba de revisarlo todo y de seguir entrando carga al barco. Su madre iba de aquí para allá comprando caprichos y cosas indispensables para el viaje.

Cressida podía haber colaborado, pero pasaba el tiempo dando largos paseos. No era demasiado práctico porque tenía mucho tiempo para pensar, pero como sentía tanta nostalgia, había decidido que debía acabar con ella cuanto antes. Sentía nostalgia de Inglaterra así como de un hombre. O por un aspecto de un hombre con muchas caras...

Entonces, un día en que volvía caminando a la posada, vio que se acercaba una figura conocida. Su corazón se paralizó durante un instante, pero enseguida se dio cuenta de que no era Tris, sino su primo francés.

—Señor Bourreau —dijo en francés.

Él se inclinó.

—Señorita Mandeville.

—¿Qué diantres hace en Plymouth?

—Tan cerca del fin de la Tierra, ¿verdad? Voy de camino a Mount Saint Raven para despedirme de mi primo.

¿Se suponía que tendría que preguntarle cómo estaba? Esperó en silencio.

Él llevaba un pequeño cuaderno de notas forrado en piel y lo abrió. Si era otra carta de Tris, se pondría a gritar. Pero no era un cuaderno de notas, sino una especie de portafolios. Sacó una hoja y se la entregó.

—Para usted, señorita Mandeville.

Con una mirada descubrió que era Tris, brillantemente dibujado a lápiz, con un vaso de algo en una mano, despreocupado y desarreglado, con la camisa con el cuello abierto.

—¿Por qué piensa que yo podría querer esto?

—¡Ah! Las mismas palabras que dijo él cuando le ofrecí un dibujo de usted. Interesante ¿verdad?

Ella le lanzó una mirada fría.

—Cuando a alguien le ofrece algo que no quiere ¿qué otra cosa se puede decir? Me da la impresión de que se está entrometiendo en asuntos que no tienen nada que ver con usted, señor Bourreau.

Ella siguió caminando y el mantuvo el paso.

—¿Ah sí? Señorita Mandeville, vine a Inglaterra buscando venganza, y para exprimir al máximo al frívolo duque de Saint Raven. Pero por desgracia me encontré con un amigo. Más que eso, alguien que podría haber sido mi hermano si las circunstancias hubieran sido diferentes. Ahora tenemos que separarnos y probablemente no sepamos demasiado el uno del otro. Pero no puedo evitar involucrarme. He encontrado a mi querida Miranda, y deseo que mi primo tenga lo mejor.

Eso era tan sorprendente que Cressida se detuvo y lo miró fijamente.

—¿Se refiere a Miranda Coop?

—¡Exacto! —dijo con una sonrisa brillante—. Una reina entre las mujeres. En Francia se convertirá en mi respetable esposa. Quizás algún día pueda visitar nuestro hogar perfectamente decente.

—Olvídelo. Estoy a punto de zarpar hacia la India.

Él miró el bosque de mástiles.

—Ah sí. La India. ¿De verdad piensa que va a ser feliz allí?

—Estoy dispuesta a intentarlo.

—Pero ¿no intentará embarcarse en otras aventuras? ¿Qué pasa si le digo que Saint Raven se siente terriblemente desdichado?

—Lo lamento muchísimo, señor, pero no tengo manera de ayudarlo.

—¿Y si le cuento que esta noche en un baile de máscaras va a pedirle a la fría señorita Swinamer que sea su duquesa? No su esposa. Pienso que ella es incapaz de ser su esposa. Hemos hablado su amigo Cary y yo, y hemos pensado que eso no debería ocurrir. Por eso he venido.

Sacó otro dibujo y lo puso delante de ella. Era Phoebe Swinamer muy detalladamente. El excelente retrato era muy bello, pues plasmaba sus hermosos rasgos, e incluso una ligera sonrisa, pero de una manera muy sutil también mostraba su absoluta falta de corazón. Una muñeca de porcelana tendría más sensibilidad hacia el mundo que había más allá de sus intereses egoístas.

Cressida apartó la mirada.

—¿Qué espera que haga yo?

—Que se case con él.

Ella se volvió hacia Bourreau.

—Sacrificarme para hacerlo feliz. ¡No, no lo haré! ¿Por qué tendría que hacerlo?

—¡Sacrificarse! —Casi lo escupió—. Tiene tanto miedo a la diferencia que hace un agujero y se entierra en él. Allí todo estará muy bien porque se sentirá segura. ¡Pero estará en un agujero! ¿Qué tipo de vida es ésa? La vida ofrece emociones, sabores y placeres exquisitos, pero sólo a los que están dispuestos a aventurarse fuera de sus seguros agujeros.

Cressida se dio cuenta de que no podía expresarse bien en francés así que volvió al inglés.

—No soportaría que me fuera infiel.

—¿Y por eso prefiere nó tenerlo en absoluto?

—Sí.

—Pero ¿eso tiene sentido?

—¡Sí!

Él se encogió de hombros.

—Es como decig que pog miedo a seg envenenado no hay que comeg nada. Pego si ése es su pgecio, pídalo. Pídale que le haga votos de fidelidad.

—Eso ya se incluye en los votos del matrimonio, señor Bourreau, pero muchos de los de su clase parecen ignorarlo.

—¿De su clase? ¿Qué sabe de los de su clase? ¿Lo compara con Crofton, Pugh y gente de ese tipo?

—Se puede saber cómo es alguien conociendo las compañías que frecuenta.

Dios santo, ahora sonaba como si fuera la señorita Wenworthy.

—Estos días no tiene ninguna compañía. ¿Qué le dice eso? Ahoga Nun's Chase está disponible paga las monjas, aunque está pensando en vendeglo. En estos momentos vive como una monja, o mejog dicho, como un monje.

—Es muy difícil que llegue a morirse por mantenerse una semana casto.

La miró a los ojos y rompió a hablar francés tan rápido que ella tuvo que hacer un esfuerzo para entenderlo.

—Dios mío, ¿no se lo explicó? ¡Qué idiota! —y dijo otras palabras más que ella no conocía.

Pero se calmó.

—Señorita Mandeville, esa orgía se organizó para limpiar su nombre. Miranda representó a una hurí delante de todos aquellos hombres que la habían visto en ese lugar. Como a la misma hora usted estaba delante de todo el mundo en Londres, con eso quiso terminar con todas las sospechas.

Cressida sintió como si los embates de las olas hicieran temblar la tierra que tenía bajo sus pies.

—¿Y la apuesta?

—Un toque de última hora, tal vez muy loco. Pero una apuesta siempre se recuerda y un baile tal vez no. Tiverton se lo tomó como si fuera una carrera, y eso incrementó el efecto. Por supuesto usted nunca tendría que haber sabido nada de esto.

—En todos los círculos hay chismorreos… —dijo Cressida dando vueltas al asunto para no volver a sentir esperanzas, pero no podía evitarlo—. ¿Y qué pasó con Violet Vane? Supe que frecuentaba asiduamente esa casa.

Bourreau escupió unas palabras que ella no comprendió.

—¡Discúlpeme, por favor! Me da mucha rabia lo estúpidos que hemos sido. ¡Claro que esas cosas se saben!

—Entonces, como ve…

—¡No, no! Usted debe ver las cosas claras. Le ruego que me crea. Mi primo estaba allí porque quería poner fin a todo eso. En Stokeley Manor sospechó sobre la edad de algunas de las ninfas. Y como tenía cierta relación con La Violette, fue tras ella. Por desgracia ese tipo de comercio no se ha erradicado, pero se le ha bloqueado el paso.

Era posible que fuese todo mentira, pero había algo en sus palabras, y en el comportamiento de Bourreau, que le decía que podía ser verdad. Además, era muy difícil, casi imposible, pensar eso de Tris.

—También le puedo decir —dijo— aunque simplemente lo creo, que no ha estado en la cama de ninguna mujer desde que nos encontramos en Hatfield.

Ella nuevamente se giró para mirar el mar, consciente de que estaba en el momento más crucial de su vida. El señor Bourreau tenía razón cuando decía que se estaba metiendo en un agujero, o tal vez una madriguera. Un lugar cómodo y seguro, que sólo le ofrecía placeres menores, aunque la protegiera contra los dolores que la atormentaban.

¿Pedir fidelidad? Como ella decía, era algo que ya incluían los votos matrimoniales, pero tal vez el ritual cegaba a la gente acerca de su verdadero significado. De pronto se dio cuenta con claridad de que si le pedía a Tris que le prometiera fidelidad, y él aceptaba, no traicionaría su palabra.

—¿A qué distancia de aquí está Mount Saint Raven? —le susurró temerosa de hablar claramente.

—A unas tres horas. Entonces, ¿vendrá?

Cressida se volvió hacia él.

—¿Me llevará?

—Por supuesto. No podemos retrasarnos. Lyne intentará que no lo haga, pero como sabe mi primo es difícil de detener. Una vez que le pida la mano a la señorita Swinamer, ya será demasiado tarde. Y ése también será un voto que no podrá romper.

Ella se sintió frenética, como si eso ya estuviese ocurriendo en ese mismo momento.

—¿Cuándo empieza la fiesta?

—A las nueve.

—Son las cuatro. ¡Tenemos que partir ya!

—Tengo un vehículo esperando.

Cressida se encaminó a toda prisa a la posada.

—Se lo tengo que decir a mi madre.

—¿La dejará ir?

—Iré de todas maneras, pero se lo tengo que decir.

Se dio mucha prisa y casi se puso a correr a sabiendas de que podía quedar sin aliento a mitad de camino. ¡Al final eres sensata, Cressida! Ruega porque no tengas que pagar un alto precio por tu tardanza. Cuando llegó a la posada casi no podía respirar así que se detuvo en la puerta.

—¿Y qué pasará si ya no me quiere?

Bourreau se mantuvo indiferente.

—Es una duda que ha provocado usted misma.

Pero le volvió a ofrecer el dibujo, y esta vez ella lo cogió con lágrimas en los ojos. Era Tris, no el duque, relajado y normal, excepto por su aspecto. Se veía infeliz, solo y desesperanzado.

—Tiene mucho talento.

—Claro que sí.

—¿Es verdad?

—Exacto. Le di el dibujo suyo, y no lo rechazó.

—Gracias por eso, por darme esperanzas. Tardaré muy poco.

Corrió a sus habitaciones y se encontró con su madre tejiendo. La miró y se levantó.

—¿Cressida? ¿Qué ocurre, querida?

—He cometido un terrible error, mamá. Tengo que ir a Mount Saint Raven.

Para su sorpresa su madre floreció de alegría.

—¡Oh, querida, estoy tan feliz de que te hayas dado cuenta! Tu padre dice que tenemos que dejar que sigas tu camino. Eres tan práctica e inteligente, aunque le preocupa un poco lo desenfrenado que es el duque. Pero tienes que seguir los dictados de tu corazón, aunque te ponga en peligro. Y nosotros continuaremos en cuanto podamos. No podemos quedarnos vigilándote como si estuvieras de nuevo yendo de aquí para allá temerariamente.

Cressida negó con la cabeza, se apresuró en dar a su madre un gran abrazo, después salió corriendo de la habitación y bajó las escaleras para reunirse con Bourreau que tenía preparado un cabriolé.

—Se parece al de Tris —dijo mientras se subía.

—Es el de él. Reza para que no volquemos.

En cuanto partieron ella se agarró a la baranda.

—¿No eres buen conductor?

—No especialmente —gritó alegremente animando a los caballos para que corrieran.

Cressida se agarró con más fuerza, pero no le pidió que redujera la velocidad. Bourreau no tenía la pericia de Tris, y los caminos eran peores. En algunas partes tuvo que dejar que los caballos fueran caminando. Eran cerca de las nueve, y el sol se había puesto cuando se aproximaron a una gran casa blanca que estaba encima de una colina, cuyas ventanas resplandecían, aunque no eran las llamas del infierno.

Pero para ella era el cielo pues había llegado a tiempo. Había muchos carruajes entrando. El acontecimiento había comenzado.

Jean-Marie, con quien durante el viaje había comenzado a tutearse, se apartó del camino principal.

—¿Adónde vamos? —dijo ella gritando.

—No podemos entrar por la puerta principal, pero sé cómo se llega a los establos. Desde allí se puede entrar en la casa. Y si Tris ya está reunido con sus invitados, necesitaremos un traje.

Entraron en un estrecho camino y Cressida se puso a rezar. Rezaba para que Tris estuviera todavía en su habitación, y que no le hubiera propuesto nada a la señorita Swinamer antes de la fiesta. En cuanto llegaron a los atestados establos, ella bajó de un salto del cabriolé. Jean-Marie hizo lo mismo y corrieron a la casa. La condujo por las estrechas escaleras de los sirvientes y subieron hasta un amplio pasillo alfombrado. Entraron en un gran dormitorio forrado de terciopelo rojo que llevaba una inscripción heráldica bordada en oro.

Era la habitación de Tris. Cressida lo supo por su majestuosidad, pero también por el olor a sándalo y todo lo que sintió. Pero no se encontraba ahí. Exploraron la gran estancia, pero ¡Tris no estaba allí!

Jean-Marie volvió a maldecir.

—¡Quédate aquí! —dijo y desapareció.

Cressida se paseó por el dormitorio retorciéndose las manos, y un montón de veces estuvo a punto de salir corriendo por la casa. Pero hubiera parecido una loca y probablemente los sirvientes la hubieran echado. Entonces regresó Jean-Marie con una monja con un tocado con alas. Una monja que se sacó su complicada toca y se comenzó a desnudar.

—Sal de aquí —le ordenó Miranda Coop a su amante—. Ve a vigilar que Tris no haga nada estúpido.

No hizo falta que le dijera nada a Cressida, que se comenzó a sacar su vestido; felizmente no le haría falta ayuda. Y es que esta vez no tenía que quitarse la combinación, la ropa interior o el corsé.

—Es un hábito muy decoroso —dijo.

—Es que me he reformado —dijo Miranda riéndose—. Toma.

Le pasó el largo traje negro, y Cressida se lo puso, consciente, con cierto asombro, de que estaba acompañada de una antigua prostituta, y que aunque ambas estuvieran en paños menores, no lo sentía como algo escandaloso.

En cuanto se anudó la cuerda en torno a la cintura advirtió que la ropa interior de Miranda era de seda color rosa, y que su corsé estaba bordado con hilo rosado y tenía lazos color escarlata. Sus medias color carne llevaban hojas de parra bordadas que terminaban en flores cerca de las ligas. Cressida imaginó que a Tris le gustaría una ropa interior así.

Se puso el canesú blanco en el cuello y Miranda se lo ató. Después se colocó la media máscara en la cara, y entonces Miranda hizo que se sentara para ajustarle el tocado y ocultar sus rizos sujetándolos con horquillas.

—Ya está —dijo—. ¡Vamos!

Cressida se puso de pie, pero se detuvo un momento.

—¿Cómo va vestido?

—Con el traje de Jean-Marie. Pero hay una docena como él.

—¡Santo cielo! ¿Y cómo va la señorita Swinamer?

Miranda se rió.

—De pastorcilla. Llena de volantes rosados. ¡Vete! Gira a la izquierda y sigue por el pasillo. La sala de baile está al final de la casa, pero él puede estar en cualquier sitio.

Cressida salió al pasillo y caminó hacia la izquierda, pero entonces se abrió una puerta y se vio obligada a detenerse. Apareció una pareja disfrazada con ropa medieval. Le hicieron una inclinación de cabeza y siguieron charlando por su mismo camino. Maldición, ahora tenía que avanzar siguiendo un ritmo majestuoso o parecería rara. ¿Cuál era el precio de ser peculiar? A esas alturas no le importaba, así que pasó rozándolos y siguió a toda prisa, a pesar de las exclamaciones ofendidas.

Tuvo que doblar otras dos veces por el pasillo, hasta que llegó a un descansillo que se encontraba encima de la puerta principal. Allí se detuvo un momento para buscar entre la muchedumbre. Era un baile de máscaras, por lo que el anfitrión no tenía que recibir a sus invitados. Aún así, lo estaba haciendo una mujer gruesa con un largo vestido de terciopelo y una diadema.

Vio tres sombreros de ala ancha con grandes plumas, pero ninguno era el de Tris. Dos pastorcillas, pero ninguna parecía ser la señorita Swinamer.

Dios mío, haz que Jean-Marie haya encontrado a Tris a tiempo para impedirle que se comprometa. O haz que el señor Lyne lo tenga bajo control.

Siguió adelante, esta vez más lento, pues por todas partes estaba lleno de gente. Deseó ser más alta para poder ver por encima de la multitud. También le hubiera gustado no llevar esos cuernos que la hacían toparse con todo. Llegó al salón de baile donde sonaba música, aunque aún no era de baile. Estaba iluminado con cuatro candelabros y varias lámparas apoyadas en los muros. Cressida hizo una pausa para respirar, calmarse y recuperar su ingenio. Entonces un puritano, con sombrero en forma de campana, se puso a su lado.

—Jean-Marie está con él, pero está buscando a la señorita Swinamer.

—Señor Lyne. —La asaltó una urgencia extrema que la dejó llena de dudas—. Tal vez sea a ella a quien quiere.

—Desde que nos alejamos del carruaje de su familia, no se ha permitido mostrar sus deseos. Si está buscando garantías —añadió con severidad puritana—, no las hay. Usted le hizo mucho daño.

Ella se mordió los labios.

—Me lo debió haber explicado todo.

—Y usted tuvo que haber confiado en él.

Le había pedido que confiara en él, pero ella nunca se fiaba de nada ciegamente.

—Sólo le pido que me ayude a buscarlo. ¿Por dónde debería comenzar?

—Lo dejé en cuanto entramos al salón. Y no sé dónde están los Swinamer.

Cressida no podía ver más allá de la gente que tenía a su alrededor. Miró hacia arriba y vio que en cada esquina había unos balconcillos con cortinas.

—Subiré allí para poder buscarlo.

Él siguió su mirada.

—Iré yo y la dirigiré desde ahí.

Cressida tuvo que maniobrar entre los invitados que salían, y tuvo que eludir algunos galanteos ocasionales. Como era habitual, la gente en cierto modo actuaba, lo que le hacía más fácil rechazar insinuaciones. Después vio la cabeza del señor Lyne sin sombrero, que fisgaba desde un extremo de la cortina. Estaba examinando la habitación y de pronto señaló con urgencia a la izquierda de ella.

Se sintió aliviada como... como si se hubiera puesto un aceite perfumado. Fue a empujones hacia la izquierda, pero el tocado le dificultaba el avance, especialmente cuando se encontró con una dama medieval con un gran sombrero. Salió de allí, se puso recto el tocado y miró hacia el balcón. El puritano señalaba frenéticamente justo debajo de él. Cressida cambió de dirección y se dirigió a ese punto, mirando a su guía de vez en cuando. De pronto chocó con alguien.

Una pastorcilla. Y esta vez era Phoebe Swinamer con una máscara muy pequeña para que no tapara su belleza.

—¡Ten cuidado! —la regañó la señorita Swinamer alineando sus volantes de los codos.

Después se volvió a una mujer que sólo llevaba una capa dominó encima de su vestido, aparte de una máscara igualmente pequeña. Era la madre de Phoebe.

—Esperaba haber podido hablar con Saint Raven antes del baile, madre. Es muy decepcionante.

—Es su primer evento importante aquí, querida. Evidentemente ha venido todo el mundo.

—La mayoría pueblerinos. —La bella dama no intentaba hablar más bajo.

—Vamos, vamos, querida, cuida tus modales. Pronto toda esta gente estará a tu cargo, y serán una gran audiencia para el anuncio.

—Espero que Saint Raven no pretenda pasar demasiado tiempo en Cornwall. Está tan lejos de cualquier sitio. Hay que viajar varios días para llegar aquí.

Cressida estaba tan concentrada en la conversación que olvidó mirar a su guía. Y cuando lo vio estaba haciendo un gesto desesperado que no sabía cómo interpretar. Pero entonces se dio cuenta que Tris venía en dirección a ella, pero ¡primero se iba a encontrar con las Swinamer!

Murmuró una excusa y se abrió camino entre ellas. Phoebe se volvió a quejar, pero Cressida sólo miraba a su guía. Un Le Corbeau le bloqueó el paso y ella se agarró a él; éste la miró sorprendido. Era un desconocido.

—¡Perdone, es que me he tropezado! —dijo entrecortadamente y escapó mientras el tocado se le deslizaba sobre un ojo.

Entonces se encontró cara a cara con Tris, que iba de negro y llevaba máscara, pero no se había puesto ni el bigote ni la barba. Le hizo sonreír. Evidentemente no estaba de espíritu festivo.

—¿Miranda? Jean-Marie estaba aquí hace un momento —dijo mirando a su alrededor.

¿Debía sentirse ofendida por que no reconociera la diferencia? Llevada por una ola traviesa y de alivio, Cressida dio un paso adelante y pasó los dedos por su chaqueta.

Él agarró su mano.

—Me decepcionas.

Realmente estaba decepcionado, e incluso enfadado, pues pensó que el amor de su primo no le era fiel.

Cressida lo miró a los ojos tras la máscara.

—No soy Miranda.

Él se quedó helado.

—Me ha sentado mal el brandy.

Ella se dio cuenta de que había estado bebiendo. No se tambaleaba, pero arrastraba un poco las palabras y su rostro estaba un poco laxo.

¿Qué decir? Las Swinamer debían estar muy cerca. ¿Qué se imaginaba que tenía que ocurrir? ¿Qué le volviera a pedir la mano dándole una nueva oportunidad?

—¡Saint Raven!

Era la voz penetrante de lady Swinamer. Estaban llegando.

Cressida levantó la otra mano de modo que agarró la de él con las dos suyas.

—No estás loco. Mi nombre es Cressida Mandeville y me pediste que me casara contigo. —Y añadió desesperadamente—. ¡Y me lo pediste a mí primero!

Él frunció el ceño y durante un terrible momento, Cressida estuvo segura de que había cambiado de opinión. Había sido una fantasía que ya había terminado.

—¡Saint Raven! —Era lady Swinamer de nuevo, cada vez más cerca, casi junto a ellos.

Tris agarró a Cressida e hizo que se diera la vuelta alejándola de esa voz exigente. La sacó de la sala de baile, y cruzaron el arco, atravesaron el pasillo, descendieron y se metieron bajo el hueco de la escalera. De pronto se detuvo, en una curva que no se veía ni desde arriba ni desde abajo.

—¿Cressida?

Había una lámpara que pestañeaba proporcionando un poco de luz, pero desafortunadamente no les llegaba, y ella no lo podía ver claramente, pero su voz le decía lo que necesitaba saber.

De manera planeada o por casualidad, terminaron con ella un peldaño más arriba de modo que fácilmente podía acariciar el rostro de Tris.

—Quiero cambiar mi respuesta, si me lo permites. Pero tengo que solicitarte algo importante.

Las manos de Tris cubrieron las de ella.

—¿Qué?

—No tengo derecho a pedirte nada. Estaba enloquecida. Supe que habías estado en la casa de Violet Vane, y supuse lo peor. Escuché que viniste a mi baile por una apuesta, y que venías de una orgía. Me lo creí.

—Cressida...

Ella selló sus labios con los pulgares.

—Pero por el bien de los dos te tengo que pedir algo. Por favor, Tris, ¿puedes prometerme que me serás fiel todos los años de nuestra vida? Si me lo juras nunca más volveré a dudar de ti.

Él apretó los pulgares de ella contra sus labios, y Cressida sintió sus palabras además de escucharlas.

—Te lo prometo. No me puedo imaginar que vaya a tener necesidad de nadie más que de ti.

Una explosión de felicidad la dejó sin palabras, y entonces dijo:

—No me gustan las galletas con el glaseado rosa.

¿Por qué eso? ¿En un momento como ése? Tris iba a pensar que era idiota.

Pero se rió.

—Y ¿por qué no? Si podemos comer ostras, comer insectos no es tan raro. Y la miel, al fin y al cabo, se la comen los insectos... Estoy un poco borracho, amor mío. Perdóname.

—Sólo si me besas —dijo acercándose a él, pero uno de sus cuernos chocó contra la pared haciendo que le cayera el griñón sobre la cara, y el otro empujó el sombrero de Tris.

Riéndose se lo sacó y se deslizaron para sentarse en los peldaños. Tris lanzó su sombrero y el tocado que rodaron por las escaleras. Cressida le sacó la máscara y por fin pudo ver su amado rostro. Él desató la de ella y con mucha pericia, y también le soltó el cabello. Ella sintió cómo le caía por la espalda mientras Tris la besaba. Tenía muchas ganas de que la besara después de esas largas semanas separados.

Pero no era suficiente. Sentía cómo su deseo despertaba. Deseo físico y algo más. Era una ardiente necesidad de ser suya, y reivindicarlo como suyo. Mientras se besaban se subió sobre él y deslizó sus manos bajo su chaqueta. Necesitaba más. Piel. Se puso a tirar de su camisa. Pero él retrocedió y le cogió las manos.

—Cressida, amor...

Pero entonces se miraron y ella se dio cuenta de que se podía saltar todos los detalles prácticos. Tris se levantó con ella todavía agarrada a él con brazos y piernas y subió las escaleras hasta donde había luz. En el pasillo hizo que Cressida se bajara, aunque lo hizo de muy mala gana. Entonces la levantó en brazos y la alejó de la música y el parloteo de la sala de baile. Subió las escaleras y se adentró por el pasillo…

Ella no prestaba atención a nada más que a él. Le deshizo la corbata, y le acarició el cuello y la mandíbula. Después le metió los dedos por el pelo e hizo que bajara la cabeza. Él se detuvo y se volvieron a besar con tanta pasión que Cressida pensó que volvía a estar embriagada con el brebaje de Crofton y que estaba dispuesta entregarse a Tris ahí mismo en el pasillo.

Escucharon algo. Ella abrió los ojos y dejaron de besarse. Pasaba una criada que llevaba una pila de ropa, y que los miró levantando las cejas con una sonrisa torcida. En otros tiempos, Cressida se hubiera horrorizado, sin embargo le devolvió la sonrisa. Tris la miró sin sonreír, pero tampoco con la cara seria.

—Mi duquesa —dijo—. Verás muchas caras así.

La criada se rió entre dientes mientras hacía una reverencia.

—Mis bendiciones, señor —dijo con un fuerte acento de Cornwall y se marcho a toda prisa.

—Se lo contará a todo el mundo —dijo Cressida.

—Enseguida se los contaremos nosotros a todo el mundo.

No se estaban besando. Charlaban coherentemente, y eso era algo muy parecido a un milagro. Cressida sólo quería una cosa, y tímidamente le dijo susurrando:

—Quiero… quiero estar más cerca de ti, Tris, de lo que estado de nadie desde que salí indecorosamente del vientre de mi madre. Ahora.

Percibió que sus palabras hicieron efecto, y Tris se movió rápidamente. La llevó por el pasillo, abrió la puerta y después la cerró de una patada. Estaban en su habitación. Se dirigió a la gran cama y la puso de pie junto a ella. Ella enseguida se dio la vuelta para que le desatara el canesú.

—Esta vez sólo hay un pequeño nudo —le dijo incapaz de hablar más que en susurros.

Cuando le tocó la nuca sintió que la invadían oleadas de placer, y se dio cuenta de que las manos de él se movían nerviosas.

—Casi puede conmigo —dijo con la voz ronca—. Pero ya está.

Lo aflojó y ella se dio la vuelta sujetando el canesú, pero enseguida lo dejó caer. Después se desató el cinturón de cuerda mientras contemplaba cómo él se sacaba la chaqueta.

Cressida se quitó el vestido negro por la cabeza y lo dejó caer, y entonces se encontró con su viejo problema:

—Mi corsé.

Tris se rió gloriosamente desnudo hasta la cintura, se acercó al lavamanos y cogió su cuchilla de afeitar. Por un segundo Cressida pensó que debía protestar, pero la urgencia también pudo con ella. Le dio la espalda y sintió cómo la cuchilla se deslizaba entre los lazos.

De espaldas a él, tiró el corsé sobre la túnica negra, y se sacó la ropa interior y las medias por debajo de la combinación. Pero de pronto se apoderó de ella una incómoda timidez.

—Miranda tiene un corsé con cintas color escarlata, y medias con flores.

Las manos de Tris agarraron la combinación y se la subieron hasta sacársela por la cabeza. Entonces hizo que Cressida se diera la vuelta.

—Tú también te verías espléndida con esas cosas. Pero ahora es el momento de la desnudez, amor mío.

Él estaba desnudo. Magníficamente desnudo, cargado de deseo.

Cressida respiró profundamente de satisfacción.

—Tris, amor mío —dijo poniendo las manos en su pecho, ahora que todo parecía tan perfectamente natural, tan perfectamente… perfecto—, hazme tuya. Ahora.

Él fue a la cama y retiró los ricos cobertores dejando a la vista las sábanas blancas, como ya había hecho antes en aquella noche especial. Tris le transmitió todos los sentimientos que había sentido esa noche, y ella se aproximó con las piernas tan temblorosas que tuvo que apoyarse en él para que la ayudara. Tris la levantó y la instaló suavemente sobre la cama, y después se acostó junto a ella, grande, fuerte, caliente…

Suyo.

Cressida pasó una mano desde sus fuertes muslos a su amplio pecho.

—Sigo pensando que tal vez esté soñando.

—Yo soñaba con esto —dijo él y la volvió a besar moviendo sus piernas sobre las suyas, y después se las separó mientras la acariciaba con su mano experta.

Esta vez ella abrió los muslos ansiosa, arqueándose al menor toque, como si anhelara entrar en ese juego. Él se rió suavemente casi como un gemido, mientras su hábil boca pasaba por sus pechos. Ella comenzaba a caerse por el acantilado.

—¡Tris! —gritó enrollándose en torno a él como si temiera que la volviera a dejar caerse sola.

Pero él tenía su cuerpo sobre el suyo, abriéndola tanto como ella deseaba. La apretó con fuerza.

—¡Sí, sí! —se escuchó decir a sí misma como si estuviera lejos.

—Oh, sí…

Sintió un dolor agudo y extraño, pero no le importó porque por fin estaban profunda y completamente unidos. Como si fueran uno. Nunca en su vida había sentido algo tan glorioso.

Hasta que se comenzó a mover.

—Oh, Dios. Oh, Dios. ¡Oh, sí!

Le pareció que había seguido repitiéndolo, pero no estaba segura porque sentía que su mente estaba lejos de su cuerpo en ebullición. Esta vez no era como si estuviera cayendo en un acantilado lleno de niebla. Ahora sentía que espirales de fuego la hacían ser parte de la fuerza, el calor y la potencia de Tris.

Cressida se arqueó agarrándolo intensamente mientras sentía cómo él se pegaba a ella mientras un éxtasis ardiente los consumía a la vez.

Un dedo le acarició la mejilla.

—Espero que esas lágrimas no sean de arrepentimiento, amor mío —dijo Tris, aunque no parecía inseguro de sí mismo como confirmaron sus siguientes palabras—. Porque ahora eres mía.

Cressida abrió los ojos sonriendo.

—Y tú eres mío —dijo acariciando su cara—. Lamento tanto que casi haya provocado un desastre con mis dudas.

Él movió la cabeza y le besó el dedo gordo.

—Lamento que mi terrible trayectoria las haya alimentado.

—Sin esa terrible trayectoria no me habrías podido dar tanto placer.

Él se rió apartándola un poco.

—Como ya había observado, Cressida Mandeville, eres pícara de corazón. —Tenía una mano encima de su más dulce posesión—. Pronto serás Cressida Saint Raven. ¿Cuándo? No estoy seguro de que pueda pasar una noche más sólo en mi cama.

Ella sintió calor en las mejillas por el placer que le proporcionaban los francos deseos de Tris. Tris Tregallows, el maravilloso duque de Saint Raven, ardiendo de deseo por ella.

—Pronto —dijo ella incapaz de dejar de mirar hacia abajo como si sintiera vergüenza. Simplemente era demasiado abrumador en ese momento—. Mis padres tienen que zarpar en poco tiempo.

—Benditos padres.

—Y están viniendo hacia aquí. Tal vez ya hayan llegado...

—Excelente —dijo haciendo que levantara la cabeza para que lo mirara a los ojos—. Mi querida señorita Mandeville, ¿me harías el honor de convertirte en mi esposa y mi duquesa? Mañana.

—¿Mañana? ¿Se puede hacer tan rápido?

—Tus padres estarán aquí, y si un duque no puede obtener la licencia con rapidez ¿de qué sirve serlo? No me has dicho que sí todavía.

Ella se relajó y se rió.

—¡Si, sí, mil veces sí! Oh, Tris, me he sentido tan mal sin ti. Era como si sólo estuviera medio viva.

Le dio un gran abrazo.

—Y yo me sentía como un hombre condenado a muerte que de pronto es indultado. Y no sólo perdonado, sino que además recibe una maravillosa recompensa.

Pasó la mano por su larga cabellera y la puso hacia delante. Después besó sus pechos como un murmullo de placer que hizo que ella sintiera que se iba a desvanecer.

—No pensaba preguntártelo —murmuró—. Pero ¿cómo llegaste hasta aquí? ¿Entre las alas de un ángel?

Ella se controló lo suficiente como para levantar la cabeza y poder hablar; entonces le contó lo ocurrido. Tris se preocupó por los caballos, pero parecía más interesado por su ombligo. Ella reconoció que su primo no conducía tan bien como él, mientras intentaba ponerse fuera de su alcance. Ambos querían quedarse así, volver a hacer el amor, y permanecer abrazados hablando toda la noche, pero...

—¡Tienes una fiesta en tu casa, Tris! Tienes que volver.

—¡Qué lata! —Él era demasiado fuerte para ella—. Los Swinamer están aquí. Escondámonos.

—No puedes.

—Soy un duque. Puedo hacer lo que me dé la gana.

Al decir eso se miraron y rieron a la vez.

Ella puso una mano sobre sus labios.

—Seriamente, Tris. Debes regresar con tus invitados. ¿Y qué pasará con Phoebe Swinamer? Siento un poco de lástima por ella.

Tris cogió su mano y se puso a besar las yemas de todos sus dedos.

—No lo hagas. Ella no sentiría lástima de ti si tu situación fuera la contraria.

Como ella estaba desnuda con medio cuerpo encima de él, eso hizo que se riera.

—Me costaría imaginármelo.

—A mí también. Debía estar loco. Y como has admitido que todo fue por culpa tuya, se lo dirás tú.

—¡Oh, no!

Tris dejó sus juegos y le pasó los nudillos por sus mejillas.

—En este momento quisiera que todo el mundo fuera feliz, pero creo que lo mejor que podemos hacer por la pobre Phoebe Swinamer es hacer el anuncio y dejar que mantenga su dignidad. No le he dicho nada.

—Ya lo sé. Y he visto tanto ejemplos de sus pequeñas crueldades que no me duele el corazón.

Él se quedó en silencio sin moverse. Tal vez era una de esas situaciones en las que una mujer debe ser fuerte, así que Cressida se apartó de él y salió de la cama.

—Tenemos que vestirnos.

Él se sentó y se quedó observándola de una manera que ella nunca hubiera soñado que la iba a mirar un hombre.

—Has perdido tu toca. Deben estar haciendo bromas subidas de tono.

—No creo que sean apropiadas para los oídos de una dama.

—Nunca se sabe —dijo él saliendo de la cama.

La visión de su hermoso cuerpo desnudo hizo que Cressida se tuviera que apoyar en una silla. Tal vez se podrían quedar ahí…

Pudo ver que él pensaba lo mismo, pero se puso un *banjan* color rojo y oro que hizo que ella se sintiera aún más débil. Tal vez para la señorita Swinamer habría sido todo más fácil si no hubiera ocurrido nada esa noche…

Él le sonrió de una manera no del todo tranquilizadora.

—Quédate aquí. Enviaré a alguien para que busque tu tocado y mi sombrero. Como has dicho, los sirvientes ya lo deben saber.

Después entró en la habitación de al lado y cerró la puerta. Cressida simplemente se quedó en la cama, con esa mancha de sangre, asimilando lo ocurrido. Una joven decente de Matlock en un momento así seguramente estaría destrozada por la vergüenza, o por lo menos por las dudas. Hubiera sabido que tenía que esperar hasta la noche de bodas. Pero sentía como si por fin su mundo fuese exactamente como debía ser.

Sin dejar de sonreír se aseó y volvió a vestirse, contenta de llevar un vestido que no necesitaba corsé, el cual, en un absurdo rapto de discreción, guardó en uno de los cajones de Tris. Después de vestirse lo mejor que pudo, se sentó frente al tocador para intentar recogerse el pelo con horquillas, pero las manos apenas le respondían. Tal vez era por haber hecho el amor, o tal vez era el efecto secundario de su loca carrera hasta allí. O quizá porque no se había dado cuenta hasta ese momento cuán profundamente necesitaba a Tris. No se había permitido saberlo para poder seguir adelante con su vida.

Él volvió, con su sombrero y el tocado.

—¿Qué sucede?

Su frío tono denotaba temor, por lo que Cressida se volvió rápidamente hacia él.

—No, nada. Es sólo que acabo de darme cuenta de lo cerca que he estado de perderte para siempre.

Extendió sus brazos hacia él, que se acercó para besarle las manos.

—Ojalá no tuvieses que ser duquesa por mí, Cressida.

Ella se encontró con su seria mirada y lo provocó.

—Ah, no, señor. Ahora que te has salido con la suya, no me quites lo que me corresponde.

Él se rió y la besó, y luego la ayudó a recogerse el pelo con las pocas horquillas que encontraron. Cressida se puso la toca, mientras lo contemplaba vestirse. Hubiese preferido que se quedara desnudo, pero igual disfrutaba mirándolo, hiciera lo que hiciera.

Era real y era suyo. La vida se abría ante ella como un universo de delicias por descubrir. Sabía que como en todo viaje, surgirían situaciones difíciles y riesgos, pero también que las alegrías compensarían cualquier pena.

Tris se puso el sombrero y con un anillo en la mano se acercó a ella, tomándole la suya.

—El anillo de compromiso tradicional era un poco anticuado y se lo regalé a Jean-Marie. Éste es una versión moderna del mismo.

Deslizó el anillo en su dedo. Era un zafiro en forma de estrella incrustado en una preciosa y delicada montura. A ella se le llenaron los ojos de lágrimas y se mordió el labio para controlarlas.

Se dio cuenta de que le quedaba a la perfección, lo cual la hizo pensar.

—Este anillo habría quedado suelto en el delgado dedo de la señorita Swinamer.

Él frunció el ceño.

—Tienes razón. Pobre Phoebe. La verdad es que nunca perdí la esperanza y nunca la hubiese perdido tampoco. En todo caso es mucho mejor para ella que sea así, aunque le cueste creerlo ahora. —Besó el anillo—. Le mandaré un mensaje a Cary para pedirle que la ponga sobre aviso. Estoy seguro de que mi amigo va a querer matarme.

Cressida nunca se hubiera imaginado estar tan conmovida.

—Tris Tregallows, eres un hombre muy bueno.

—Cressida Mandeville, lo seré aún más contigo a mi lado. —La tomó de la mano y la llevó hacia la puerta—. Ahora, me temo, debo llevarte al mundo de las serpientes y los dragones.

Cressida se rió.

—¡Dragones, serpientes y cocodrilos no son nada para una Mandeville! Especialmente, su excelencia, si va acompañada de un guía tan experimentado.